NOUVEAUX CL[...] P9-ECQ-516

FONDÉS PAR
FÉLIX GUIRAND

CONTINUÉS PAR
LÉON LEJEALLE

DIRIGÉS PAR
JEAN-POL CAPUT

Agrégés des Lettres

LE MONDE COMME IL VA

ZADIG

textes intégraux

Librairie Larousse (Canada) limitée, propriétaire pour le Canada des droits d'auteur et des marques de commerce Larousse. — Distributeur exclusif au Canada : les Éditions Françaises Inc., licencié quant aux droits d'auteur et usager inscrit des marques pour le Canada.

Orant et bouquetins
votifs
provenant
de Larsa.

Paris,
musée du Louvre.

VOLTAIRE

LE MONDE COMME IL VA ZADIG

textes intégraux

avec une Notice biographique, trois Notices historiques et littéraires, un Index de recherche, des Notes explicatives, une Documentation thématique, des Jugements, un Questionnaire et des Sujets de devoirs,

par

CLAUDE BLUM
Agrégé de l'Université

LIBRAIRIE LAROUSSE

17, rue du Montparnasse, et boulevard Raspail, 114
Succursale : 58, rue des Écoles (Sorbonne)

RÉSUMÉ CHRONOLOGIQUE
DE LA VIE DE VOLTAIRE
1694-1778

1694 — **Baptême** en l'église Saint-André-des-Arts à **Paris**, le 22 novembre, de **François Marie Arouet**, « né le jour précédent », fils de Mᵉ François Arouet, conseiller du roi, ancien notaire au Châtelet de Paris, et de Marguerite Daumart de Mauléon. Le parrain est François de Castagnier de Châteauneuf, abbé commendataire de Varenne. — Les Arouet descendaient d'une famille poitevine de tanneurs et de drapiers. François Marie avait un frère de dix ans et une sœur de neuf ans, qui deviendra Mᵐᵉ Mignot. — Mᵐᵉ Arouet, fille d'un greffier criminel au parlement de Paris, avait brillé à Versailles et se distinguait par son esprit mordant. Les réceptions de Mᵉ Arouet étaient brillantes : on y rencontrait le chansonnier Rochebrune, Ninon de Lenclos, le duc de Richelieu, Saint-Simon, l'abbé de Châteauneuf et Boileau, voisin de la famille.

1701 — **Mort de sa mère.** C'est l'abbé de Châteauneuf, l'oncle « libertin », qui se charge de l'éducation du futur Voltaire.

1704 — François Marie Arouet entre au **collège Louis-le-Grand,** tenu par les **jésuites,** alors que son frère aîné avait été mis à Saint-Magloire, maison d'enseignement janséniste. L'établissement accueille les héritiers des plus hautes familles : d'Argental et Pont de Veyle, Cideville (futur conseiller au parlement de Rouen), Fyot de La Marche (qui sera président au parlement de Bourgogne), les deux frères d'Argenson (destinés l'un et l'autre à devenir ministres).

1706 — L'abbé de Châteauneuf l'introduit dans la **société du Temple :** il y a là le grand prieur Philippe de Vendôme et son frère le maréchal de Vendôme, l'abbé de Chaulieu, le marquis de La Fare, l'abbé Servien, le duc de Sully, l'abbé de Courtin. Il amuse la marquise de Mimeure avec la chronique du collège, fait rire la duchesse de Richelieu avec ses propos libertins. — Il n'en poursuit pas moins des **études solides,** s'intéressant beaucoup à l'histoire contemporaine et aux choses de la politique : parmi ses maîtres éminents, le père Tournemine, le futur abbé d'Olivet. De son éducation, il conservera une vive admiration pour les grands auteurs de l'Antiquité et un **goût** étroitement, mais fermement **classique.**

1711 — Au sortir du collège, une charge d'avocat du roi attend le brillant sujet. Il se dégoûte très vite des études de droit et surtout ne veut pas d'« une considération qui s'achète ». Il veut « s'en faire une qui ne coûte rien ». Le révolté fait si bien qu'on doit l'éloigner quelque temps à Caen.

1713 — Le marquis de Châteauneuf, frère de l'abbé, étant devenu chargé d'affaires à La Haye, rejoint son poste et emmène Arouet avec lui : peut-être l'intéressera-t-il à la diplomatie. A peine **arrivé dans la capitale hollandaise,** le jeune homme fréquente le salon de Mᵐᵉ du Noyer, réfugiée protestante, qui avait fondé un périodique satirique, la *Quintessence.* Il collabore à cette publication et s'intéresse à la fille de la maison, Olympe; il rêve de fuir avec elle à Paris et va jusqu'à intéresser le père Tournemine à cet enlèvement, en le persuadant qu'il s'agit d'arracher une âme à la religion protestante. — En décembre, Arouet revient, seul, à Paris et commence un **stage** dans l'**étude d'un procureur,** Mᵉ Alain; il y fait la connaissance de Thiriot (ou Thieriot), à qui une longue amitié le liera.

1714 — **Publications satiriques :** le *Bourbier,* dirigé contre Houdar de La Motte, et *l'Anti-Giton.* L'imprudent, qui **commence à signer Voltaire,** doit chercher asile chez M. de Caumartin, au château de Saint-Ange, sur les bords du Loing.

1716 — De retour à Paris, Voltaire se mêle aux intrigues contre le Régent. Après en avoir ri, celui-ci l'envoie à Sully-sur-Loire.

1717 — Retour à Paris (janvier). Deux nouveaux **poèmes satiriques** lui sont attribués; le second (Puero regnante) est de lui. **Le Régent envoie Voltaire à la Bastille** (mai), où il compose un chant de la Henriade.

1718 — Sortie de prison (avril), mais obligation pour lui de résider à Châtenay; jusqu'en octobre, chacun de ses séjours à Paris sera soumis à une autorisation spéciale. — **Triomphe d'Œdipe**, tragédie (novembre) qui a quarante-cinq représentations successives. Le Régent, à qui est dédiée la pièce, accorde une pension.

1719-1722 — Voltaire mène une vie de plaisirs : il assiste aux Nuits de Sceaux, chez la duchesse du Maine. Il dédie à une aventurière, Mᵐᵉ de Rupelmonde, l'Épître à Uranie, qui deviendra le Pour et le contre. — En 1722, il séjourne, par prudence, en Hollande.

1723 — Mort de son père. Lui-même manque d'être emporté par la petite vérole. — Publication, sans autorisation de la censure, par les soins de l'abbé Desfontaines, de la Ligue ou Henri le Grand, poème épique.

1724 — Première représentation de Mariamne (mars), qui sera reprise avec Œdipe et la comédie de l'Indiscret lors des fêtes données à l'occasion du mariage de Louis XV l'année suivante.

1725 — Voltaire fréquente des amis du duc d'Orléans, fait quelques avances au cardinal Dubois. Il est assez lié avec Mᵐᵉ de Prie, « fée de la Bourse ». — Voltaire et le chevalier de Rohan s'étant pris de querelle (décembre), ce dernier le fait bâtonner.

*
* *

1726-1727 — Un duel était prévu entre Voltaire et son antagoniste (avril 1726), quand on incarcère l'écrivain à la **Bastille**; au début de mai, il **part pour l'Angleterre**, où il est reçu par Bolingbroke en son hôtel de Pall Mall, à Londres. Voltaire fait là de nombreuses connaissances : le duc de Newcastle, Bubb Dodington (futur lord Melcombe); il fréquente chez Pope, à Twickenham. Il rencontre Swift, qui publiait un journal humoristique, le Graftsman, et John Gay, auteur dramatique et poète. Il prend connaissance de l'Essai sur l'entendement humain de Locke, fréquente Young, Berkeley et Clarke. Il admire non sans réserve le théâtre de Shakespeare : Julius Caesar lui inspirera la Mort de César, tandis qu'Othello lui donne l'idée de Zaïre. — Vite familiarisé avec la langue du pays, il fait paraître en anglais deux ouvrages revus par Young : Essai sur les guerres civiles de France et Essai sur la poésie épique. Tous les thèmes familiers à Voltaire s'y trouvent déjà et ils plaisent aux Anglais : antipapisme; hommage à l'Angleterre, reine des arts, des armes et des lois; égards dus aux gens de lettres.

1728 — Édition remaniée de la Ligue, sous le titre de **la Henriade**, dédiée à la reine d'Angleterre. — **Retour en France** (fin de l'année); période de travail : Voltaire rédige l'Histoire de Charles XII, met au point les Lettres anglaises et les autres œuvres qui paraîtront les années suivantes.

1729-1730 — Reprise d'une vive activité : Voltaire se lance dans des **spéculations financières**, qui lui permettront d'avoir l'aisance nécessaire à son confort et à son indépendance. — Mort d'Adrienne Lecouvreur (15 mars 1730), titulaire du rôle de Jocaste dans Œdipe : l'Église refuse à l'actrice la sépulture chrétienne; Voltaire protestera plus d'une fois contre cette indignité. — Succès de Brutus, tragédie (11 décembre 1730).

1731-1732 — Saisie du premier volume de l'**Histoire de Charles XII;** interdiction de la Mort de César. — Éclatant succès de **Zaïre** (13 août 1732).

1733 — *Le Temple du goût,* œuvre de critique littéraire favorable aux grands classiques du XVIIe siècle, soulève des polémiques. — Rencontre de Mme du Châtelet : c'est le début d'une longue liaison.

1734 — *Adélaïde du Guesclin* (18 janvier). — **La publication des *Lettres philosophiques,*** auxquelles sont jointes les *Remarques sur Pascal,* met Voltaire sous la menace d'une arrestation. Celui-ci se réfugie au **château de Cirey, en Lorraine, chez Mme du Châtelet :** tout en ayant dès l'année suivante la permission de revenir à Paris, il trouvera pendant de longues années à Cirey l'abri qui lui permettra de se tenir à distance des menaces de l'autorité.

1735-1736 — Représentations de *la Mort de César* (11 août 1735), d'*Alzire* (27 janvier 1736); publication du poème *le Mondain* (novembre 1736); nouvelles menaces d'arrestation.

1737-1739 — Voyages aux Pays-Bas, en Belgique, avec, de nouveau, quelques passages à Paris. Les longs séjours à Cirey sont surtout consacrés à des études scientifiques, qui passionnent Mme du Châtelet. Publication des *Eléments de la philosophie de Newton* (1737), des *Discours en vers sur l'homme* (1738).

1740 — Première rencontre de Voltaire et de Frédéric II, à Clèves (11 septembre); court voyage à Berlin (novembre).

1741-1744 — Voltaire joue un **rôle actif dans la diplomatie officieuse :** il accomplit deux missions (septembre 1742 et septembre 1743) auprès de Frédéric II, qui ne se laisse cependant pas ramener dans l'alliance française. — Succès de *Mahomet* (1742) et de *Mérope* (1743).

1745-1746 — Années de gloire officielle : représentation de *la Princesse de Navarre* à l'occasion des noces du Dauphin; composition du *Poème de Fontenoy* (1745). Voltaire est nommé historiographe du roi (mars 1745) et **élu à l'Académie française (mai 1746).** Le pape Benoît XIV accepte la dédicace de *Mahomet.*

1747-1748 — Les relations avec le pouvoir sont moins bonnes; Voltaire se retire à Sceaux, chez la duchesse du Maine, pour écrire *Zadig,* dont la première version paraît à Amsterdam (septembre 1747). — Séjours à la cour du roi Stanislas, à Lunéville. — *Sémiramis,* tragédie (août 1748), a peu de succès.

1749 — *Nanine,* comédie; *Memnon,* conte. — **Mort de Mme du Châtelet** (10 septembre) : désarroi de Voltaire.

1750-1753 — Départ pour la Prusse (28 juin 1750). Les bonnes relations entre Voltaire et Frédéric II s'altèrent assez vite. Le pamphlet de Voltaire (*Diatribe du docteur Akakia*) contre le savant Maupertuis, directeur de l'Académie de Berlin, envenime les choses; Voltaire quitte Berlin le 27 mars 1753. — Publication du *Siècle de Louis XIV* (1751) et de *Micromégas* (1752).

1755 — Après une année passée à Colmar, Voltaire s'installe **à Genève et y achète les Délices** (février); dès le mois de juillet, il se voit refuser par le Consistoire l'autorisation de donner des représentations théâtrales. — La Comédie-Française représente *l'Orphelin de la Chine* (août). — Voltaire rédige des articles pour l'*Encyclopédie* : il remercie Rousseau de lui avoir envoyé le *Discours sur l'origine de l'inégalité* (lettre du 30 août 1755).

1756 — L'*Essai sur l'histoire générale et sur les mœurs et l'esprit des nations depuis Charlemagne jusqu'à nos jours,* qui deviendra, en 1759, l'*Essai sur les mœurs et l'esprit des nations.* — Publication en France du *Poème sur la loi naturelle* (écrit en 1751) et du *Poème sur le désastre de Lisbonne* (tremblement de terre de 1755), auquel Rousseau rétorque par sa lettre du 17 août 1756.

1757 — Voltaire sert d'intermédiaire entre le gouvernement français et Frédéric II, qui cherche à faire la paix; mais le parti de la guerre l'emporte à Paris.

***

1758 — Voltaire est accusé, non sans raison, d'avoir inspiré à d'Alembert l'article « Genève » de l'*Encyclopédie* : protestation des pasteurs genevois et de Rousseau (*Lettre à d'Alembert*). — **Achat de la terre de Ferney** (octobre), dans le pays de Gex, où Voltaire, secondé par sa nièce, Mᵐᵉ Denis, s'installe et commence de grands travaux. — *Le Pauvre Diable*, satire contre Fréron, adversaire des philosophes.

1759-1761 — Publication de *Candide* (janvier 1759). — Désormais, sûr de son indépendance et décidé à user de toute son influence, Voltaire intensifie les polémiques contre les adversaires des philosophes (*Relation de la maladie du jésuite Berthier*, 1759). — *La Vanité*, satire contre Lefranc de Pompignan, auteur de poésies sacrées. — La rupture avec Rousseau est complète : les *Lettres sur la Nouvelle Héloïse* (1761), sous la signature du marquis de Ximénès, ridiculisent le roman de Rousseau.

1762-1764 — Tout en continuant à améliorer l'organisation et l'économie de son domaine de Ferney, Voltaire **entreprend de réhabiliter Calas**, protestant toulousain condamné à mort et exécuté après avoir été faussement accusé du meurtre de son fils. Le *Traité sur la tolérance* (1763) est destiné à cette campagne. Le *Dictionnaire philosophique portatif* (1764) est un instrument de propagande largement diffusé. — *Jeannot et Colin*, conte (1764). — *Commentaires sur le théâtre de Corneille* (1764), dont l'édition est donnée au profit d'une descendante de Corneille, adoptée par Voltaire.

1765 — *La Philosophie de l'histoire*. — **Réhabilitation de Calas**. Voltaire se charge de la défense de la **famille Sirven** : le roi de Prusse, Catherine de Russie, les rois de Pologne et de Danemark aident financièrement Voltaire dans son action judiciaire, qui sera finalement gagnée en 1771.

1766-1773 — Action directe : Voltaire entreprend la **procédure en réhabilitation du chevalier de La Barre**, condamné et exécuté (juillet 1766) pour manifestations libertines sur le passage d'une procession : l'attitude du chevalier, pour certains parlementaires, trouverait sa source dans les ouvrages des philosophes. Il fait réhabiliter également Montbailli et dresse le front philosophique contre la candidature du président de Brosses à l'Académie. Il entreprend enfin la réhabilitation de Lally-Tollendal, condamné et décapité en 1766 à la suite de la capitulation de Pondichéry. — Publication de contes : l'*Ingénu* (1767), la *Princesse de Babylone* et l'*Homme aux quarante écus* (1768). — *Les Guèbres*, tragédie (1769). — *Épître à Horace* (1772).

1775 — Voltaire affranchit le pays de Gex de la gabelle; grande admiration pour Turgot, dont un édit a permis cette réforme demandée par Voltaire. — *Histoire de Jenni*, conte.

1778 — Il se rend, très malade, à Paris chez le marquis de Villette; c'est un défilé ininterrompu pour voir le patriarche : délégations de l'Académie, de la Comédie-Française, personnalités françaises et étrangères (Franklin). — Première d'*Irène* (16 mars), devant toute la Cour. Directeur de l'Académie, après avoir traversé en carrosse d'azur semé d'étoiles d'or Paris en délire (30 mars), Voltaire est couronné à la Comédie-Française. Le 7 avril, par les bons offices de Condorcet, en présence de Franklin, se déroule son initiation maçonnique. — Mai : révision du procès Lally-Tollendal. — **Mort de Voltaire à Paris, le 30 mai.**

Voltaire avait cinq ans de moins que Montesquieu; treize ans de plus que Buffon; dix-huit ans de plus que J.-J. Rousseau; dix-neuf ans de plus que Diderot.

VOLTAIRE ET SON TEMPS JUSQU'EN 1749

	la vie et l'œuvre de Voltaire	le mouvement intellectuel et artistique	les événements historiques
1694	Naissance à Paris de F. M. Arouet (21 novembre).	Réception de La Bruyère à l'Académie. Réconciliation de Boileau et de Perrault après la querelle des Anciens et des Modernes.	Victoire de Jean Bart sur les Hollandais.
1704	Entrée au collège Louis-le-Grand.	Regnard : les Folies amoureuses. Début de la traduction française des Mille et Une Nuits, par Galland.	
1713	Voyage en Hollande avec le marquis de Châteauneuf.	Destouches : l'Irrésolu. Succès à Londres du Caton d'Addison. Découverte des ruines d'Herculanum. Naissance de Diderot.	Traité d'Utrecht : fin de l'hégémonie française en Europe. Bulle Unigenitus, contre le jansénisme.
1717	Accusé d'avoir écrit des poèmes satiriques contre le Régent, il est incarcéré à la Bastille.	Destouches : l'Envieux. Crébillon père : Sémiramis.	Voyage du tsar Pierre le Grand à Paris. Rapprochement franco-anglais.
1718	Première tragédie : Œdipe. Reçoit une pension du Régent, puis du roi.	Traduction française de Mérope, de l'Italien Maffei.	Mort de Charles XII, roi de Suède. La banque de Law devient banque royale.
1723	La Ligue, poème épique.	Marivaux : la Double Inconstance. J.-B. Rousseau : Odes. Saint-Simon commence la rédaction de ses Mémoires.	Mort du cardinal Dubois (août) et du Régent (décembre).
1726	Suites de la querelle avec le chevalier de Rohan; seconde incarcération. Départ pour l'Angleterre (mai).	Rollin : Traité des études. Ouverture du salon de M** de Tencin.	Fleury, Premier ministre. Politique pacifique de la France.
1728	La Henriade, version remaniée de la Ligue. Retour en France.	J.-J. Rousseau à Turin. Marivaux : la Seconde Surprise de l'amour.	Avènement de George II en Grande-Bretagne.
1730	Brutus, tragédie.	Marivaux : le Jeu de l'amour et du hasard. Succès des peintres Lancret et Boucher, du musicien F. Couperin.	Début du ministère Walpole en Angleterre. Avènement d'Anna Ivanovna en Russie.
1731	Histoire de Charles XII.	Abbé Prévost : Manon Lescaut. Mort de Daniel Defoe.	Dupleix, gouverneur de Chandernagor.

1732	Zaïre. Initiation à la mathématique, de Newton.	Marivaux : les Serments indiscrets. Destouches : le Glorieux. Abbé Pluche : Spectacle de la nature.	Difficultés diplomatiques, qui vont provoquer la guerre de Succession de Pologne.
1734	Les Lettres philosophiques, publiées et condamnées. Départ pour Cirey chez M** du Châtelet.	Montesquieu : Considérations sur les causes de la grandeur des Romains et de leur décadence. J.-S. Bach : Oratorio de Noël.	Opérations militaires de la guerre de Succession de Pologne. Victoires françaises à Parme et à Guastalla.
1735	La Mort de César, tragédie.	La Chaussée : le Préjugé à la mode. Marivaux : le Paysan parvenu (roman).	Guerre russo-turque.
1736	L'Enfant prodigue, comédie. Le Mondain.	Lesage : le Bachelier de Salamanque. Premier séjour de J.-J. Rousseau aux Charmettes chez M** de Warens.	
1738	Discours en vers sur l'homme.	Deuxième séjour de Rousseau aux Charmettes.	Traité de Vienne, qui conclut la guerre de Succession de Pologne.
1740	Premier voyage à Berlin. Zulime, tragédie.	Marivaux : l'Épreuve. Richardson : Pamela.	Avènement de Frédéric II en Prusse, de l'impératrice Marie-Thérèse. Invasion de la Silésie par Frédéric II.
1742	Mahomet ou le Fanatisme, tragédie.	Arrivée de J.-J. Rousseau à Paris. Abbé Prévost : traduction de Pamela, de Richardson.	Traité de Berlin entre la Prusse et l'Autriche : annexion de la Silésie par Frédéric II.
1743	Mérope, tragédie.	J.-J. Rousseau à Venise.	Mort de Fleury. 2e pacte de Famille.
1745	Rentrée en grâce. Nommé historiographe du roi. Le Poème de Fontenoy.	Montesquieu : Dialogue de Sylla et d'Eucrate.	Guerre de Succession d'Autriche : victoire française à Fontenoy (11 mai).
1746	Élu à l'Académie française.	Diderot : Pensées philosophiques. Condillac : Essai sur l'origine des connaissances humaines.	Prise de Bruxelles par les Français. Mort de Philippe V d'Espagne. Prise de Madras par La Bourdonnais.
1747	Disgrâce; séjour à Sceaux. Zadig, conte.	Fondation de l'École des ponts et chaussées de Paris par Trudaine. Mort de Lesage.	
1748	Babouc ou le Monde comme il va.	Montesquieu : De l'esprit des lois. Diderot et J.-J. Rousseau se lient d'amitié. Richardson : Clarisse Harlowe.	Traité d'Aix-la-Chapelle, qui met fin à la guerre de la Succession d'Autriche.

VOLTAIRE ET SON TEMPS DE 1749 À 1778

	la vie et l'œuvre de Voltaire	le mouvement intellectuel et artistique	les événements historiques
1749	Mort de M™ du Châtelet. Retour à Paris.	Diderot : Lettre sur les aveugles; emprisonnement à Vincennes. Buffon : Histoire naturelle (t. I, III); sa Théorie de la terre condamnée par la Sorbonne.	Création de l'impôt du vingtième en France.
1750	Départ pour la Prusse (28 juin).	J.-J. Rousseau : Discours sur les sciences et les arts.	Dupleix obtient le protectorat de Carnatic.
1751	Le Siècle de Louis XIV.	Premier volume de l'Encyclopédie. Polémiques autour du Discours sur les sciences et les arts.	
1752	Micromégas.	Première condamnation de l'Encyclopédie. Construction de la place Stanislas à Nancy.	Kaunitz est nommé chancelier d'Autriche; il pratiquera une politique de rapprochement avec la France.
1753	Brouille avec Frédéric II. Départ de Berlin (mars).	J.-J. Rousseau : le Devin de village. Réception de Buffon à l'Académie française (Discours sur le style).	Affaire des billets de confession. Exil et rappel du parlement de Paris.
1755	Installation aux Délices, sur le territoire de Genève.	J.-J. Rousseau : Discours sur l'inégalité; polémique sur ce discours. Morelly : le Code de la nature. Klopstock : le Messie. Mort de Montesquieu.	Tremblement de terre de Lisbonne. Premiers actes d'hostilité de la flotte anglaise contre les bateaux français.
1756	Poème sur le désastre de Lisbonne. Essai sur les mœurs et l'esprit des nations.	J.-J. Rousseau s'installe à l'Ermitage. Lettre à Voltaire sur la Providence (18 août).	Début de la guerre de Sept Ans : prise de Minorque par les Français. Montcalm au Canada.
1758	Achat de la propriété de Ferney.	Diderot : Discours sur la poésie dramatique. Helvétius : De l'esprit. J.-J. Rousseau : Lettre sur les spectacles. Quesnay : Tableau économique.	Choiseul, secrétaire d'État aux Affaires étrangères. Les Russes s'emparent de la Prusse orientale.
1759	Candide. Relation de la maladie du jésuite Berthier.	Diderot : premier « Salon ». Deuxième condamnation de l'Encyclopédie. Traduction des Saisons, de Thomson. Fondation du British Museum.	Capitulation de Québec; mort de Montcalm.

1760	L'Ecossaise, comédie. Tancrède, tragédie. Installation définitive à Ferney.	Palissot : la Comédie des philosophes. Diderot : la Religieuse.	Occupation de Berlin par les Austro-Russes. Occupation de Montréal par les Anglais.
1762	Premiers écrits de Voltaire pour réhabiliter Calas, exécuté en mars.	J.-J. Rousseau : Du contrat social; Emile; condamnation de cet ouvrage par le parlement et l'Eglise. Gluck : Orphée.	Avènement de Catherine II de Russie; proclamation de la neutralité russe.
1763	Traité sur la tolérance.	Mably : Entretiens de Phocion sur le rapport de la morale avec la politique. Polémique à propos de l'Emile. Mort de Marivaux.	Traités de Paris et d'Hubertsbourg, qui concluent la guerre de Sept Ans.
1764	Dictionnaire philosophique portatif. Edition du théâtre de Corneille. Jeannot et Colin, conte.	J.-J. Rousseau : Lettres écrites de la montagne. Soufflot commence la construction du Panthéon.	Suppression de l'ordre des Jésuites en France. Mort de Mme de Pompadour.
1766	Relation de la mort du chevalier de La Barre.	J.-J. Rousseau en Angleterre. Turgot : Réflexions sur la formation et la distribution des richesses.	Rattachement de la Lorraine à la France. Voyage de Bougainville dans les mers australes.
1767	L'Ingénu, conte.	Beaumarchais : Eugénie, drame bourgeois, avec préface contre la tragédie classique. Expérience de Watt sur la machine à vapeur.	
1768	La Princesse de Babylone et l'Homme aux quarante écus, contes.	J.-J. Rousseau en Dauphiné. Carmontelle : premiers Proverbes dramatiques. Quesnay : la Physiocratie.	Achat de la Corse. Premier voyage de Cook dans les mers australes.
1772	Epitre à Horace.	Ducis : Roméo et Juliette, tragédie d'après Shakespeare.	Premier partage de la Pologne. Deuxième voyage de Cook.
1778	Retour à Paris. Représentation d'Irène. Mort le 30 mai.	Mort de J.-J. Rousseau (2 juillet). Diderot : Essai sur les règnes de Claude et de Néron. Buffon : les Epoques de la nature.	Alliance entre la France et les Etats-Unis d'Amérique. Création d'une assemblée provinciale en Berry. Mort du premier Pitt.

BIBLIOGRAPHIE SOMMAIRE

OUVRAGES GÉNÉRAUX SUR VOLTAIRE

Gustave Lanson — *Voltaire* (Paris, Hachette, 1906).

Raymond Naves — *le Goût de Voltaire* (Paris, Garnier, 1938) ; *Voltaire, l'homme et l'œuvre* (Paris, Boivin-Hatier, 1942).

René Pomeau — *Voltaire par lui-même* (Paris, Éd. du Seuil, 1955) ; *la Religion de Voltaire* (Paris, Nizet, 1956).

Jacques Van den Heuvel — « Voltaire », dans *Histoire des littératures* (Encyclopédie de la Pléiade, tome III, Paris, Gallimard, 1958).

Jean Orieux — *Voltaire ou la Royauté de l'esprit* (Paris, Flammarion, 1966).

ÉDITIONS

Babouc ou le Monde comme il va et *Zadig* se trouvent dans :

Voltaire — *Romans et contes*, avec des notes de René Groos (Bibliothèque de la Pléiade, Paris, Gallimard, 1950) ;

Voltaire — *Romans et contes*, avec une introduction et des notes d'Henri Benac (Paris, Garnier, 1953) ;

Voltaire — *Romans et contes*, avec une introduction et des notes de René Pomeau (Paris, P. U. F., 1961).

Deux éditions critiques de *Zadig* sont disponibles :

Voltaire — *Zadig ou la Destinée*, avec une introduction et des notes de Verdun-Louis Saulnier (Genève, Droz, 1946) ; *Zadig ou la Destinée. Histoire orientale*, avec une introduction et des notes de Georges Ascoli, édition revue et complétée par Jean Fabre (Paris, Didier, 1962).

SUR « BABOUC » ET « ZADIG »

Outre les introductions et les notes des éditions citées, on lira :

Jacques Van den Heuvel — *Voltaire dans ses contes* (Paris, Colin, 1967), en particulier les pages 121 à 200.

LES TRADITIONS DU GENRE DU CONTE

Éléments	Moyen Âge	XVIe siècle	XVIIe siècle	XVIIIe siècle
Merveilleux de l'Orient (les croisades : XIe-XIIIe s.)	Pèlerinage de Charlemagne			Galland : les Mille et Une Nuits
Merveilleux celtique (conquête de l'Angleterre : XIe s.)	Chrétien de Troyes : Érec et Énide		Les contes de fées : Perrault, Mme d'Aulnoy	
Merveilleux antique (renaissance littéraire des XIe et XIIe s.)	Chrétien de Troyes : Philoména	Rabelais : Gargantua		Les histoires tragiques Le roman sentimental
Le romanesque (la courtoisie)	Tristan et Iseut Le fabliau de l'Épervier			Le roman parodique
Le réalisme les fabliaux français les contes italiens les romans picaresques espagnols	Philippe de Beaumanoir : la Folle Largesse	Philippe de Vigneulles : les Cent Nouvelles nouvelles Marguerite de Navarre : l'Heptaméron Noël du Fail : Propos rustiques	Moulinet du Parc : Plaisants Contes D'Ouville : Contes La Fontaine : Contes et nouvelles	Le roman picaresque Le roman d'apprentissage

« Voltaire aux Délices », peinture d'Étienne Jeaurat.
Paris, collection particulière.

VOLTAIRE ET LE GENRE DU CONTE[1]

LE CONTE : HISTOIRE D'UN GENRE

Précisons avant toute étude le sens de quelques mots.

À l'origine, on appelle **roman** n'importe quel écrit composé en langue vulgaire ; le mot ne désigne pas spécialement un récit d'aventures, nommé d'ordinaire *histoire* ou *conte*. Mais alors que l'**histoire** rapporte des événements mémorables et vrais, le **conte** fait une relation de faits vrais dont le but sera, à partir du XVIe siècle, d'amuser. La **nouvelle** se distingue de ce dernier non dans la forme, comme aujourd'hui, mais sur le plan de l'actualité : selon l'étymologie, elle est l'annonce récente d'un événement.

Avant Voltaire

Pour comprendre certaines particularités des contes philosophiques de Voltaire, il est souhaitable de rejoindre l'histoire du genre à son origine. Certes, les lettrés du XVIIIe siècle ignoraient en partie la littérature du Moyen Âge. Celle-ci rend compte, néanmoins, des formes narratives modernes et permet de suivre le cheminement des influences ou d'observer la répétition de certains éléments constitutifs du genre du conte. La tradition orale assure la continuité entre le Moyen Âge et le XVIe siècle, et donne son sens à la première étude ; quant à la seconde, elle autorise d'utiles comparaisons entre les éléments constitutifs permanents et peut favoriser des recherches de structures.

Dès le XIe siècle, le genre de la chanson de geste est mis en cause par le bouleversement de la société française. Avec les croisades, l'influence de l'**Orient fabuleux** marque la littérature : elle y est sensible dans *le Pèlerinage de Charlemagne à Jérusalem*, composé au moment de *la Chanson de Roland* (avant 1150). À la même époque, la conquête de l'Angleterre (1066) met en honneur les **contes des pays celtes**, de l'Armorique, du pays de Galles et des Cornouailles. Cette source inépuisable de rêve et de poésie se répand en Occident grâce au répertoire de récits bretons, le *Roman de Brut* (1155) de l'Anglo-Normand Wace, et par l'intermédiaire de la tradition orale des *lais*, ou mélodies exécutées sur la petite harpe celtique, la rote, qui servaient de support à des récits colportés par les jongleurs en Angleterre et en France. Les *Lais* de Marie de France, dame de l'entourage d'Henri II et d'Aliénor d'Aquitaine, éclairent cet aspect : chez elle, le mot *lai* désigne non seulement la mélodie, mais aussi le *conte* lui-même, qui se distingue déjà du *roman* par sa brièveté.

La découverte de mondes nouveaux, et notamment, en Orient, du monde de Byzance, favorise le développement des lettres latines et grecques, dont l'influence déborde le monde des clercs et s'étend aux cercles aristocratiques.

---

1. On consultera essentiellement sur *Babouc* et *Zadig*, et en général sur tous les contes de Voltaire, la thèse de J. Van den Heuvel, citée dans la bibliographie, à laquelle nous avons beaucoup emprunté.

Entre 1130 et 1160, les **légendes antiques** servent l'inspiration des lettrés. Citons, inspirés de l'*Énéide* de Virgile et de la *Thébaïde* de Stace, le *Roman d'Alexandre* d'Albéric de Pizançon, le *Roman de Thèbes*, le *Roman d'Enéas*, le *Roman de Troie* et, transposée d'Ovide, l'*Histoire de Pyrame et Thisbé*.

L'ouverture du monde, la nécessité d'une cohésion sociale plus grande amènent la constitution de l'*ordo militum*, responsable de l'organisation des conquêtes. La femme, sur qui repose la perpétuation de la nouvelle classe, la charge du maintien de l'ordre en cas d'absence du seigneur, prend un rôle essentiel. Le chevalier lui doit alors soumission absolue et fidélité. Ainsi, la triple influence orientale, bretonne et antique est-elle couronnée par l'**amour courtois**, né dans le midi de la France, répandu dans le nord sous l'influence, en particulier, d'Aliénor d'Aquitaine, femme d'Henri II d'Angleterre. Parmi les œuvres issues de cette jonction, retenons les admirables contes de Chrétien de Troyes : *Philoména*, conte pieux imité d'Ovide ; *Érec et Énide* et *Perceval ou le Conte du Graal*, tous deux inspirés de la matière de Bretagne ; le roman de *Tristan et Iseut*, formé d'un amalgame de contes d'origines très diverses ; les *Lais de Marie de France*, tirés de contes féeriques bretons. Ces contes se déroulent pour la plupart dans la société aristocratique. Ils se distinguent par là du fabliau.

En effet, le **fabliau** est un conte à rire. Il est destiné à être récité, presque jamais chanté. Il exclut le surnaturel. Certains fabliaux se rapprochent du roman courtois par la délicatesse des sentiments, le style soigné, l'art du portrait, l'élégance des enchaînements. *Le Vair Palefroi* illustre cet aspect. Mais, en général, les fabliaux s'intéressent surtout aux milieux populaires et traduisent, en une langue parfois grossière, le réalisme de la vie quotidienne, comme *la Folle Largesse* de Philippe de Beaumanoir.

Ils continueront d'égayer les veillées du XVIᵉ siècle. D'abord transmis par la tradition orale, les contes populaires seront bientôt imprimés ou circuleront en manuscrits : les recueils du chaussetier Philippe de Vigneulles ou du sellier Nicolas de Troyes sont parvenus jusqu'à nous. Avec Rabelais, puis avec Marguerite de Navarre, le conte devient une œuvre littéraire.

L'influence des contes bretons demeure vivace, et la gauloiserie des fabliaux réjouit toujours les auditeurs. Rabelais recueillera ce double héritage ; Philippe de Vigneulles, dans *les Cent Nouvelles nouvelles* (1515), fait souvenir surtout du premier.

Ce sont ces mêmes fabliaux français, auxquels s'est ajoutée l'influence des *novas* provençales, qui, passés en Italie et devenus les « nouvelles » des Italiens, sont reçus en France comme des nouveautés. Boccace marquera de sa manière plusieurs conteurs français. Il fait preuve de rigueur dans l'agencement de l'intrigue et se préoccupe de la vérité des sentiments et de représenter la vie avec exactitude. Noël du Fail, dans ses *Propos rustiques* (1547), et Marguerite de Navarre, dans l'*Heptaméron* (1559), suivront son exemple, en y ajoutant un souci de didactisme inconnu à leur modèle.

Le XVIᵉ siècle voit les différences entre le conte et la nouvelle s'affirmer et se préciser selon les modalités actuelles : le conte traite de sujets plaisants, est une œuvre de fantaisie, recourt à l'invraisemblance et ne perd par son caractère oral ; la nouvelle se remarque par ses sujets sérieux ou tragiques, raconte des événements vrais ou du moins vraisemblables et perd son caractère oral, qui ne lui est plus nécessaire[2].

La société du **XVII**ᵉ **siècle et du début du XVIII**ᵉ, revenue aux valeurs traditionnelles, profondément religieuse et respectueuse des hiérarchies, n'accueillera plus avec la même faveur le fabliau d'antan, satirique et volontiers grossier. Néanmoins, Rabelais, Marguerite de Navarre, Des Périers seront encore goûtés dans les milieux hostiles à la galanterie et à la préciosité. La nouvelle italienne marquera de son influence les *Facétieux Devis et Plaisants Contes* (1612) de Moulinet du Parc, les *Contes aux heures perdues* (1644) d'Ouville et les *Contes et nouvelles en vers* (1665) de La Fontaine. Mais l'intérêt du public se porte surtout vers les nouvelles espagnoles, romanesques et sentimentales.

Pourtant, la mode du merveilleux ressurgit à la fin du siècle avec les contes de fées. De 1696 à 1698, on publie ceux de Préchac, de Mᵐᵉ de Murat, de Mˡˡᵉ Bernard, de Mᵐᵉ d'Aulnoy, de Perrault. Dans un siècle de rigueur et de strict classement des genres, le conte de fées favorise l'émancipation de la fantaisie et permet à l'auteur, libéré des vraisemblances du roman, de modeler sans entraves la matière fictive. *Les Mille et Une Nuits*, traduites par Galland en 1704, en sont une variante. Elles lui ajoutent l'exotisme oriental, étrange, fabuleux, sensuel. Dans cette traduction, où la langue de la raison « trouve occasion d'exprimer la rêverie la plus folle, la plus tranquillement déraisonnable, la plus ignorante de la nécessité extérieure, la moins libre aussi par cela même, et où les passions n'ont point de règle », Alain reconnaissait « le ramage de Voltaire enfant » (*Propos de littérature*, 1953).

Voltaire.

En fait, l'éclipse de la littérature orale amène un essor de la nouvelle et du roman au détriment du conte. Pour parvenir jusqu'à la lecture, celui-ci empruntera les stéréotypes de thèmes et de formes des deux premiers genres.

Les **histoires tragiques** du siècle précédent, dont les guerres de Religion avec leur cortège d'horreurs préparèrent la naissance, gardent leur influence : les enlèvements, les disparitions, les déguisements, les dissimulations ne feront pas défaut dans les romans de Mᵐᵉ d'Aulnoy, ni dans ceux de Marivaux (les *Effets surprenants de la sympathie*, 1713). Le roman sentimental continue l'histoire tragique et abonde dans le même sens, tout en mettant l'accent sur l'analyse des sentiments. Il s'inspire des *Mémoires d'un homme de qualité* (1731) de l'abbé Prévost et fait la transition entre *la Princesse de Clèves* (1678) et *la Nouvelle Héloïse* (1761). À son degré extrême, sous l'influence de Richardson, puis de Rousseau, il deviendra « roman sensible ».

De ces deux genres, Voltaire retiendra dans *Zadig* le thème du « retardement d'amour », où maints obstacles se dressent entre les deux amants avec un meurtre (chap. IX), une réduction à l'esclavage (chap. X), des

---

2. Voir H. Coulet, *le Roman* (Paris 1967, tome I, page 134).

fuites (chap. VIII), des combats (chap. IX, XIV et XVII) et des captures (chap. X et XIV).

Le **roman picaresque** et le **roman d'apprentissage**, où toute une époque d'agitations et de dangers, aux renversements imprévus de fortune, reconnut l'image de son destin, furent goûtés dès le début du XVIIᵉ siècle. *La Vraie Histoire comique de Francion* de Charles Sorel, parue dès 1623, se tient encore fort près de *Lazarillo de Tormes* (1554), son modèle espagnol. Dans l'un et l'autre roman, au règne du hasard, le héros, le pícaro, oppose sa vitalité, dont une philosophie de l'instant, qui se modèle et se crée au contact du monde, constitue l'appui idéologique. Le pícaro échappe à la dissolution psychologique, au pessimisme, au désespoir, en donnant à sa vie une cohérence rhétorique, en se racontant. Mais, en même temps, il échappe à l'esprit de sérieux en se détachant de son discours par l'ironie, en introduisant sans cesse une distance entre lui et sa vie, en devenant le spectateur amusé des caprices de son destin. En 1735, Lesage ajoutera dans son *Histoire de Gil Blas de Santillane* l'idée d'un « sens » du destin. Au terme de ses aventures, Gil Blas a « appris » que sa vie n'était pas absurde. Avec cette œuvre prend forme le roman d'apprentissage.

Les **contes orientaux**, dont le succès s'affirme à partir de 1702, date de la traduction des *Mille et Une Nuits* par Galland, partagent l'idéologie du roman picaresque et la confirment : en eux, le destin reste opaque, incompréhensible, mais le héros s'y adapte à chaque instant grâce à sa sagacité et s'en empare en racontant inlassablement ses aventures et sa vie[3].

Babouc ou le Monde comme il va et *Zadig* ont subi ces trois influences. À la façon du roman picaresque et des contes orientaux, Babouc et Zadig, le second surtout, récapitulent sans cesse leur vie et leurs expériences, Zadig pour s'étonner devant l'absurdité apparente, Babouc pour « apprendre[4] ». Le premier, sans le savoir, « apprend » aussi, mais il faudra l'intervention de l'Ermite (chap. XVIII) pour donner une forme didactique à ce qu'il sentait confusément : l'incohérence relève d'une vue fragmentaire de la destinée, qui, prise dans sa totalité, indique une direction, un sens.

Une dernière influence, celle du **roman comique et parodique**, aide à comprendre certains aspects des contes de Voltaire. L'*Histoire comique des États et Empires du Soleil* (1662) de Cyrano de Bergerac renoue avec la tradition de Rabelais et utilise la parodie pour révéler l'aspect insoupçonné des choses et interroger ainsi le monde. Le but de Scarron, dans *le Roman comique* (1651), et de Furetière, dans *le Roman bourgeois* (1666), se montre plus critique : il est de reprendre sur le mode parodique les thèmes et les structures du roman héroïque pour les dévoiler au lecteur et provoquer ainsi un réflexe de remise en discussion. Contrairement à *Candide*, la parodie dans *Babouc* et *Zadig* se remarque plus au niveau du style que des thèmes. Pour ne prendre qu'un exemple, c'est par son langage qu'Astarté, racontant sa vie à Zadig, rappelle et parodie les romans nobles (chap. XVI) ; au contraire, dans *Candide*, Cunégonde constitue un personnage totalement

---

3. Voir page 81 et Documentation thématique, pages 171-182 ; 4. Voir *Babouc*, page 142 et *Zadig*, page 50.

parodique, aussi bien dans son langage que dans ses aventures, ses réactions ou même son physique.

On voit donc la diversité des courants qui aboutissent aux contes de Voltaire, et en particulier à *Babouc ou le Monde comme il va* et à *Zadig*. Voltaire soutint cet apparent paradoxe : utiliser les genres qu'il jugeait les plus extravagants à l'expression d'une pensée raisonnable.

LA NAISSANCE DU CONTE VOLTAIRIEN

Avant l'expérience anglaise, rien ne semble indiquer que Voltaire rédigera un jour des « contes ». Les romans, contes, nouvelles et « autres fables » sont pour lui le témoignage du dérèglement de l'imagination, le symbole de l'absurdité et le comble du mauvais goût.

En effet, la forme romanesque est indigne d'un esprit philosophique. Fruit de l'imagination, elle est le témoignage de l'enfance du monde, malséante au siècle de la clarté. Ces idées, Voltaire les gardera toute sa vie. Six ans après *Candide* (1759), en maints passages du *Dictionnaire philosophique*, il s'en prendra au genre romanesque, qui laisse libre cours à l'imagination et entrave les progrès de la raison.

D'autre part, le goût classique, auquel Voltaire restera toujours fidèle, ne laissait aucune place au roman. La fiction, comme l'enseignait un docte du XVIIᵉ siècle, le père Bouhours, était réservée à la poésie, et la vérité à la prose. Dans ces conditions, le roman constituait un genre hybride où la prose se parait des prestiges de la fiction. Cela, Voltaire l'avait appris de ses professeurs jésuites, qui lui enseignèrent aussi que la première condition de la bienséance et, par conséquent, de l'art de plaire était de respecter l'usage.

Or, malgré les admirables succès de Fénelon, de Fontenelle, de Lesage, d'Hamilton, le moyen le plus sûr de plaire était, pour un jeune homme avide de réussir, de s'essayer aux grands genres : l'ode, la comédie et l'épopée. Voltaire le fera. Pour l'instant, en ces années qui précèdent la querelle avec le chevalier de Rohan, il exerce les ressources de son esprit.

Il est accueilli avec faveur au Temple, à Sceaux chez la duchesse du Maine, à Saint-Ange chez les Caumartin. Il fréquente le meilleur monde où s'apprend l'art d'être superficiel et de plaire en badinant. À Sully, où quelque épigramme impudente l'avait mené en exil, il apprendra du commerce de Saint-Hilaire, d'Hérault, de La Fare, de Chaulieu, de La Faye à mêler la philosophie au badinage ; il apprendra également, des œuvres de Chapelle et de La Fontaine, que l'esprit d'agrément et celui de sérieux s'allient avec avantage. Il comprend que la philosophie peut ne pas ennuyer et qu'elle gagne même à se parer des grâces de l'esprit.

À la suite des *Contes et nouvelles en vers* de La Fontaine (1668), Voltaire ne craindra pas de s'essayer au genre du conte. Il dédiera l'*Anti-Giton* (1714) à Mˡˡᵉ Lecouvreur, le *Cadenas* (1714) à Mᵐᵉ de B. Ces premières tentatives sentent l'emprunt et la convention, mais on y note déjà certaines des qualités qui font le charme des contes : une imagination plaisante, une fantaisie de bon ton, faite de naïveté et d'agrément. Il manquait encore à ces œuvres le sel de la satire.

Ce n'est pas que le jeune Arouet fût dépourvu d'esprit satirique. Sa correspondance révèle un collégien habile à déclencher le rire en montrant les travers piquants d'un maître ou d'un camarade. Mais, prisonnier d'une esthétique héritée des « doctes » de la fin du XVIIe siècle, pour lesquels l'esprit est l'ornement extérieur de la pensée, il ne sait que faire de son génie de la satire. C'est dans la correspondance des années qui vont de 1715 à 1726 qu'il lui laisse libre cours : à ses amis, il n'épargne rien de l'actualité parisienne, dont il dévoile les ridicules.

Il essaiera de faire place à ce talent inexploité dans la comédie. Il faut croire que le genre ne convenait pas à son tempérament. *L'Indiscret* (1724) ne plaît pas. *L'Envieux* (1725) amuse un peu, mais la pièce n'est pas remarquée. Si les traits, les inventions, les situations originales ne font pas défaut, les personnages n'existent jamais tout à fait. Il leur manque la cohérence, l'épaisseur, l'indépendance à l'égard de leur créateur qui font la réussite de ceux de Molière. Par contre, indice intéressant, Voltaire excelle à raconter une pièce de théâtre. Les personnages, cette fois, vivent. Qu'on lise dans la correspondance de Voltaire les résumés de ses œuvres destinées à la scène. On croirait à la réussite si l'on ne connaissait l'ouvrage.

En somme, prisonnier d'une esthétique et d'une société, Voltaire n'emploie pas au mieux ses talents. Il ne put sortir de cette situation stérilisante qu'à la faveur d'un bouleversement dans son existence.

En 1726, l'exil anglais qui suivit l'affaire du chevalier de Rohan le détacha brutalement de la mode et du goût français. En même temps, cette rupture le plaça dans la situation de ses futurs personnages. Voici Voltaire chassé de ce qu'il croyait être le plus agréable des univers, avide de s'instruire et pris soudain par la passion de la vérité. Les *Lettres anglaises* sont le témoignage littéraire de ce bouleversement psychologique. À l'esprit, exercé dans les salons, Voltaire ajoute ce qui fait le ton si particulier des contes : la couleur d'étrangeté, étrangeté qui obscurcit momentanément la réalité des choses pour mieux les révéler ensuite. Afin que la leçon prenne toute sa vigueur, il s'efforce déjà à l'intégrer dans le cadre d'une existence, comme le montrent les quatre premières des *Lettres philosophiques*, construites autour du personnage de Fox.

Les travaux préparatoires à l'*Histoire de Charles XII*, qui paraîtra en 1731, viendront à propos pour enseigner à Voltaire à exprimer une philosophie à travers le récit d'une vie. L'étude de l'existence du roi de Suède lui montre que l'homme qui croit le mieux dominer les événements est en réalité le jouet de forces qui le dépassent. N'est-ce pas de l'incohérence apparente que Babouc fait l'expérience à Persépolis[5]? Et Zadig ne s'apparaît-il pas à lui-même comme un jouet entre les mains du destin[6]?

Les éléments multiples qui sous-tendent le conte voltairien sont désormais réunis.

---

5. Voir *Babouc*, pages 34-41 ; 6. Voir *Zadig*, chapitre IX, pages 93-96.

LE CONTE VOLTAIRIEN : ESSAI DE DÉFINITION

Voltaire n'a jamais donné de définition du conte. Si nous feuilletons les diverses éditions de ce qu'on appelle les *contes* de Voltaire, nous apprenons que *Micromégas* est intitulé une « histoire philosophique », *Babouc* une « vision », *Zadig* une « histoire orientale », *le Bon Bramin* une « parabole », *l'Ingénu* une « histoire véritable ». Dans les premières éditions des œuvres complètes, les contes sont, au milieu de fragments divers, groupés sous le titre de *Mélanges d'histoire et de philosophie*. Ce n'est qu'à l'édition de 1768 qu'on trouvera le titre de *Romans, contes philosophiques*, qui indique, finalement, l'unité philosophique de ces écrits, tout en les rattachant à une tradition littéraire. En effet, le conte de Voltaire est traditionnel par nombre de ses aspects. L'action, à la différence de la nouvelle, y repose sur une longue série d'aventures ; à la différence du roman, ces aventures sont schématisées, mais dans un dessein précis : dépayser le lecteur, styliser la réalité pour l'instruire. Les personnages, à la différence de la nouvelle, y sont moins nombreux, mais, contrairement au roman, ils se voient simplifiés, grossis et ont rarement une existence réelle. La vraisemblance n'est pas respectée (cette notion classique n'a d'ailleurs pas de sens dans l'esthétique du conte) : les événements trouvent leur justification par rapport à la logique de l'imagination ou du propos philosophique de l'auteur.

Mais le conte voltairien est autre chose encore. Que Voltaire ait laissé si longtemps en attente l'intitulé de ses œuvres témoigne de l'originalité qu'il leur sentait. C'est donc en regard de ce que recouvraient à l'époque les mots *conte* et *roman* qu'il faut chercher une définition.

Selon l'*Encyclopédie*, en 1754, le conte est « un récit fabuleux, en prose ou en vers, dont le mérite principal consiste dans la variété et la vérité des peintures, la finesse et la plaisanterie, la vivacité et la convenance [...]. Son but est moins d'instruire que d'amuser. » De son côté, Diderot affirme en 1761, dans son *Éloge de Richardson*, que l'œuvre romanesque est « jusqu'à ce jour un tissu d'événements chimériques et frivoles, dont la lecture est dangereuse pour le goût et pour les mœurs ».

En regard de ces définitions contemporaines, les œuvres de Voltaire marquent leur originalité. Tout d'abord, la fiction apparaît dans les contes de Voltaire comme le moyen le plus direct pour dévoiler la réalité, car elle en montre immédiatement les aspects étranges. Elle n'est donc pas, chez lui, innocente. Elle vise à interroger ironiquement le monde, à la manière socratique. Enfin, la fiction est la pensée même de Voltaire, dans sa richesse et ses contradictions, dans sa réaction immédiate à la vie. Le conte voltairien est aussi une œuvre intime[7].

En somme, *le conte de Voltaire est une interrogation ironique que l'auteur pose par le moyen de la fiction sur le monde et sur lui-même.*

---

7. C'est précisément ce qu'a montré J. Van den Heuvel dans sa thèse *Voltaire dans ses contes* (Paris, 1967).

INDEX DE RECHERCHE

Sont indiqués les chapitres ou les pages du texte de l'œuvre, dont l'ensemble se prête particulièrement à l'étude d'un sujet (on consultera avec avantage les Questions y afférentes), ainsi que les pages de la Notice, de la Documentation thématique et des Jugements, dont les remarques peuvent aider à la position du problème.

« Ituriel entendit à demi-mot; il résolut de ne pas même songer à corriger Persépolis et de laisser aller le monde comme il va. »
(Page 50, lignes 528-529.)

Paris, Bibliothèque nationale.

LE MONDE COMME IL VA
1740-1747

le conte fut imprimé pour la première fois
en
1748

NOTICE

CE QUI SE PASSAIT VERS 1747-1748.

■ *EN POLITIQUE.* En France : Louis XV règne depuis 1715. Derniers épisodes de la guerre de Succession d'Autriche, qui dure depuis 1740 et qui oppose la coalition franco-prussienne à l'Autriche, appuyée par l'Angleterre : siège de Maëstricht par les armées françaises ; traité d'Aix-la-Chapelle. La France rend les conquêtes qu'elle avait faites, son alliée la Prusse garde la Silésie. Aux Indes, Dupleix continue sa politique d'annexion, tandis que La Bourdonnais, rappelé en France, est mis à la Bastille et accusé de trahison à propos de ses agissements lors de la prise de Madras. — *À l'étranger* : L'influence de William Pitt grandit en Grande-Bretagne.

■ *EN LITTÉRATURE.* En France : En 1748, Montesquieu publie De l'esprit des lois ; Diderot et d'Alembert annoncent la publication de l'Encyclopédie. Le premier volume de l'Histoire naturelle de Buffon est à l'impression. Voltaire prépare le Siècle de Louis XIV (1751). J.-J. Rousseau publie le Discours sur les sciences et les arts en 1750. Mme Du Deffand vient d'installer son salon au couvent Saint-Joseph, rue Saint-Dominique. La mode est à la littérature anglaise : La Place traduit Amour pour amour de Congreve et Venise sauvée d'Otway (1747). — *À l'étranger* : En Italie, naissance d'Alfieri (1749). En Allemagne, Bodmer publie ses Satires, et Kant ses Pensées sur la véritable estimation des forces vives. Naissance de Goethe (1749). En Angleterre, Bolingbroke donne ses Lettres sur l'esprit de patriotisme, Richardson Clarisse Harlowe (1748) et Fielding son Histoire de Jonathan Wild.

■ *DANS LES ARTS.* En peinture : F. Boucher est le peintre à la mode. Van Loo, premier peintre de Philippe V, roi d'Espagne, et Chardin sont appréciés. Cl.-J. Vernet est célèbre par ses paysages et ses marines. Quentin de La Tour et Nattier font les portraits des grands personnages du temps. — *En sculpture* : Bouchardon, sculpteur ordinaire du roi, entreprend la statue de Louis XV. J.-B. Lemoyne exécute le buste de Voltaire. Pigalle réalise sa Vénus. — *En architecture* : Héré achève la place Stanislas à Nancy.

ANALYSE DU CONTE

Ituriel, un des génies qui dirigent le monde, lassé des folies des Perses, charge le Scythe Babouc d'examiner Persépolis pour savoir si la ville mérite d'être châtiée ou détruite. Le premier spectacle qui s'offre à Babouc est celui de la guerre, spectacle absurde et incompréhensible. Babouc observe les mêmes bassesses et les mêmes grandeurs chez les deux ennemis, les Perses et les Indiens. Il pense d'abord que Persépolis mérite d'être détruite, puis se ravise.

À son arrivée à Persépolis, Babouc fait connaissance avec la malpropreté des anciens faubourgs et la sottise de son peuple. Persépolis sera détruite.

Babouc va dîner à l'autre bout de la ville et y découvre un quartier propre et une compagnie agréable. Persépolis sera sauvée.

Mais le libertinage des mœurs fait redouter au Scythe des scènes de jalousie meurtrière. Babouc note la vénalité des charges et l'importance accordée aux financiers; il assiste à un sermon, ennuyeux mais de bonne intention, et à une pièce de théâtre qui le réconcilie avec la ville. Il rend visite à un marchand de magnificences inutiles, voit en lui un fripon, mais comprend bientôt que son activité est utile à la bonne marche de la société : il l'avait d'abord inscrit sur ses tablettes; il le raie, après avoir un peu rêvé.

Sa rencontre avec les mages et les lettrés le décide à détruire la ville. Mais il rencontre un vieux lettré de bonne compagnie et de grande sagesse : il revient sur sa décision et soupçonne, pour la première fois, qu'il pourrait bien en être de Persépolis comme des édifices qu'il avait vus, à la fois dignes de pitié et d'admiration. Il récapitule son expérience et conclut qu'il y a souvent de très bonnes choses dans les abus. Son entrevue avec le ministre, sa soirée chez la « dame » confirment cette impression. Il est finalement séduit par la ville et s'empresse de partir... pour ne pas oublier Ituriel. Il fait son compte rendu au génie à l'aide d'une petite statue composée des matériaux, des terres et des pierres les plus précieux et les plus vils, symbole à la fois de l'être humain et de ses œuvres. Ituriel comprit et laissa aller *le monde comme il va.*

LA GESTATION DE L'ŒUVRE

1739. Le point de départ.

En 1737, Voltaire se jure bien de ne jamais retourner à Paris. Il est trop heureux à Cirey en compagnie de Mᵐᵉ du Châtelet. Le bonheur n'a nul besoin de la folie parisienne. L' « ermite » invite les d'Argental, ses amis de toujours, à le rejoindre à Cirey; lui n'en bougera pas.

Deux ans plus tard, le ton change. Cirey est toujours le « petit Éden », et Mᵐᵉ du Châtelet la bien-aimée. Mais il faut croire que même les êtres comblés ne se suffisent pas à eux-mêmes, ou que l'ennui finit par avoir raison de toutes les constructions, ou, plus simplement, que la vie intellectuelle se conçoit avec peine sans un regard tourné vers Paris.

À Paris, on continue à parler de Voltaire, un peu fort même et parfois en mal. À la fin de 1738, *la Voltairomanie*, l'odieux pamphlet de l'abbé Desfontaines, achève de décider Voltaire. Mᵐᵉ du Châtelet en avertit les d'Argental : elle ne peut plus calmer son ami. Une occasion favorable se présente. Mme du Châtelet doit plaider à Bruxelles ; elle accepte qu'on fasse une visite à Paris.

Et voici de nouveau Voltaire sous le masque de l'éternel étranger qui part à la découverte d'un monde inconnu. Il se réconcilie vite avec la capitale et goûte encore une fois les plaisirs de la vie parisienne et les délices de la mondanité. Telle est bien, en effet, la démarche du Scythe Babouc, qui éprouve d'abord des préventions contre Persépolis, puis « s'affectionne » au milieu d'un peuple « poli, doux, bienfaisant ». J. Van den Heuvel a montré la confusion des deux attitudes. Il n'est pas jusqu'à l'image finale de la statue composite qu'on ne retrouve dans la correspondance de Voltaire : « Paris, écrit-il à Caylus le 7 janvier 1739, est comme la statue de Nabuchodonosor, en partie or, en partie fange. » Par des rapprochements nombreux, le critique a fait la preuve que le point de départ du conte date de cette période.

1740-1745. Élargissement et approfondissement.

Cette sortie du « paradis » protecteur de Cirey et la nouvelle confrontation avec Paris amène Voltaire à s'interroger sur le sens des contradictions de la société contemporaine, problème que ses études menées entre 1735 et 1739 avaient préparé. Pendant ces quatre années, Voltaire s'était intéressé au mouvement de pensée représenté par Locke, Shaftesbury, Bolingbroke, Pope, Mandeville, pour qui les contradictions de la société n'étaient qu'apparence et, mieux encore, étaient la manifestation même de la vie sociale[8]. Le conte se fera l'écho de toutes ces réflexions[9].

On retrouve également en lui trace des événements historiques et de l'actualité politique. L'image du Paris en guerre de 1741 se profile dès le début du conte, et c'est à ce propos que Voltaire prend la mesure de l'absurdité du destin et de l'inconséquence des hommes. Le problème de la vénalité des charges, soulevé avec insistance dans le conte, reste de vive actualité. Là encore, les œuvres et la correspondance, la fiction et la vie se répondent.

Tels sont les éléments qui, accumulés les uns après les autres, semblent former le substrat de l'œuvre. Ils acquièrent une certaine cohérence et un sens « philosophique » à travers le personnage principal, Babouc, autour duquel le conte organise son unité.

Babouc, personnage voltairien.

Les héros des contes de Voltaire, qu'il s'agisse de Zadig, de Memnon, de Candide ou de l'Ingénu, présentent certaines constantes, que le rôle et la place de Babouc dans la structure du conte mettent en pleine lumière.

Babouc apparaît comme une des expressions du personnage voltairien privilégié : le visiteur lointain qui s'étonne devant une terre inconnue. On notera que l'étrangeté de Babouc est renforcée par son caractère d'élu, comme elle l'était chez Candide par la bâtardise du personnage[10]. L'état de

---

8. C'est le moment où Voltaire écrit le *Discours sur les contradictions de ce monde*, qui deviendra l'article « Contradictions » du *Dictionnaire philosophique* (1764) ; 9. Voir Documentation thématique, pages 155-159 ; 10. Voltaire, *Candide* (1756), chapitre premier, page 31, lignes 6-11 de l'édition des « Nouveaux Classiques Larousse ».

déraciné, Voltaire le découvrit pendant son séjour anglais et en fit de nouveau l'expérience lors de son arrivée à Paris en 1739.

Mais cette situation originale ne prend force que si un caractère approprié lui correspond. Babouc a la pureté et la naïveté (songeons à Memnon, à Candide, à l'Ingénu) qui interdisent la vision sélective et intéressée, et qui permettent, au contraire, une appréhension uniforme des objets. Alors apparaissent au lecteur les oppositions, les contradictions d'une situation regardée d'ordinaire selon un angle de vue choisi. De ce point de vue, le conte se révèle comme une entreprise éminemment philosophique de dévoilement et de remise en question. Cette pureté et cette naïveté de caractère intellectuel sont complétées chez Babouc par un certain jansénisme, nettement affirmé au début de l'ouvrage et bientôt mis en question par la séduction de Persépolis. L'étrange itinéraire s'inscrit dans la lutte interminable que Voltaire livra toute sa vie à Pascal et qui prenait, autour de 1741, une acuité singulière.

L'absence de psychologie profonde du personnage est un caractère obligé de l'esthétique du genre du conte[11] et une nécessité philosophique : le personnage abolit son individualité, acquiert une sorte de transparence (c'est un étranger, un pur, un naïf) à travers laquelle se réfracte le monde. Les personnages des contes voltairiens tendent vers le degré zéro de l'expression psychologique. Se rattachant en cela à la tradition du conte, mais aussi à la veine picaresque, le personnage devient diaphane pour que se joue le spectacle du monde, auquel l'auteur participe en tiers par des interventions directes et indirectes dans le récit[12].

En effet, l'auteur est présent dans la fiction. Il la plie même au service de sa pensée. Le conte voltairien ne raconte pas, il « dit ».

SUR LES SENS DU CONTE

Persépolis. À propos d'une ville.

Persépolis apparaît dès l'origine du conte. Elle est le lieu vers lequel se dirige Babouc, le centre spatial du conte et le but de l'action, puisque c'est elle, dans sa totalité, qui va être jugée. Or, l'attitude de Babouc vis-à-vis de la ville se caractérise par l'oscillation. Il passe du « contre » au « pour » à mesure qu'il découvre les différents aspects de Persépolis. Attirance et répulsion, méfiance et tentation, telles sont ses réactions. Persépolis est tantôt l'enfer, tantôt le paradis. Et l'idéologie a son expression esthétique : l'ombre et la lumière, le sombre et le clair se partagent tour à tour la réalité citadine. Lorsqu'on sait, grâce aux allusions transparentes, que Persépolis cache Paris, on a les reflets multiples de la propre attitude, hésitante, vacillante, de Voltaire vis-à-vis de la capitale, abhorrée et désirée à la fois.

L'aspect moral de la vision parisienne prend sa valeur dans l'atmosphère biblique où baigne le conte. À l'époque, précisément, de la conception du *Monde comme il va*, les lectures bibliques l'ont emporté chez Voltaire sur

---

11. Voir Vladimir Propp, *Morphologie du conte* (Paris, 1970, traduction, pages 35-86); 12. Voir, par exemple, pages 34-35 et les Questions correspondantes.

celles des ouvrages scientifiques. *La Bible enfin expliquée* date de ce temps[13]. Les Écritures saintes marquent le texte de diverses façons. Le côté pittoresque n'est pas à oublier. Il permet d'installer la fiction dans une atmosphère propice aux développements philosophiques. Des noms propres, de lieux, des coutumes, un style, un ton même, l'attitude et le comportement du Scythe, la structure parabolique de l'ensemble rappellent la Bible. On sent à chaque page le lecteur attentif d'Esdras, des Proverbes, de la Genèse, de Job. Mais cet aspect n'est pas vide de sens et n'a pas le rôle parodique du décor oriental dans *Zadig* : il sous-tend une attitude philosophique. Selon J. Van den Heuvel, ces études, ces lectures ont réveillé en Voltaire, pendant l'hiver 1738-1739, l'opposition de Pascal et de la mondanité. Persépolis répond à l'idéal du mondain ; Babouc, le Scythe, l'éternel prophète, dont nous avons vu les côtés jansénistes, vient juger la mondanité. Une seule chose a changé depuis l'époque du *Mondain* (1736), mais elle est d'importance : le ton. On ne retrouve plus la belle assurance d'autrefois. Babouc, le Scythe, est à peine ridicule, et la civilisation de Persépolis ne brille pas d'un éclat sans pareil ; l'ombre et la lumière, le doute et l'espoir se partagent le tableau en une alternance qui n'a rien de triomphant. Et l'amalgame final de tous les métaux, des terres et des pierres les plus précieuses et les plus viles, où se fixent enfin les contraires, lorsqu'on suit le cheminement de la pensée voltairienne, apparaît bien comme une sorte d'acceptation résignée, et la décision d'Ituriel a un goût d'abandon.

En même temps, au-delà ou en deçà d'une prise de conscience philosophique, se développe une réflexion sociologique, si l'on peut dire, sur les contradictions de la société contemporaine. Les deux propos sont liés. L'idée que l'auteur se fait de l'homme rend compte de la forme sociale désirée. Inversement, les contradictions sociales reflètent les contradictions humaines. L'image finale de la statue synthétise ce jeu dialectique : elle représente à la fois la ville et l'individu, la société et l'homme, chacun des deux objets étant le reflet de l'autre. Expliquer la société revient à expliquer l'homme, et l'enquête sur Persépolis apparaît finalement comme une enquête sur l'homme, à la recherche duquel part Babouc.

À LA QUÊTE DE L'HUMANITÉ

Les apparences.

Dans ce passage du « contre » au « pour », du sombre au clair, de l'ombre à la lumière, qui caractérise le mouvement du texte, le « contre », le sombre, l'ombre dominent le tableau et finalement lui imposent sa tonalité générale. Dès l'abord, c'est l'injustice, l'incohérence et l'absurdité que rencontre Babouc, et l'essentiel du conte s'intéresse à la dénonciation des abus. La guerre est là, horrible et dépourvue de sens et de raison, image proche de la situation européenne en ces années. Les fléaux de la société, oppression, envie, intolérance, vénalité des charges, règne de l'argent, sont dénoncés avec vigueur. Une étude des couleurs, dont la palette est généralement

13. L'ouvrage parut en 1776, mais fut composé, selon le témoignage de Grimm, en 1736.

peu variée chez Voltaire, indiquerait la prédominance du sombre. Un relevé des masses structurales montre que la majorité du texte est consacrée aux méfaits plus qu'aux bienfaits, dans le rapport de deux à un.

Pourtant, somme toute, le bilan n'est pas négatif. *Le Monde comme il va* est affecté d'un mouvement dialectique qui oscille du sombre à la lumière et rappelle la démarche de l'apologétique pascalienne. L'apologue de la statue acquiert sa force en regard de l'idée pascalienne de la grandeur et de la misère de l'homme, inconciliables et incompréhensibles hors de la solution chrétienne. À celle-ci, Voltaire opposait déjà dans la XXV⁰ des *Lettres philosophiques* (1734) la fusion des contraires : « Ces prétendues contrariétés que vous appelez *contradictions* sont les ingrédients nécessaires qui entrent dans le composé de l'homme, qui est ce qu'il doit être. » Cette constance de la position de Voltaire n'est qu'apparente. En fait, là encore, le ton et la démarche ont changé : après l'exil anglais, la solution proposée était une sorte de postulat affirmé avec vigueur avant tout essai de contestation ; dans les années 1740-1745, elle apparaît dans le conte comme une conclusion tardive, lentement conquise. Voltaire, insensiblement, est passé de l'esprit de conquête à celui d'acceptation.

Finalement, le monde va, mais dans le désordre, et surtout « comme si tout était bien ordonné ». Quel est donc le sens de cette apparence ?

Le sens des apparences. Récupération et compensation.

Les méfaits, les maux, les malheurs trouvent finalement leur sens et leur objet au-delà de l'apparence. Ils renferment souvent des biens cachés et sont parfois même nécessaires à leur manifestation. Cette conception participe d'un courant d'idées que Mandeville popularisa dans *la Fable des abeilles*, dont Mᵐᵉ du Châtelet donna la traduction à Cirey en 1738-1739. La passion n'est pas mauvaise en soi ; au contraire, elle apparaît comme la condition même du développement des sociétés. Ces idées se retrouvent dans *le Monde comme il va*, où le commerçant, d'abord pris pour un fripon, selon le sens commun, se révèle bientôt un serviteur de la société, où la nécessité de faire rendre la justice par des hommes jeunes « non prévenus » justifie la vénalité des charges, où l'institution des fermiers généraux prouve son utilité lorsque la société a soudain besoin d'argent.

On voit donc comment le mal est intégré à la marche de l'univers. Dans *le Monde comme il va*, Voltaire s'est placé dans une perspective sociale ; *Zadig* fera l'essai d'une intégration métaphysique. Il est bien difficile et ardu de « régler son compte » à Pascal, « ce misanthrope sublime », lorsqu'il rencontre en soi des échos favorables.

Mais les maux, malgré les tentatives les plus habiles, ne peuvent pas toujours être récupérés et réorientés dans un sens bénéfique. Voltaire trouve alors moyen de les compenser. De même que la splendeur de certains quartiers compense la sordidité des faubourgs[14], les lettrés « sages » rachètent la vilenie de la confrérie, et les mages vertueux et tolérants les vices et le

---

14. Voir pages 34-36.

fanatisme des autres[15], la guerre elle-même, fléau apparemment sans excuse, permet aux plus hautes âmes de révéler leur grandeur[16].

Bilan.

À vrai dire, dans *le Monde comme il va*, on a souvent l'impression d'assister à un jeu d'acrobaties dialectiques. Mais cette volonté de démontrer à toute fin et de prouver que l'apparence la plus déconcertante a un sens n'est pas sans pathétique. Le mal moral ne semble plus, comme le proclamait le *Traité de métaphysique* (1738), une « chimère ». Désormais, il existe et apparaît dans sa force et sa puissance. C'est à lui que se heurte Babouc sur la terre, et le Scythe commence par ne pas comprendre.

La sagesse finalement proposée dans *Babouc ou le Monde comme il va* est celle de l'acceptation. La conception qui se fait jour à travers le conte s'affirme nettement en retrait par rapport à celle qui est exprimée dans *Micromégas* (1752). L'opacité n'est plus à l'extérieur de l'homme ; elle s'installe en lui. Le déchirement s'est intériorisé.

En somme, *Babouc ou le Monde comme il va* témoigne des « premières inquiétudes de Voltaire sur l'homme[17] ». Dans la démarche de Babouc-Voltaire, et pour la première fois, le doute a été posé comme postulat à toute recherche. Seule la volonté a éteint la tentation du désespoir.

---

15. Voir pages 32-34 ; **16.** Voir J. Van den Heuvel, *op. cit.*, page 138, et la lettre de Voltaire à Helvétius du 19 janvier 1739, citée par le critique : « Il est bien triste que les misérables libelles viennent troubler le repos de ma vie et le cours de mes études. Je suis au désespoir, mais c'est perdre trois ou quatre jours de ma vie... *Mais je ne veux pas me fâcher contre les hommes, et tant qu'il y aura des cœurs comme le vôtre, comme celui de M. d'Argental, de M*me *du Châtelet, j'imiterai le bon Dieu, qui allait pardonner à Sodome en faveur de quelques justes* » ; **17.** Voir pages 49-50.

BABOUC,

o u

LE MONDE COMME IL VA.

CHAPITRE PREMIER.

L'APARITION.

Parmi les Génies qui préfident aux empires du monde, Ituriel tient un des premiers rangs, & il a le département de la haute Afie. Il defcendit un matin
dans la demeure du Scythe Babouc fur le rivage de
l'Oxus, & lui dit : Babouc, les folies & les excès
des Perfes ont atiré notre colere ; il s'eft tenu hier
une affemblée des Génies de la haute Afie, pour fa-

Tome I. H

LE MONDE COMME IL VA

VISION DE BABOUC,

ÉCRITE PAR LUI-MÊME[18].

Parmi les génies qui président aux empires du monde, Ituriel[19] tient un des premiers rangs, et il a le département de la haute Asie. Il descendit un matin dans la demeure du Scythe[20] Babouc[21], sur le rivage de l'Oxus[22], et lui dit : «Babouc, les folies
5 et les excès des Perses ont attiré notre colère[23]; il s'est tenu hier une assemblée des génies de la haute Asie pour savoir si on châtierait Persépolis[24] ou si on la détruirait. Va dans cette ville, examine tout; tu reviendras m'en rendre un compte fidèle; et je me déterminerai, sur ton rapport, à corriger la ville ou à
10 l'exterminer. — Mais, Seigneur, dit humblement Babouc, je n'ai jamais été en Perse; je n'y connais personne. — Tant mieux, dit l'ange, tu ne seras point partial; tu as reçu du ciel le discernement, et j'y ajoute le don d'inspirer la confiance; marche, regarde, écoute, observe, et ne crains rien : tu seras partout bien
15 reçu[25]. » (1)

18. Ce conte fut imprimé pour la première fois, en 1748, au tome VIII des *Œuvres de M. de Voltaire*, publiées à Dresde chez Walther. On trouve le titre de *Babouc ou le Monde comme il va* dans les éditions de 1749 (*Recueil de pièces en vers et en prose par l'auteur de la tragédie de* «*Sémiramis*», daté de 1750) et de 1751 (*Œuvres de M. de Voltaire*, Paris, Lambert) ; 19. J. Van den Heuvel (*Voltaire dans ses contes*, 1967, page 127) émet l'hypothèse d'une contamination entre un Ithiel, à qui s'adresse le discours d'Azur, fils de Jakeh dans les Proverbes (XXIX, 30), et la terre d'Iturée, district du nord-est de la Palestine, que l'on trouve souvent citée dans ces mêmes textes (Genèse, XXV, 15); 20. Habitant de la Scythie, contrée au nord-est de l'Europe et au nord-ouest de l'Asie; 21. Dans *les Mille et Une Nuits* («Histoire du premier frère du barbier»), on trouve un personnage du n.m de *Bacbuc*, l' «Innocent»; 22. Nom ancien de l'Amou-Daria, qui se jetait jadis dans la mer Caspienne; 23. Ainsi parlait l'Éternel à Jonas lorsqu'il l'envoya à Ninive : «Lève-toi, va à Ninive la grande ville, et crie contre elle : car leur méchanceté est montée jusqu'à moi» (Jonas, 1, 2); 24. Ancienne capitale de la Perse, fondée par Darius. En fait, Persépolis représente Paris; 25. «Cette succession fortuite des études bibliques qui se firent à Cirey pendant l'hiver 1738-1739 et de la vie mondaine que Voltaire retrouva à Paris après tant d'années allait réveiller chez lui une opposition autrement puissante et essentielle qui avait été au centre de sa pensée philosophique pendant ses années de retraite; celle de Pascal et de la mondanité» (J. Van den Heuvel, *op. cit.*, page 127).

■ QUESTIONS ■

1. Quelle est l'atmosphère du début du conte? Comment l'attention du lecteur est-elle immédiatement accaparée? Le choix du lieu de l'action est-il indifférent? Pouvez-vous déterminer le rôle du dépaysement? — Au-delà de lui-même, Ituriel fait songer à une autre divinité : laquelle? Appréciez le ton de ses propos. De quelle façon Babouc apparaît-il? Analysez les rapports qui unissent Ituriel et Babouc.

Babouc monta sur son chameau et partit avec ses serviteurs[26]. Au bout de quelques journées, il rencontra vers les plaines de Sennaar[27] l'armée persane qui allait combattre l'armée indienne. Il s'adressa d'abord à un soldat qu'il trouva écarté. Il lui parla,
20 et lui demanda quel était le sujet de la guerre. « Par tous les dieux, dit le soldat, je n'en sais rien. Ce n'est pas mon affaire ; mon métier est de tuer et d'être tué pour gagner ma vie ; il n'importe qui je serve. Je pourrais bien même dès demain passer dans le camp des Indiens, car on dit qu'ils donnent près
25 d'une demi-drachme[28] de cuivre par jour à leurs soldats de plus que nous n'en avons dans ce maudit service de Perse. Si vous voulez savoir pourquoi on se bat, parlez à mon capitaine. »

Babouc, ayant fait un petit présent au soldat, entra dans le camp. Il fit bientôt connaissance avec le capitaine, et lui
30 demanda le sujet de la guerre. « Comment voulez-vous que je le sache ? dit le capitaine, et que m'importe ce beau sujet ? J'habite à deux cents lieues[29] de Persépolis ; j'entends dire que la guerre est déclarée ; j'abandonne aussitôt ma famille, et je vais chercher, selon notre coutume, la fortune ou la mort,
35 attendu que je n'ai rien à faire. — Mais vos camarades, dit Babouc, ne sont-ils pas un peu plus instruits que vous ? — Non, dit l'officier, il n'y a guère que nos principaux satrapes[30] qui savent bien précisément pourquoi on s'égorge. »

Babouc, étonné, s'introduisit chez les généraux ; il entra dans
40 leur familiarité. L'un d'eux lui dit enfin : « La cause de cette guerre, qui désole depuis vingt ans l'Asie, vient originairement d'une querelle entre un eunuque d'une femme du grand roi de Perse et un commis d'un bureau du grand roi des Indes. Il s'agissait d'un droit qui revenait à peu près à la trentième partie
45 d'une darique[31]. Le premier ministre des Indes et le nôtre soutinrent dignement les droits de leurs maîtres. La querelle s'échauffa. On mit de part et d'autre en campagne une armée d'un million de soldats. Il faut recruter[32] cette armée tous les ans de plus de quatre cent mille hommes. Les meurtres, les
50 incendies, les ruines, les dévastations se multiplient ; l'univers souffre, et l'acharnement continue. Notre premier ministre et

---

26. « Jonas se leva donc et alla à Ninive selon l'ordre de l'Eternel » (Jonas, I, 3) ; 27. Pays situé entre le Tigre et l'Euphrate, cité par la Bible. Il fut le théâtre d'innombrables combats ; 28. *Drachme* : monnaie grecque de faible valeur ; 29. *Lieue* : ancienne mesure représentant environ 4 kilomètres ; 30. *Satrape* : gouverneur d'une province dans l'ancienne Perse. Dans les contes de Voltaire, le satrape est le symbole du pouvoir ; 31. *Darique* : monnaie d'or des anciens Perses, à l'effigie de Darius ; 32. *Recruter* : enrôler des soldats pour fournir des renforts.

celui des Indes protestent souvent qu'ils n'agissent que pour le
bonheur du genre humain; et à chaque protestation il y a toujours quelques villes détruites et quelques provinces rava-
55 gées. » **(2)**

Le lendemain, sur un bruit qui se répandit que la paix allait
être conclue, le général persan et le général indien s'empres-
sèrent de donner bataille; elle fut sanglante. Babouc en vit toutes
les fautes et toutes les abominations; il fut témoin des ma-
60 nœuvres des principaux satrapes, qui firent ce qu'ils purent pour
faire battre leur chef. Il vit des officiers tués par leurs propres
troupes; il vit des soldats qui achevaient d'égorger leurs camarades expirants[33] pour leur arracher quelques lambeaux san-
glants, déchirés et couverts de fange. Il entra dans les hôpitaux
65 où l'on transportait les blessés, dont la plupart expiraient par
la négligence inhumaine de ceux mêmes que le roi de Perse
payait chèrement pour les secourir. « Sont-ce là des hommes,
s'écria Babouc, ou des bêtes féroces? Ah! je vois bien que
Persépolis sera détruite. »
70 Occupé de cette pensée, il passa dans le camp des Indiens.
Il y fut aussi bien reçu que dans celui des Perses, selon ce qui
lui avait été prédit[34]; mais il y vit tous les mêmes excès qui
l'avaient saisi d'horreur. « Oh! oh! dit-il en lui-même, si l'ange
Ituriel veut exterminer les Persans, il faut donc que l'ange des
75 Indes détruise aussi les Indiens. » S'étant ensuite informé plus
en détail de ce qui s'était passé dans l'une et l'autre armée, il
apprit des actions de générosité, de grandeur d'âme, d'humanité, qui l'étonnèrent et le ravirent. « Inexplicables humains,
s'écria-t-il, comment pouvez-vous réunir tant de bassesse et de
80 grandeur, tant de vertus et de crimes? »
Cependant la paix fut déclarée. Les chefs des deux armées,

---

33. *Expirant.* Au XVIIIe siècle, le participe présent actif s'accorde encore
avec son sujet. Ce n'est qu'au XIXe siècle qu'il deviendra toujours invariable;
34. Formule de style biblique.

QUESTIONS
---

2. Est-ce un hasard si le premier spectacle qui s'offre à Babouc est
celui de la guerre? Quelle situation Babouc occupe-t-il par rapport au
spectacle? Indiquez l'effet produit. — Le soldat et le capitaine : le
second témoignage marque-t-il un progrès sur le premier? La guerre
a-t-elle un sens pour ceux qui la font? — Le général apporte-t-il les
éclaircissements attendus? N'est-il pas bien choisi? Dites les raisons de
ce choix. Dans ses déclarations analysez la disproportion entre la cause
et l'effet. Relevez les traits satiriques et déterminez-en le but.

dont aucun n'avait remporté la victoire, mais qui pour leur seul
intérêt avaient fait verser le sang de tant d'hommes, leurs semblables, allèrent briguer dans leurs cours des récompenses. On
85 célébra la paix dans des écrits publics qui n'annonçaient que
le retour de la vertu et de la félicité sur la terre. « Dieu soit
loué ! dit Babouc ; Persépolis sera le séjour de l'innocence épurée ;
elle ne sera point détruite, comme le voulaient ces vilains
génies : courons sans tarder dans cette capitale de l'Asie. »
(3) (4)

90   Il arriva dans cette ville immense par l'ancienne entrée[35],
qui était toute barbare et dont la rusticité dégoûtante offensait
les yeux. Toute cette partie de la ville se ressentait du temps
où elle avait été bâtie ; car, malgré l'opiniâtreté des hommes à
louer l'antique aux dépens du moderne, il faut avouer qu'en
95 tout genre les premiers essais sont toujours grossiers.

   Babouc se mêla dans la foule d'un peuple composé de ce
qu'il y avait de plus sale et de plus laid dans les deux sexes.
Cette foule se précipitait d'un air hébété dans un enclos vaste
et sombre. Au bourdonnement continuel, au mouvement qu'il y
100 remarqua, à l'argent que quelques personnes donnaient à

---

35. Il s'agit de la porte du Faubourg-Saint-Marceau, faubourg très misérable
du sud de la capitale. C'est l'actuel quartier des Gobelins. Rousseau le décrit
en ces termes dans le livre IV de ses *Confessions* : « En entrant par le faubourg
Saint-Marceau, je ne vis que de petites rues sales et puantes, de vilaines maisons
noires, l'air de la malpropreté, de la pauvreté. »

─────── **QUESTIONS** ───────

3. Analysez la vision « sélective » dans la description du spectacle de
la guerre. Que « voit » Babouc ? — En quoi la guerre est-elle une abomination ? Ne donne-t-elle pas à l'homme l'occasion de retrouver par-
dessus des siècles de civilisation ses mauvais instincts ? — Étudiez le
parallélisme établi entre les deux armées et, à l'intérieur de celles-ci, le
rapport entre le « bien » et le « mal » ? Voyez-vous le but d'une telle
démonstration ? *Grandeur* et *bassesse* : à quel auteur vous font songer
ces deux termes ? Quelle vision de l'homme est donnée à Babouc dès sa
première expérience ? — Dans les lignes 56 à 69, étudiez l'intervention
directe de l'auteur. Comment l'expliquez-vous ? — Que vous indique la
réflexion finale de Babouc sur le caractère du personnage ?

4. SUR L'ENSEMBLE DES LIGNES 1 à 89. — Pouvez-vous indiquer à travers l'étude du personnage de Babouc les traits distinctifs du « voyageur
philosophe » des contes de Voltaire.

   — Analysez dans tout le texte les caractéristiques de la « vision sélective ».

   — Relevez les interventions indirectes (humour et ironie) et directes
de l'auteur (insertion en tiers du narrateur dans la fiction), et déterminez-en le rôle.

d'autres pour avoir droit à s'asseoir, il crut être dans un marché
où l'on vendait des chaises de paille; mais bientôt, voyant que
plusieurs femmes se mettaient à genoux, en faisant semblant de
regarder fixement devant elle et en regardant les hommes de
105 côté, il s'aperçut qu'il était dans un temple. Des voix aigres,
rauques, sauvages, discordantes, faisaient retentir la voûte de
sons mal articulés, qui faisaient le même effet que les voix des
onagres[36] quand elles répondent, dans les plaines des Pictaves[37],
au cornet à bouquin[38] qui les appelle. Il se bouchait les oreilles;
110 mais il fut prêt de se boucher encore les yeux et le nez, quand
il vit entrer dans ce temple des ouvriers avec des pinces et des
pelles. Ils remuèrent une large pierre, et jetèrent à droite et à
gauche une terre dont s'exhalait une odeur empestée; ensuite
on vint poser un mort dans cette ouverture, et on remit la pierre
115 par-dessus.

« Quoi! s'écria Babouc, ces peuples enterrent leurs morts
dans les mêmes lieux où ils adorent la Divinité! Quoi! leurs
temples sont pavés de cadavres! Je ne m'étonne plus de ces
maladies pestilentielles qui désolent souvent Persépolis. La pour-
120 riture des morts, et celle de tant de vivants rassemblés et pressés
dans le même lieu, est capable d'empoisonner le globe terrestre[59].
Ah! la vilaine ville que Persépolis! Apparemment que les anges
veulent la détruire pour en rebâtir une plus belle, et pour la
peupler d'habitants moins malpropres et qui chantent mieux.
125 La Providence peut avoir ses raisons; laissons-la faire. » **(5)**

Cependant le soleil approchait du haut de sa carrière. Babouc
devait aller dîner[40] à l'autre bout de la ville, chez une dame

---

36. *Onagre* : âne sauvage ; **37.** *Pictaves* : *Pictavi*, les Poitevins; **38.** *Cornet à bouquin* : trompe faite d'une corne de bœuf ; **39.** Il fut d'usage, dès les premiers temps du christianisme, d'enterrer les morts dans les églises. Par la suite, seules les personnalités éminentes purent y avoir leur sépulture; **40.** *Dîner*, aux XVII* et XVIII* siècles, désigne le repas de midi. Le repas du matin s'appelait le *déjeuner*, celui du soir le *souper*.

──────── **QUESTIONS** ────────

5. SUR LES LIGNES 90 à 125. — Quelle est la nature du premier contact de Babouc avec la civilisation de Persépolis ? Pourquoi ?
— Après la guerre, Babouc fait connaissance avec la religion : voyez-vous les raisons du parti pris ?
— Analysez dans la description de l'intérieur du temple la vision absurde, la vision satirique et la vision critique. Etudiez les rapports entre ces trois visions dans l'économie du passage.
— Quels reproches Babouc adresse-t-il essentiellement à ces habitants ? En vous aidant des notes, pouvez-vous dire à quel souci de Voltaire ils se rapportent ?

pour laquelle son mari, officier de l'armée, lui avait donné des
lettres. Il fit d'abord plusieurs tours dans Persépolis ; il vit
130 d'autres temples mieux bâtis et mieux ornés, remplis d'un
peuple poli, et retentissants d'une musique harmonieuse ; il
remarqua des fontaines[41] publiques, lesquelles, quoique mal
placées, frappaient les yeux par leur beauté ; des places où semblaient respirer en bronze les meilleurs rois[42] qui avaient gou-
135 verné la Perse ; d'autres places où il entendait le peuple s'écrier :
« Quand verrons-nous ici le maître que nous chérissons[43] ? » Il
admira les ponts magnifiques élevés sur le fleuve, les quais
superbes et commodes, les palais bâtis à droite et à gauche, une
maison immense où des milliers de vieux soldats blessés et
140 vainqueurs rendaient chaque jour grâce au Dieu des armées[44].
Il entra enfin chez la dame qui l'attendait à dîner avec une
compagnie d'honnêtes gens. La maison était propre[45] et ornée,
le repas délicieux, la dame jeune, belle, spirituelle, engageante,
la compagnie digne d'elle ; et Babouc disait en lui-même à tout
145 moment : « L'ange Ituriel se moque du monde de vouloir
détruire une ville si charmante. » **(6)**

Cependant il s'aperçut que la dame, qui avait commencé
par lui demander tendrement des nouvelles de son mari, parlait
plus tendrement encore, sur la fin du repas, à un jeune mage[46].
150 Il vint un magistrat qui, en présence de sa femme, pressait avec

---

41. Il s'agit de la fontaine des Innocents, qui était située au coin de la rue
Saint-Denis et de la rue aux Fers, et de la fontaine de la rue de Grenelle. « On
reproche à la ville de Paris de n'avoir que deux fontaines dans le bon goût ;
et la nouvelle, de Bouchardon ; encore celles toutes deux mal placées »
(*le Siècle de Louis XIV*, « Catalogue des artistes célèbres », 1751) ; 42. Henri IV,
Louis XIII et Louis XIV ; 43. Louis XV ; 44. L'hôtel des Invalides ; 45. *Propre* :
élégant ; 46. Un jeune abbé. « Cet être indéfinissable, qui n'est ni ecclésiastique
ni séculier, en un mot ce que l'on appelle un abbé, est une espèce inconnue en
Angleterre [...]. Quand [les Anglais] apprennent qu'en France de jeunes gens,
connus par leurs débauches et élevés à la prélature par des intrigues de femmes,
font publiquement l'amour, s'égaient à composer des chansons tendres, donnent
tous les jours des soupers délicats et longs, et de là vont implorer les lumières
du Saint-Esprit, et se nomment hardiment des successeurs des Apôtres, ils
remercient Dieu d'être protestants » (Voltaire, *Lettres philosophiques*, V, 1734).

QUESTIONS
---

6. Dans cette nouvelle étape de la découverte de Persépolis par
Babouc, quel sens donnez-vous à la reprise inverse des éléments précédents ? Définissez le ton général du passage ? Comment interprétez-vous
ce mouvement dialectique du contre au pour, du sombre au clair, qui
donne jusqu'à présent son rythme au conte ? L'une des deux faces de
Persépolis semble l'emporter : laquelle ? — Constatez-vous un changement d'attitude de Babouc vis-à-vis d'Ituriel ? Pourquoi ?

vivacité une veuve, et cette veuve indulgente avait une main
passée autour du cou du magistrat, tandis qu'elle tendait l'autre
à un jeune citoyen très beau et très modeste. La femme du
magistrat se leva de table la première, pour aller entretenir dans
155 un cabinet voisin son directeur, qui arrivait trop tard, et qu'on
avait attendu à dîner ; et le directeur, homme éloquent, lui parla
dans ce cabinet avec tant de véhémence et d'onction que la dame
avait, quand elle revint, les yeux humides, les joues enflammées,
la démarche mal assurée, la parole tremblante.

160 Alors Babouc commença à craindre que le génie Ituriel n'eût
raison. Le talent qu'il avait d'attirer la confiance le mit dès le
jour même dans les secrets de la dame ; elle lui confia son goût
pour le jeune mage, et l'assura que dans toutes les maisons de
Persépolis il trouverait l'équivalent de ce qu'il avait vu dans
165 la sienne. Babouc conclut qu'une telle société ne pouvait subsister ; que la jalousie, la discorde, la vengeance, devait désoler
toutes les maisons ; que les larmes et le sang devaient couler
tous les jours ; que certainement les maris tueraient les galants
de leurs femmes, ou en seraient tués ; et qu'enfin Ituriel faisait
170 fort bien de détruire tout d'un coup une ville abandonnée à de
continuels désastres. (7) (8)

Il était plongé dans ces idées funestes, quand il se présenta
à la porte un homme grave, en manteau noir, qui demanda
humblement à parler au jeune magistrat. Celui-ci, sans se lever,
175 sans le regarder, lui donna fièrement, et d'un air distrait,
quelques papiers, et le congédia. Babouc demanda quel était cet
homme. La maîtresse de la maison lui dit tout bas : « C'est un
des meilleurs avocats de la ville ; il y a cinquante ans qu'il étudie
les lois. Monsieur, qui n'a que vingt-cinq ans, et qui est satrape
180 de loi[47] depuis deux jours, lui donne à faire l'extrait[48] d'un procès
qu'il doit juger, qu'il n'a pas encore examiné. — Ce jeune
étourdi fait sagement, dit Babouc, de demander conseil à un

---

47. *Satrape de loi* : conseiller du parlement ; **48.** *Extrait d'un procès* : copie
conforme des pièces du dossier.

QUESTIONS

7. Quel aspect de la civilisation Babouc critique-t-il ? — Analysez le
nouveau renversement du pour au contre. Que laisse-t-il attendre ? Les
déductions hasardeuses que fait Babouc à la fin de ses dernières expériences nous révèlent-elles du nouveau sur son caractère ?

8. SUR L'ENSEMBLE DES LIGNES 126 à 171. — Montrez comment s'en-
chaînent les observations sur la guerre, la religion et les mœurs ?

vieillard; mais pourquoi n'est-ce pas ce vieillard qui est juge? —
Vous vous moquez, lui dit-on, jamais ceux qui ont vieilli dans
185 les emplois laborieux et subalternes ne parviennent aux dignités.
Ce jeune homme a une grande charge, parce que son père est
riche, et qu'ici le droit de rendre la justice s'achète comme une
métairie. — O mœurs! ô malheureuse ville! s'écria Babouc,
voilà la comble du désordre; sans doute, ceux qui ont ainsi
190 acheté le droit de juger vendent leurs jugements; je ne vois ici
que des abîmes d'iniquité. »

Comme il marquait ainsi sa douleur et sa surprise, un jeune
guerrier, qui était venu ce jour même de l'armée, lui dit :
« Pourquoi ne voulez-vous pas qu'on achète les emplois de la
195 robe? J'ai bien acheté, moi, le droit d'affronter la mort à la
tête de deux milles hommes que je commande; il m'en a coûté
quarante mille dariques[49] d'or cette année, pour coucher sur la
terre trente nuits de suite en habit rouge, et pour recevoir ensuite
deux bons coups de flèche dont je me sens encore. Si je me ruine
200 pour servir l'empereur persan, que je n'ai jamais vu, M. le
satrape de robe peut bien payer quelque chose pour avoir le
plaisir de donner audience à des plaideurs. » Babouc, indigné,
ne put s'empêcher de condamner dans son cœur un pays où
l'on mettait à l'encan[50] les dignités de la paix et de la guerre;
205 il conclut précipitamment que l'on y devait ignorer absolument
la guerre et les lois, et que, quand même Ituriel n'extermineait
pas ces peuples, ils périraient par leur détestable administration.

Sa mauvaise opinion augmenta encore à l'arrivée d'un gros
homme qui, ayant salué très familièrement toute la compagnie,
210 s'approcha du jeune officier, et lui dit : « Je ne peux vous prêter
que cinquante mille dariques d'or, car, en vérité, les douanes
de l'empire ne m'en ont rapporté que trois cent mille cette
année. » Babouc s'informa quel était cet homme qui se plaignait
de gagner si peu; il apprit qu'il y avait dans Persépolis quarante
215 rois plébéiens[51] qui tenaient à bail l'empire de Perse, et qui en
rendaient quelque chose au monarque. **(9)**

Après dîner[52] il alla dans un des plus superbes temples de la
ville; il s'assit au milieu d'une troupe de femmes et d'hommes

---

49. *Darique* : voir note 31; **50.** *Mettre à l'encan* : vendre publiquement à
l'enchère; **51.** En fait, les fermiers généraux, qui achetaient à l'enchère le droit
de lever des impôts pour le roi; **52.** Voir note 40.

━━━━━━━ **QUESTIONS** ━━━━━━━━━━━━━━━━━
Questions 9, v. p. 39.

qui étaient venus là pour passer le temps. Un mage[53] parut dans
220 une machine élevée[54], qui parla longtemps du vice et de la
vertu. Ce mage divisa en plusieurs parties ce qui n'avait pas
besoin d'être divisé ; il prouva méthodiquement tout ce qui était
clair, il enseigna tout ce qu'on savait. Il se passionna froidement,
et sortit suant et hors d'haleine. Toute l'assemblée alors se
225 réveilla et crut avoir assisté à une instruction. Babouc dit :
« Voilà un homme qui a fait de son mieux pour ennuyer deux
ou trois cents de ses concitoyens ; mais son intention était bonne,
et il n'y a pas là de quoi détruire Persépolis. » (10)

Au sortir de cette assemblée on le mena voir une fête publique
230 qu'on donnait tous les jours de l'année ; c'était dans une espèce
de basilique[55], au fond de laquelle on voyait un palais[56]. Les
plus belles citoyennes de Persépolis, les plus considérables
satrapes, rangés avec ordre, formaient un spectacle si beau que
Babouc crut d'abord que c'était là toute la fête. Deux ou trois
235 personnes, qui paraissaient des rois et des reines, parurent bientôt dans le vestibule de ce palais ; leur langage était très différent
de celui du peuple ; il était mesuré[57], harmonieux et sublime.
Personne ne dormait, on écoutait dans un profond silence, qui
n'était interrompu que par les témoignages de la sensibilité et
240 de l'admiration publique. Le devoir des rois, l'amour de la
vertu, les dangers des passions, étaient exprimés par des traits
si vifs et si touchants que Babouc versa des larmes. Il ne douta
pas que ces héros et ces héroïnes, ces rois et ces reines qu'il

---

53. *Mage* : prédicateur ; **54.** Une chaire ; **55.** Salle de théâtre ; **56.** Le décor
de la scène ; **57.** *Mesuré* : en vers.

——— QUESTIONS ———

9. Sur les lignes 172 à 216. — Babouc est scandalisé par la vénalité
des charges. Les déductions aprioristes qu'il fait de cette situation sont-
elles raisonnables ? Sont-elles fondées ? Que pense l'auteur de l'attitude
de son personnage ? La morale du conte commence-t-elle à se dessiner ?
Lisez-vous à travers les expériences de Babouc une satire de la société
contemporaine ?
— Cette accumulation de rencontres bien à propos nuit-elle à la
vraisemblance du récit ? Montrez que la cohérence du conte se situe sur
le plan philosophique et prend son sens à travers la quête du personnage.

10. Comment expliquez-vous le retour de Babouc dans un temple ?
A-t-il une attitude différente ? — Analysez le caractère « absurde » de la
description du sermon. — Relevez les interventions directes et indirectes
de l'auteur dans le récit.

venait d'entendre, ne fussent les prédicateurs de l'empire; il se
245 proposa même d'engager Ituriel à les venir entendre, bien
sûr qu'un tel spectacle le réconcilierait pour jamais avec la
ville. (11)

Dès que cette fête fut finie, il voulut voir la principale reine,
qui avait débité[58] dans ce beau palais une morale si noble et
250 si pure; il se fit introduire chez Sa Majesté; on le mena par
un petit escalier, au second étage, dans un appartement mal
meublé, où il trouva une femme mal vêtue, qui lui dit d'un air
noble et pathétique : « Ce métier-ci ne me donne pas de quoi
vivre; un des princes que vous avez vus m'a fait un enfant;
255 j'accoucherai bientôt; je manque d'argent, et sans argent on
n'accouche point. » Babouc lui donna cent dariques d'or, en
disant : « S'il n'y avait que ce mal-là dans la ville, Ituriel aurait
tort de se tant fâcher. »

De là il alla passer sa soirée chez des marchands de magni-
260 ficences inutiles. Un homme intelligent, avec lequel il avait
fait connaissance, l'y mena; il acheta ce qui lui plut, et on le
lui vendit avec politesse beaucoup plus qu'il ne valait. Son
ami, de retour chez lui, lui fit voir combien on le trompait.
Babouc mit sur ses tablettes le nom du marchand, pour le faire
265 distinguer par Ituriel au jour de la punition de la ville. Comme
il écrivait, on frappa à sa porte : c'était le marchand lui-même
qui venait lui rapporter sa bourse, que Babouc avait laissée
par mégarde sur son comptoir. « Comment se peut-il, s'écria
Babouc, que vous soyez si fidèle et si généreux, après n'avoir
270 pas eu de honte de me vendre des colifichets quatre fois
au-dessus de leur valeur? — Il n'y a aucun négociant un peu
connu dans cette ville, lui répondit le marchand, qui ne fût
venu vous rapporter votre bourse; mais on vous a trompé quand
on vous a dit que je vous avais vendu ce que vous avez pris chez
275 moi quatre fois plus qu'il ne vaut : je vous l'ai vendu dix fois

---

58. *Débiter* : réciter.

─────── **QUESTIONS** ───────

11. Quels rapports thématiques existe-t-il entre cette expérience et la
précédente? Relevez les parallélismes de mots, d'idées et de situations.
— Déterminez le rôle que le théâtre paraît jouer à Persépolis à travers
la vision que nous en donne Babouc. Le personnage n'exprime-t-il pas
les désirs de l'auteur? — Etudiez dans cet épisode le jeu du spectacle
et de la réalité. Babouc n'a-t-il pas quelque peu évolué dans ses jugements? Comment interprète-t-il le « malheur » de l'actrice?

davantage, et cela est si vrai que, si dans un mois vous voulez le
revendre, vous n'en aurez pas même ce dixième. Mais rien n'est
plus juste : c'est la fantaisie des hommes qui met les prix à ces
choses frivoles ; c'est cette fantaisie qui fait vivre cent ouvriers
280 que j'emploie, c'est elle qui me donne une belle maison, un char
commode, des chevaux, c'est elle qui excite l'industrie, qui
entretient le goût, la circulation et l'abondance. Je vends aux
nations voisines les mêmes bagatelles plus chèrement qu'à vous,
et par là je suis utile à l'empire. » Babouc, après avoir un peu
285 rêvé, le raya de ses tablettes[59]. **(12) (13)**

Babouc, fort incertain sur ce qu'il devait penser de Persépolis,
résolut de voir les mages et les lettrés : car les uns étudient la
sagesse, et les autres la religion ; et il se flatta que ceux-là obtien-
draient grâce pour le reste du peuple. Dès le lendemain matin
290 il se transporta dans un collège de mages[60]. L'archimandrite[61]
lui avoua qu'il avait cent mille écus de rente pour avoir fait
vœu de pauvreté, et qu'il exerçait un empire assez étendu en
vertu de son vœu d'humilité ; après quoi il laissa Babouc entre
les mains d'un petit frère, qui lui fit les honneurs[62].

295 Tandis que ce frère lui montrait les magnificences de cette
maison de pénitence, un bruit se répandit, qu'il était venu pour
réformer toutes ces maisons. Aussitôt il reçut des mémoires[63]
de chacune d'elles ; et les mémoires disaient tous en substance :
Conservez-nous, et détruisez toutes les autres. A entendre leurs
300 apologies[64], ces sociétés étaient toutes nécessaires. A entendre
leurs accusations réciproques, elles méritaient toutes d'être

---

59. L'édition de 1749 ajoutait : « Car enfin, disait-il, les arts de luxe ne
sont en grand nombre dans un empire que quand tous les arts nécessaires sont
exercés, et que la nation est nombreuse et opulente. Ituriel me paraît un peu
sévère » ; **60.** *Collège de mages* : couvent ; **61.** *Archimandrite* : supérieur de
quelques monastères grecs ; **62.** Lui fit les honneurs de la maison ; **63.** *Mémoire* :
rapport ; **64.** *Apologie* : défense.

■ QUESTIONS ■

12. *De là il alla passer...* (ligne 259) : voyez-vous un rapport autre
que temporel entre les deux épisodes ? — Examinez à l'intérieur de
l'aventure le passage du pour au contre, puis du contre au pour. Quel
est le but d'une telle oscillation ? — Voltaire justifie le commerce et
montre les avantages du luxe. Dans quel courant d'idées ces deux
démarches s'intègrent-elles ?

13. SUR L'ENSEMBLE DES LIGNES 217 À 285. — Etudiez l'enchaînement
des différents épisodes et les rapports qu'ils entretiennent entre eux.
Constate-t-on un changement dans l'attitude de Babouc ? Prouvez-le.

anéanties. Il admirait comme il n'y en avait aucune d'elles qui,
pour édifier l'univers, ne voulût en avoir l'empire. Alors il se
présenta un petit homme qui était un demi-mage[65], et qui lui
305 dit : « Je vois bien que l'œuvre va s'accomplir : car Zerdust[66] est
revenu sur la terre ; les petites filles prophétisent, en se faisant
donner des coups de pincettes par devant et le fouet par derrière[67]. Ainsi nous vous demandons votre protection contre le
Grand-Lama[68]. — Comment ! dit Babouc, contre ce pontife-roi
310 qui réside au Tibet ? — Contre lui-même. — Vous lui faites
donc la guerre, et vous levez contre lui des armées ? — Non,
mais il dit que l'homme est libre, et nous n'en croyons rien[69] ;
nous écrivons contre lui de petits livres, qu'il ne lit pas ; à peine
a-t-il entendu parler de nous ; il nous a seulement fait
315 condamner comme un maître ordonne qu'on échenille les arbres
de ses jardins. » Babouc frémit de la folie de ces hommes qui
faisaient profession de sagesse, des intrigues de ceux qui avaient
renoncé au monde, de l'ambition et de la convoitise orgueilleuse
de ceux qui enseignaient l'humilité et le désintéressement ; il
320 conclut qu'Ituriel avait de bonnes raisons pour détruire toute
cette engeance. **(14)**

---

65. Un janséniste ; **66.** *Zerdust* : autre nom de Zoroastre (v. 660 - v. 583),
réformateur de la religion iranienne, auquel on attribue le livre de l'*Avesta* ;
67. Allusions aux pratiques des convulsionnaires du cimetière de Saint-Médard.
L'édition de 1749 continuait ainsi : « Il est évident que le monde va finir : ne
pourriez-vous point, avant cette belle époque, nous protéger contre le Grand-
Lama ? — Quel galimatias, dit Babouc ; contre le Grand-Lama ? Contre ce
pontife-roi qui réside au Thibet ? — Oui, dit le petit demi-mage, avec un air
opiniâtre, contre lui-même. — Vous lui faites donc la guerre, vous avez donc
des armées ? dit Babouc. — Non, dit l'autre, mais nous avons écrit contre lui
trois ou quatre mille gros livres qu'on ne lit point, et autant de brochures que
nous faisons lire par des femmes » ; **68.** Le pape ; **69.** Allusion à la doctrine
janséniste de la prédestination.

QUESTIONS

---

14. SUR LES LIGNES 286 à 321. — Comment expliquez-vous cette nouvelle enquête de Babouc auprès des « mages » ? N'était-il pas déjà suffi-
samment renseigné ? Ou bien est-ce un trait de sagesse, et le Scythe
veut-il connaître par expérience ceux qu'il va juger ?

— Relevez et analysez les interventions de l'auteur dans le récit. Que
reproche Voltaire à cette religion et à ces religieux ?

— La religion semble-t-elle avoir une influence sur les mœurs ? Pourquoi ? De quelle façon se manifeste ici la présence de l'auteur ? A travers
eux ne fait-il pas la satire de la société contemporaine ? Notez et analysez les attaques voilées contre les jansénistes, les jésuites et la hiérarchie ecclésiastique. Montrez que Voltaire ne reproche pas aux religieux
leur foi, mais dénonce la confusion intéressée des valeurs spirituelles
et des valeurs temporelles.

Retiré chez lui, il envoya chercher des livres nouveaux pour
adoucir son chagrin, et il pria quelques lettrés à dîner pour se
réjouir. Il en vint deux fois plus qu'il n'en avait demandé,
325 comme les guêpes que le miel attire. Ces parasites se pressaient
de manger et de parler; ils louaient deux sortes de personnes,
les morts et eux-mêmes, et jamais leurs contemporains, excepté
le maître de la maison. Si quelqu'un d'eux disait un bon mot,
les autres baissaient les yeux et se mordaient les lèvres de dou-
330 leur de ne l'avoir pas dit. Ils avaient moins de dissimulation
que les mages, parce qu'ils n'avaient pas de si grands objets
d'ambition. Chacun d'eux briguait une place de valet et une
réputation de grand homme; ils se disaient en face des choses
insultantes, qu'ils croyaient des traits d'esprit. Ils avaient eu
335 quelque connaissance de la mission de Babouc. L'un d'eux le
pria tout bas d'exterminer un auteur qui ne l'avait pas assez
loué il y avait cinq ans. Un autre demanda la perte d'un citoyen
qui n'avait jamais ri à ses comédies. Un troisième demanda
l'extinction de l'Académie, parce qu'il avait jamais pu par-
340 venir à y être admis. Le repas fini, chacun d'eux s'en alla seul;
car il n'y avait pas dans toute la troupe deux hommes qui
pussent se souffrir, ni même se parler ailleurs que chez les riches
qui les invitaient à leur table. Babouc jugea qu'il n'y aurait pas
grand mal quand cette vermine périrait dans la destruction
345 générale. **(15)**

Dès qu'il se fut défait d'eux, il se mit à lire quelques livres
nouveaux. Il y reconnut l'esprit de ses convives. Il vit surtout
avec indignation ces gazettes de la médisance, ces archives du
mauvais goût, que l'envie, la bassesse et la faim ont dictées;
350 ces lâches satires où l'on ménage le vautour et où l'on déchire
la colombe; ces romans dénués d'imagination, où l'on voit tant
de portraits de femmes que l'auteur ne connaît pas.

Il jeta au feu tous ces détestables écrits, et sortit pour aller
le soir à la promenade. On le présenta à un vieux lettré qui
355 n'était point venu grossir le nombre de ces parasites. Ce lettré
fuyait toujours la foule, connaissait les hommes, en faisait

—————— **QUESTIONS** ——————

15. Sur les lignes 322 à 345. — Pourquoi, d'après vous, Babouc
décide-t-il d'aller chez les lettrés? Quelles sont les caractéristiques de
l'homme de lettres tel qu'il apparaît ici? Etudiez la violence du vocabulaire et l'intransigeance de la pensée. Comment se manifeste ici la présence de l'auteur? Ne sent-on pas à travers cette page l'acrimonie d'un
homme qui eut à vivre les assauts de cette *vermine*?

usage[70], et se communiquait avec discrétion. Babouc lui parla
avec douleur de ce qu'il avait lu et de ce qu'il avait vu.

360 « Vous avez lu des choses bien méprisables, lui dit le sage
lettré ; mais dans tous les temps, et dans tous les pays, et dans
tous les genres, le mauvais fourmille et le bon est rare. Vous
avez reçu chez vous le rebut de la pédanterie, parce que, dans
toutes les professions, ce qu'il y a de plus indigne de paraître
est toujours ce qui se présente avec le plus d'impudence. Les
365 véritables sages vivent entre eux retirés et tranquilles ; il y a
encore parmi nous des hommes et des livres dignes de votre
attention. » Dans le temps qu'il parlait ainsi un autre lettré les
joignit ; leurs discours furent si agréables et si instructifs, si
élevés au-dessus des préjugés, et si conformes à la vertu, que
370 Babouc avoua n'avoir jamais rien entendu de pareil. « Voilà
des hommes, disait-il tout bas, à qui l'ange Ituriel n'osera
toucher, ou il sera bien impitoyable. »

Accommodé avec les lettrés, il était toujours en colère contre
le reste de la nation. « Vous êtes étranger, lui dit l'homme judi-
375 cieux qui lui parlait ; les abus se présentent à vos yeux en foule,
et le bien, qui est caché et qui résulte quelquefois de ces abus
mêmes, vous échappe. » Alors il apprit que parmi les lettrés
il y en avait quelques-uns qui n'étaient pas envieux, et que parmi
les mages mêmes il y en avait de vertueux[71]. Il conçut à la fin
380 que les grands corps, qui semblaient se choquant préparer
leurs communes ruines, étaient au fond des institutions salu-
taires ; que chaque société de mages était un frein à ses rivales[72] ;
que si ces émules[73] différaient dans quelques opinions, ils enseignaient tous la même morale, qu'ils instruisaient le peuple et
385 qu'ils vivaient soumis aux lois, semblables aux précepteurs qui
veillent sur le fils de la maison tandis que le maître veille sur
eux-mêmes. Il en pratiqua plusieurs, et vit des âmes célestes[74].

---

70. *Faire usage* : fréquenter ; **71.** Les éditions antérieures à 1756 imprimaient
au lieu de cette phrase : « Alors ils le menèrent chez le principal mage qu'on
appelait le surveillant ; Babouc vit dans ce mage un homme digne d'être à la
tête des justes ; il sut qu'il y en avait beaucoup qui lui ressemblaient. » Le *surveillant* était Christophe de Beaumont, archevêque de Paris. Il participa à
l'affaire des billets de confession (1750). Cela explique sans doute la correction
de Voltaire ; **72.** « S'il n'y avait en Angleterre qu'une religion, le despotisme
serait à craindre ; s'il y en avait deux, elles se couperaient la gorge ; mais il y en
a trente, et elles vivent en paix et heureuses » (Voltaire, *Lettres philosophiques*,
VI, 1734) ; **73.** *Émule* : personne qui cherche à en égaler une autre dans les
choses de bien ; **74.** Voltaire se souvient sans doute ici de ses maîtres jésuites
le père Borée et le père Tournemine.

Il apprit même que parmi les fous qui prétendaient faire la guerre au Grand-Lama il y avait eu de très grands hommes[75].
390 Il soupçonna enfin qu'il pourrait bien en être des mœurs de Persépolis comme des édifices, dont les uns lui avaient paru dignes de pitié, et les autres l'avaient ravi en admiration. **(16)**

Il dit à son lettré : « Je connais très bien que ces mages que j'avais cru si dangereux sont en effet très utiles, surtout quand
395 un gouvernement sage les empêche de se rendre trop nécessaires ; mais vous m'avouerez au moins que vos jeunes magistrats, qui achètent une charge de juge dès qu'ils ont appris à monter à cheval, doivent étaler dans les tribunaux tout ce que l'impertinence[76] a de plus ridicule et tout ce que l'iniquité a de
400 plus pervers ; il vaudrait mieux sans doute donner ces places gratuitement à ces vieux jurisconsultes[77] qui ont passé toute leur vie à peser le pour et le contre. »

Le lettré lui répliqua : « Vous avez vu notre armée avant d'arriver à Persépolis ; vous savez que nos jeunes officiers se
405 battent très bien, quoiqu'ils aient acheté leurs charges ; peut-être verrez-vous que nos jeunes magistrats ne jugent pas mal, quoiqu'ils aient payé pour juger. »

Il le mena le lendemain au grand tribunal, où l'on devait rendre un arrêt important. La cause était connue de tout le
410 monde. Tous ces vieux avocats qui en parlaient étaient flottants dans leurs opinions : ils alléguaient cent lois, dont aucune n'était applicable au fond de la question ; ils regardaient l'affaire par cent côtés, dont aucun n'était dans son vrai jour ; les juges déci-

---

75. Pascal, par exemple ; 76. *Impertinence :* incompétence ; 77. *Jurisconsulte :* celui qui fait profession de donner son avis sur des questions de droit.

─── **QUESTIONS** ───

16. Sur les lignes 346 à 392. — Appréciez les avantages de l' « étrangeté » du héros dans un conte philosophique.
— Le personnage du sage vieillard est traditionnel dans les contes orientaux et fort commun dans ceux de Voltaire. Quel est en général son rôle et en particulier ici ?
— Le vieux lettré donne à Babouc la « raison des effets ». A quel courant d'idées cette conception de la morale sociale se rattache-t-elle (voyez la Documentation thématique) ? Comment, d'après le lettré, sont réalisés la bonne marche et l'équilibre de la société ? Babouc ne considérait-il pas volontiers la morale individuelle au détriment de la morale sociale, l'individu au détriment du groupe ? Le mal particulier peut-il excuser le bien général ? Pourquoi ? Existe-t-il une possibilité de choix ?
— Voit-on déjà se dessiner la morale du conte ?

dèrent plus vite que les avocats ne doutèrent. Leur jugement
415 fut presque unanime; ils jugèrent bien, parce qu'ils suivaient
les lumières de la raison, et les autres avaient opiné[78] mal, parce
qu'ils n'avaient consulté que leurs livres.

Babouc conclut qu'il y avait souvent de très bonnes choses
dans les abus. Il vit dès le jour même que les richesses des
420 financiers, qui l'avaient tant révolté, pouvaient produire un
effet excellent; car, l'empereur ayant eu besoin d'argent, il
trouva en une heure, par leur moyen, ce qu'il n'aurait pas eu
en six mois par les voies ordinaires[79]; il vit que ces gros nuages,
enflés de la rosée de la terre, lui rendaient en pluie ce qu'ils en
425 recevaient. D'ailleurs les enfants de ces hommes nouveaux,
souvent mieux élevés que ceux des familles plus anciennes,
valaient quelquefois beaucoup mieux; car rien n'empêche qu'on
ne soit un bon juge, un brave guerrier, un homme d'Etat habile,
quand on a eu un père bon calculateur[80]. (17)

430 Insensiblement Babouc faisait grâce à l'avidité du financier,
qui n'est pas au fond plus avide que les autres hommes, et qui
est nécessaire. Il excusait la folie de se ruiner pour juger et pour
se battre, folie qui produit de grands magistrats et des héros.
Il pardonnait à l'envie des lettrés, parmi lesquels il se trouvait
435 des hommes qui éclairaient le monde; il se réconciliait avec les
mages ambitieux et intrigants, chez lesquels il y avait plus de

78. *Opiner* : donner son avis ; 79. « Quand Louis XIV faisait trembler l'Italie, et que ses armées, déjà maîtresses de la Savoie et du Piémont, étaient prêtes de prendre Turin, il fallut que le prince Eugène marchât du fond de l'Allemagne au secours du duc de Savoie ; il n'avait point d'argent, sans quoi on ne prend ni ne défend les villes ; il eut recours à des marchands anglais ; en une demi-heure de temps, on lui prêta cinquante millions. Avec cela il délivra Turin, battit les Français, et écrivit à ceux qui avaient prêté cette somme ce petit billet : « Messieurs, j'ai reçu votre argent, et je me flatte de l'avoir employé à votre satisfaction » (Voltaire, *Lettres philosophiques*, X, 1734) ; 80. Voltaire songe peut-être à son père.

QUESTIONS

17. Sur les lignes 393 à 429. — Il est traité dans cet épisode de la vénalité des charges et de l'institution des fermiers généraux. Le lettré justifie-t-il les abus ou en montre-t-il la compensation ? Cette attitude, qui vise à démontrer qu'il y a souvent de *très bonnes choses dans les abus* et qui est l'expression d'un puissant mouvement d'idées à l'époque, témoigne-t-elle d'une confiance ou d'une méfiance en la nature humaine ? La position vous semble-t-elle négative ou réaliste ? Permet-elle une évolution de la société ?
— Ne sent-on pas la difficulté qu'éprouve Voltaire à mener à bien sa démonstration ? Comment se tire-t-il d'embarras ?

grandes vertus encore que de petits vices; mais il lui restait bien des griefs, et surtout les galanteries des dames, et les désolations qui en devaient être la suite, le remplissaient d'inquiétude et d'effroi.

Comme il voulait pénétrer dans toutes les conditions humaines, il se fit mener chez un ministre; mais il tremblait toujours en chemin que quelque femme ne fût assassinée en sa présence par son mari. Arrivé chez l'homme d'Etat, il resta deux heures dans l'antichambre sans être annoncé, et deux heures encore après l'avoir été. Il se promettait bien, dans cet intervalle, de recommander à l'ange Ituriel et le ministre et ses insolents huissiers. L'antichambre était remplie de dames de tout étage, de mages de toutes couleurs, de juges, de marchands, d'officiers, de pédants; tous se plaignaient du ministre. L'avare et l'usurier disaient : « Sans doute cet homme-là pille les provinces »; le capricieux lui reprochait d'être bizarre; le voluptueux disait : « Il ne songe qu'à ses plaisirs »; l'intrigant se flattait de le voir bientôt perdu par une cabale; les femmes espéraient qu'on leur donnerait bientôt un ministre plus jeune[81].

Babouc entendait leurs discours; il ne put s'empêcher de dire : « Voilà un homme bien heureux; il a tous ses ennemis dans son antichambre, il écrase de son pouvoir ceux qui l'envient; il voit à ses pieds ceux qui le détestent. » Il entra enfin : il vit un petit vieillard courbé sous le poids des années et des affaires, mais encore vif et plein d'esprit[82].

Babouc lui plut, et il parut à Babouc un homme estimable. La conversation devint intéressante. Le ministre lui avoua qu'il était un homme très malheureux; qu'il passait pour riche, et qu'il était pauvre; qu'on le croyait tout-puissant, et qu'il était toujours contredit; qu'il n'avait guère obligé[83] que des ingrats, et que, dans un travail continuel de quarante années, il avait eu à peine[84] un moment de consolation. Babouc en fut touché, et pensa que si cet homme avait fait des fautes, et si l'ange Ituriel

---

81. « Le roi avait perdu son Premier ministre. Il choisit Zadig pour remplir cette place. Toutes les belles dames de Babylone applaudirent à ce choix, car depuis la fondation de l'empire il n'y avait jamais eu de ministre si jeune » (*Zadig,* chap. VI); **82.** Ce *petit vieillard* fait songer au cardinal Fleury, avec lequel Voltaire avait eu maille à partir. Voltaire finira par apprécier le ministre et montrera en lui, dans le *Précis du siècle de Louis XV* (chap. III, 1756), un vieillard respectable, affable et désintéressé, et lui opposera « ce vilain Mirepoix, aussi dur, aussi fanatique, aussi impérieux que le cardinal était doux, accommodant et poli » (*Lettre à Frédéric,* juin 1743); **83.** *Obliger :* rendre service; **84.** *A peine :* avec peine, avec difficulté.

470 voulait le punir, il ne fallait pas l'exterminer, mais seulement lui laisser sa place. **(18)**

Tandis qu'il parlait au ministre entre brusquement la belle dame chez qui Babouc avait dîné. On voyait dans ses yeux et sur son front les symptômes de la douleur et de la colère. Elle éclata en
475 reproches contre l'homme d'Etat ; elle versa des larmes ; elle se plaignit avec amertume de ce qu'on avait refusé à son mari une place où[85] sa naissance lui permettait d'aspirer, et que ses services et ses blessures méritaient ; elle s'exprima avec tant de force, elle mit tant de grâces dans ses plaintes, elle détruisit les
480 objections avec tant d'adresse, elle fit valoir les raisons avec tant d'éloquence, qu'elle ne sortit point de la chambre sans avoir fait la fortune de son mari.

Babouc lui donna la main. « Est-il possible, Madame, lui dit-il, que vous vous soyez donné toute cette peine pour un
485 homme que vous n'aimez point, et dont vous avez tout à craindre ? — Un homme que je n'aime point ? s'écria-t-elle. Sachez que mon mari est le meilleur ami que j'aie au monde, qu'il n'y a rien que je ne lui sacrifie, hors mon amant, et qu'il ferait tout pour moi, hors de quitter sa maîtresse. Je veux vous
490 la faire connaître ; c'est une femme charmante, pleine d'esprit et du meilleur caractère du monde ; nous soupons ensemble ce soir avec mon mari et mon petit mage[86] : venez partager notre joie. » **(19)**

La dame mena Babouc chez elle. Le mari, qui était enfin
495 arrivé plongé dans la douleur, revit sa femme avec des trans-

---

85. *Où* : à laquelle ; 86. Voir note 46.

─────── **QUESTIONS** ───────

18. SUR LES LIGNES 430 à 471. — Etudiez la structure binaire des trois premières phrases. Quelle idéologie reflète-t-elle ? N'est-elle pas l'expression d'une conception de l'homme ?

— Dans quelle intention Babouc veut-il surprendre, cette fois encore, par l'apparence ? Comment fait-il connaissance avec la réalité ? Ne s'intègre-t-il pas chaque jour davantage à la vie de Persépolis ? Pourquoi ?

— Analysez avec précision les différents plans de cet épisode, où se retrouve le mouvement dialectique du contre au pour, qui donne son rythme à tout le conte.

19. Examinez les raisons idéologiques et esthétiques qui expliquent que les expériences de Babouc s'achèvent par celle des galanteries des dames. Babouc a-t-il vraiment compris Persépolis après son entrevue avec le ministre ? Comment interprétez-vous le rappel de la religion dans ces circonstances ?

ports d'allégresse et de reconnaissance ; il embrassait tour à tour
sa femme, sa maîtresse, le petit mage et Babouc. L'union, la
gaieté, l'esprit et les grâces furent l'âme de ce repas. « Apprenez,
lui dit la belle dame chez laquelle il soupait, que celles qu'on
500 appelle quelquefois des malhonnêtes femmes ont presque toujours le mérite d'un très honnête homme ; et, pour vous en
convaincre, venez demain dîner avec moi chez la belle Téone[87].
Il y a quelques vieilles vestales[88] qui la déchirent ; mais elle fait
plus de bien qu'elles toutes ensemble. Elle ne commettrait pas
505 une légère injustice pour le plus grand intérêt ; elle ne donne
à son amant que des conseils généreux ; elle n'est occupée que
de sa gloire ; il rougirait devant elle s'il avait laissé échapper
une occasion de faire du bien ; car rien n'encourage plus aux
actions vertueuses que d'avoir pour témoin et pour juge de sa
510 conduite une maîtresse dont on veut mériter l'estime. »

Babouc ne manqua pas au rendez-vous. Il vit une maison
où régnaient tous les plaisirs ; Téone régnait sur eux ; elle savait
parler à chacun son langage. Son esprit naturel mettait à son
aise celui des autres ; elle plaisait sans presque le vouloir ; elle
515 était aussi aimable que bienfaisante ; et, ce qui augmentait le
prix de toutes ses bonnes qualités, elle était belle.

Babouc, tout Scythe[89] et tout envoyé qu'il était d'un génie,
s'aperçut que, s'il restait encore à Persépolis, il oublierait Ituriel
pour Téone. Il s'affectionnait à la ville, dont le peuple était poli,
520 doux et bienfaisant, quoique léger, médisant et plein de vanité.
Il craignait que Persépolis ne fût condamnée ; il craignait même
le compte qu'il allait rendre. **(20)**

Voici comme il s'y prit pour rendre ce compte. Il fit faire
par le meilleur fondeur de la ville une petite statue composée

---

87. *Téone* : nom forgé à partir de *Théon*, mathématicien et astronome grec
de la fin du IVe siècle de notre ère : il convenait tout à fait à Mme du Châtelet ;
88. *Vestale* : prêtresse de Vesta chez les Romains, chargée d'entretenir jour
et nuit le feu sacré sur l'autel de la déesse. Elle devait garder la chasteté pendant tout le temps de son ministère. *Vieilles vestales* désigne plaisamment les
prudes de Persépolis ; 89. Dans l'Antiquité, les Scythes symbolisaient la barbarie.

———— QUESTIONS ————

20. Que reproche la dame aux mœurs de son temps ? En quoi consiste
la vertu ? Montrez qu'au rapport entre l'apparence et la réalité s'est
ajouté celui de la vérité et du mensonge. — Qu'est-ce qui fait le charme
de Téone ? — Quelles sont les réactions de Babouc ? Dans quel sens
celui-ci a-t-il évolué ? Pourquoi ? Semble-t-il au bout de son enquête ?
Pouvait-il la poursuivre ? Va-t-il être un témoin impartial ?

de tous les métaux, des terres et des pierres les plus précieuses
et les plus viles; il la porta à Ituriel : « Casserez-vous, dit-il,
cette jolie statue, parce que tout n'y est pas or et diamants? »
Ituriel entendit à demi-mot; il résolut de ne pas même songer
à corriger Persépolis, et de laisser aller *le monde comme il va.*
Car, dit-il, *si tout n'est pas bien, tout est passable.* On laissa donc
subsister Persépolis; et Babouc fut bien loin de se plaindre,
comme Jonas[90] qui se fâcha de ce qu'on ne détruisait pas
Ninive[91]. **(21) (22)**

---

90. « Il implora l'Eternel, et il dit : Ah! Eternel, n'est-ce pas ce que je
disais quand j'étais encore dans mon pays? C'est ce que je voulais prévenir
en fuyant à Tarsis. Car je savais que tu es un Dieu compatissant et miséricor-
dieux, lent à la colère et riche en bonté, et qui te repens du mal. Maintenant,
Eternel, prends-moi donc la vie, car la mort m'est préférable à la vie »
(Jonas, IV, 1-3); 91. L'édition de 1756 ajoutait : « Mais quand on a été trois
jours dans le corps d'une baleine, on n'est pas de si bonne humeur que quand
on a été à l'opéra, à la comédie, et qu'on a soupé en bonne compagnie. »

--- **QUESTIONS** ---

21. Pourquoi Babouc se décide-t-il à ce subterfuge pour convaincre
Ituriel? En d'autres termes, pourquoi substitue-t-il l'expérience au discours? Que pensez-vous de la décision d'Ituriel? Est-ce un renoncement? une acceptation? — Comment expliquez-vous ce rappel final de
l'histoire biblique? Rendez compte de l'addition de 1756. Ajoute-t-elle
quelque chose au sens du texte? Se justifie-t-elle sur le plan esthétique?

22. SUR L'ENSEMBLE DES LIGNES 472 à 533. — Etudiez l'enchaînement
des trois mouvements de cet épisode final.

— Babouc a failli être séduit par Persépolis : est-ce un échec ou une
victoire? A-t-il mieux compris que s'il était resté impartial?

— Dites avec précision ce que représente la statue. L'homme? La
société humaine? Est-elle un essai d'explication ou un constat d'impuis-
sance? Dans ces conditions, Ituriel pouvait-il avoir une autre attitude?

— Comment appréciez-vous la conclusion du *Monde comme il va?*
Est-elle exaltante, rassurante, consolante ou désespérante?

ZADIG
1745-1746

le conte fut imprimé pour la première fois
en
1747

NOTICE

CE QUI SE PASSAIT VERS 1744-1745.

■ *EN POLITIQUE. En France :* Règne de Louis XV. Mme de Pompadour étend son influence. Ministère de Machault d'Arnouville et d'Argenson. — *À l'étranger :* Derniers épisodes de la guerre de Succession d'Autriche (1741-1748), qui oppose la coalition franco-prussienne à l'Autriche, soutenue par l'Angleterre. Maurice de Saxe remporte la victoire de Lawfeld (1747) après les victoires de Fontenoy (1745) et de Raucoux (1746). Aux Indes, La Bourdonnais dégage Pondichéry et s'empare de Madras. Traité d'Aix-la-Chapelle (1748), peu avantageux pour la France, qui restitue toutes ses conquêtes ; la Prusse garde la Silésie. En Angleterre, William Pitt voit grandir son influence.

■ *EN LITTÉRATURE. En France :* La littérature orientale et philosophique est dans sa vigueur. En 1746, La Morlière publie Angola, histoire indienne, Condillac l'Essai sur l'origine des connaissances humaines, Vauvenargues l'Introduction à la connaissance de l'esprit humain, et Diderot ses Pensées philosophiques. L'Histoire naturelle de Buffon est sous presse. En 1747, Diderot travaille à la préparation de l'Encyclopédie et publie Promenade du sceptique et De la suffisance de la religion nouvelle. La Mettrie publie l'Homme-machine. Crébillon donne au théâtre le Triumvirat, et Gresset les Bourgeois et le Méchant. J.-J. Rousseau est chargé par le duc de Richelieu de remanier les Fêtes de Ramire, opéra de Voltaire, musique de Rameau. La mode est à la littérature anglaise : La Place fait paraître son Théâtre anglais (1745-1748), qui contient les principales pièces de Shakespeare. Mort de Lesage et de Vauvenargues. — *À l'étranger :* En Italie, Baretti traduit les œuvres de Corneille, Algarotti publie une Exposition du système de Newton, et Muratori fait paraître ses œuvres. En Angleterre, Bolingbroke donne ses Lettres sur l'esprit de patriotisme, Richardson Clarisse Harlowe, et Fielding son Histoire de Jonathan Wild.

■ *DANS LES SCIENCES.* La Condamine publie sa Relation abrégée d'un voyage fait dans l'intérieur de l'Amérique méridionale, et l'hydrographe *et mathématicien Bouguer son Traité du navire, de sa construction et de ses mouvements. L'astronome La Caille donne ses Leçons élémentaires d'astronomie, de géométrie et de physique. Travaux d'Adamson et des frères Jussieu, botanistes, du physicien et naturaliste Réaumur, du mathématicien Bernoulli.*

■ *DANS LES ARTS. En peinture :* F. Boucher est le peintre à la mode. Van Loo, premier peintre de Philippe V, roi d'Espagne, et Chardin sont appréciés. Cl.-J. Vernet est célèbre par ses paysages et ses marines. Quentin de La Tour et Nattier font les portraits des grands personnages du temps. Mort de Largillière (1746). — *En sculpture :* Bouchardon, sculpteur ordinaire du roi, entreprend la statue de Louis XV. J.-B. Lemoyne exécute le buste de Voltaire. Mort de Coustou (1746), qui sculpta les chevaux qui décorent l'entrée des Champs-Élysées. — *En architecture :* Héré achève la place Stanislas à Nancy.

COMPOSITION ET PUBLICATION

Selon la relation détaillée de Longchamp, le secrétaire de Voltaire, *Memnon*, première version de *Zadig*, aurait été composé presque entièrement à Sceaux, chez la duchesse du Maine, à la fin de 1747.

G. Ascoli, dans l'édition critique qu'il a donnée de *Zadig* (tome I, Introduction, pages 1 et suiv.), indique que Voltaire, vers la moitié de l'année 1747, au moment où il écrit *Sémiramis*, compose, pour se délasser, un conte d'inspiration orientale, qu'il publie bientôt sous le nom de *Memnon* à Amsterdam. En juin 1748, après l'achèvement de *Sémiramis*, Voltaire porte *Memnon* de quinze à dix-huit chapitres (il écrit, entre autres, le chapitre du pêcheur, où se lit son amertume après qu'il eut découvert les amours de Mme du Châtelet et de Saint-Lambert). En se fondant sur une lettre de Voltaire au comte d'Argenson, le même critique a solidement établi que l'ouvrage était, depuis longtemps, sous presse lorsque la duchesse du Maine accueille Voltaire.

J. Van den Heuvel, dans sa thèse sur *Voltaire dans ses contes* (Paris, 1967), a concilié les deux affirmations. Longchamp aurait confondu les deux séjours qu'il fit à Sceaux en compagnie de son maître. *Memnon* porte vigoureusement l'empreinte des années 1745-1746. Voltaire l'aurait lu à la duchesse pendant son premier séjour à Sceaux, alors que l'ouvrage était déjà sous presse. Enhardi par l'accueil chaleureux et les encouragements, il voulut faire bonne figure lors de son deuxième séjour : il lut alors le conte, étoffé de quelques chapitres supplémentaires et accompagné d'autres récits.

ANALYSE DU CONTE

De la puissance à l'esclavage.

Zadig, un Babylonien, jeune, riche, beau, paré de toutes les qualités morales et intellectuelles, crut qu'il pouvait être heureux. Mais Sémire, sa fiancée, l'abandonne (**chap. I**), et Azora, qu'il décide bientôt d'épouser, est infidèle (**chap. II**).

Le jeune homme se replie sur soi et s'adonne à l'étude de la nature. Mais ses qualités d'observation lui nuisent. Il est accusé d'avoir volé la chienne de la reine et le cheval du roi. Il parvient à se disculper et se promet de taire désormais ce qu'il observera. Mais le voilà bientôt condamné à une amende pour s'être tu (**chap. III**). Le hasard favorise Arimaze, l'Envieux, dans son entreprise contre Zadig, puis le dessert. Zadig devient le favori du roi et de la reine (**chap. IV**); il remporte le prix de la générosité, est nommé Premier ministre et peut, par là, mettre en pratique sa sagesse (**chap. V, VI et VII**).

Cependant, il tombe amoureux de la reine Astarté et, menacé de mort, doit s'enfuir (**chap. VIII**). Sur le chemin de l'Égypte, au prix d'un crime, il délivre une femme des mains d'un brutal. Pour toute récompense, il essuie les reproches et les injures d'une amoureuse désespérée (**chap. IX**). Arrivé en Egypte, il est arrêté pour meurtre et vendu comme esclave.

De l'esclavage à la puissance.

Bien vite, sa science et sa sagesse le font remarquer de son maître Sétoc, dont il devient le conseiller et l'ami (**chap. X**). En Arabie, il parvient à détruire la coutume barbare du bûcher et, par là, s'attire la haine des prêtres (**chap. XI**). À la foire de Bassora, il prend part à une vive discussion sur les religions et réussit à mettre tout le monde d'accord (**chap. XII**). Almona, que Zadig avait naguère sauvée du bûcher, en utilisant l'arme de la coquetterie, fait échapper son sauveur au supplice préparé par les prêtres. Sétoc, charmé de tant d'habileté, épouse la jeune fille, et Zadig prend le chemin de Babylone (**chap. XIII**). En route, il tombe au pouvoir du brigand Arbogad, qui lui apprend le destin malheureux de Babylone et le laisse finalement repartir (**chap. XIV**). Il rencontre un pêcheur prêt à se tuer et lui sauve la vie. À cette occasion, il apprend encore des nouvelles de Babylone (**chap. XV**). De nouveau en marche, il trouve sur son chemin des femmes à la recherche d'un basilic destiné à guérir leur maître Ogul de l'obésité. Parmi elles, il découvre Astarté, qu'il parviendra, grâce à son ingéniosité, à emmener à Babylone (**chap. XVI**). La reine est reçue en triomphe dans la capitale. Des combats doivent décider de l'homme qui méritera d'épouser Astarté. Zadig y participe brillamment et est déclaré vainqueur. Mais l'un des adversaires, Itobad, parvient, la nuit, à s'emparer de l'armure du vainqueur (**chap. XVII**).

La raison des choses.

Empli de désespoir, Zadig erre sur les bords de l'Euphrate. L'ange Jesrad, déguisé en ermite, l'aborde. Il lui expliquera, à travers une série d'aventures étonnantes, la raison des choses et le sens de la vie (**chap. XVIII**).

De retour à Babylone, Zadig soutient avec bonheur l'épreuve des énigmes et réussit à rétablir son bon droit. Le voici roi et heureux. La reine et lui adorent la Providence (**chap. XIX**).

LE PERSONNAGE DE ZADIG. « QU'EST-CE DONC QUE LA VIE HUMAINE ? »

Un être parfait, ou presque : tel est Zadig au début du conte. Le créateur a réuni en son personnage les qualités qui font de celui-ci un être prédisposé au bonheur. Zadig est jeune, beau, riche, libre, responsable de ses actes et répond par ses deux dernières qualités à l'idéal humain qui fut celui de Voltaire à Cirey dans sa période d'optimisme. Maître de ses passions, se dominant absolument, il devrait, à l'image des créatures de Corneille, s'emparer du monde comme il fait de lui-même.

Or, sa destinée ne correspondra pas à la réalité de son être. Il fera ce qu'il ne désire pas et ne voudra pas ce qu'il fait. Une distance toujours plus grande s'introduira au long du conte entre l'être qui se connaît et se veut tel qu'il se sent et l'existence qui échappe sans cesse. Bientôt, Zadig se regardera exister, contemplant avec stupeur une vie qui lui apparaît étrangère. Le désespoir, souvent, l'effleurera : « Qu'est-ce donc que la vie humaine ? Ô vertu ! à quoi m'avez-vous servi ? » (chap. VIII). La réalité du monde où évolue le personnage semble être l'expression contraire de son idéal : la nécessité pure mène le monde, et seuls ceux qui abondent dans le sens de leurs passions trouvent le bonheur[1].

Être libre ou ne pas l'être ? Telle est bien la question que se pose Voltaire, en ces années 1740 à 1745, à travers la fiction. L'écrivain avait puisé dans Clarke et Pope la foi que chaque créature a été douée d'une part de liberté en rapport avec sa situation dans l'univers. L'idée était sous-jacente dans le conte de *Micromégas* (1739), et l'on retrouve son influence dans l'idéologie du personnage de Zadig. On a l'impression d'assister à une transposition au plan romanesque de la discussion sur le libre arbitre qui opposa Voltaire à Frédéric entre décembre 1737 et février 1738, où Voltaire soutenait la position de Clarke et Frédéric celle d'un Leibniz mal compris, défenseur du déterminisme[2].

L'antinomie entre les deux positions se retrouve au niveau de la structure du conte. La belle construction de Clarke, pour qui l'homme est libre et maître de son destin, se reflète dans le comportement, manifestation d'une idéologie, de Zadig. De son côté, la philosophie de Leibniz trouve son écho dans la réalité du monde, telle qu'elle apparaît au lecteur, telle qu'elle s'oppose à la réalisation du personnage. Entre les deux philosophies s'introduit une rupture que manifeste le déchirement intérieur de Zadig. Le déroulement du récit fait la preuve du caractère utopique de la position de Clarke, qui ne tient pas compte de la réalité du monde, et marque le caractère désespérant de celle d'un Leibniz d'emprunt, pour qui la nécessité pure règne sur l'univers.

Un mouvement alternatif qui va de l'espoir à la tentation du désespoir rythme le conte. Il cessera vers la fin de l'œuvre, au moment, précisément, où l'ange Jesrad viendra concilier les deux apparences, de même que Voltaire trouvera la résolution de ses hésitations dans la croyance en une Providence conciliatrice de la liberté individuelle et de l'ordre universel, conciliation que réalisait précisément Leibniz dans ses *Essais de Théodicée*. J. Van den Heuvel a bien montré que Voltaire, autour de 1740, se rattache aux argu-

---

1. Voir, par exemple, le personnage d'Orcan (chap. I et XV) et le seigneur Arbogad (chap. XIV) ; 2. Voir Documentation thématique, pages 159-171.

ments providentialistes de Leibniz. Voltaire ne raille nullement la solution que proposait le philosophe allemand. Les disciples, les Kœnig et les Wolf, dont s'était entichée Mme du Châtelet et qui avaient l'art de dire des riens en trente-deux volumes in-4°, essuieront seuls sa mauvaise humeur.

Une telle recherche ne peut se révéler et ne prend son sens et sa force qu'intégrée et vécue par un destin. Mais, à son tour, ce destin n'est révélateur que si la vision individuelle qu'il offre est élargie à la thématique et à la forme du monde.

THÈMES

On retrouve dans *Zadig* la dénonciation du mal essentiellement sous deux des formes que Leibniz distinguait dans ses *Essais de Théodicée* : le mal métaphysique et le mal moral[3].

Le mal métaphysique. Il apparaît surtout dans le conte sous la forme du temps, dont Zadig fait l'expérience. La tradition du conte oriental ou du roman d'amour et d'aventures, qui prend la vie d'un « héros » comme cadre de la fiction, sert la volonté philosophique de l'auteur. Le récit du déroulement d'une vie met en évidence le rôle du temps dans l'appréhension et la transformation de la réalité. *Zadig* manifeste que le temps rend impossible la réalisation des rêves de bonheur, de science et de pureté. Le même schéma se retrouve d'un bout du conte à l'autre : après la victoire momentanée du héros, le temps use l'œuvre et permet l'éclosion de l'hostilité, l'envahissement du mal et, finalement, la ruine de l'entreprise. Les tentations pour abriter du temps les constructions du bonheur sont vouées à l'échec : le paradis clos du début du conte, fermé sur lui-même, composé de tous les éléments nécessaires à un bonheur dans la permanence, se trouve en un instant ruiné par l'irruption du monde extérieur permise par l'écoulement du temps, où mûrissent l'envie et le mal. Peut-être doit-on voir là le reflet dans la fiction de la lente dégradation du bonheur de Cirey, telle que Voltaire la ressentait et s'en ouvrait dans sa correspondance des années 1740 à 1745. Le temps passe, et emporte tout avec lui. L'amour lui-même, expression privilégiée du désir d'éternité, est voué par avance à l'échec : observons les amours de Zadig et de Sémire, puis d'Astarté : ce sont les mêmes essais, les mêmes recommencements, les mêmes échecs. Le thème de la répétition, symbolique de la mort, marque le conte de son rythme. Enfermé dans ce mouvement cyclique, l'homme mesure la vanité de ses essais de conquête, l'inutilité de son ouvrage et, pour échapper au néant, se replie sur soi : « Rien n'est plus heureux, disait Zadig, qu'un philosophe qui lit dans ce grand livre que Dieu a mis sous nos yeux. Les vérités qu'il découvre sont à lui ; il nourrit et il élève son âme ; il vit tranquille, il ne craint rien des hommes » (chap. III).

Le mal moral. La connaissance pourrait vaincre par l'incessante recréation l'œuvre destructrice du temps. À défaut de paradis élargi, elle permettrait

---

3. Leibniz distinguait dans ses *Essais de Théodicée* le mal métaphysique, qui est l'imperfection des créatures, le mal physique, qui est la souffrance, et le mal moral, qui est le péché, les trois formes étant liées les unes aux autres. Le mal physique trouvera une expression remarquable dans le conte de *Candide* (1756).

l'organisation d'un délicieux paradis particulier. Zadig s'essaie à une telle entreprise. L'obstacle, cette fois, vient de la société, qui n'autorise pas à « voir ». Et le personnage, après l'expérience malheureuse de la fenêtre[4], à la différence de Babouc, ne s'inquiétera plus du monde extérieur. Il a compris que, pour la société, la curiosité est un vilain défaut et qu'on risque, à persister dans le mauvais chemin, de perdre la vue. La hantise du borgne, que J. Van den Heuvel a notée dans l'œuvre et la correspondance de Voltaire, est l'expression de cette crainte. Zadig renonce alors à observer pour chercher en lui-même le sens de la vie, nouvelle et dernière étape du repli sur soi.

Au début du chapitre IV, Zadig paraît bien renoncer et accepter. Appris par l'expérience, il construit une société selon son cœur. Mais, en fait, à travers elle, c'est le monde originel de Babylone, où il fut heureux, qu'il essaie de reconstituer ; les deux mondes répondent à une même structure close, à une même tentative : enfermer le bonheur. La même forme dans le même monde entraînera la même ruine, présentée cette fois sous l'aspect du mal moral. La tranquillité est impossible parce que l'envie, thème aux échos nombreux entre 1740 et 1745 dans l'œuvre et la correspondance de Voltaire[5], symbole du mal social, une des multiples formes du mal, empêche l'immobilisation dans le bonheur. Arimaze est l'agent de cette entreprise. Il figure, dans une perspective manichéenne, Arimane, le principe du mal. L'auteur oppose point à point Zadig et Arimaze, comme pour montrer que, dans l'organisation du monde tel qu'il est, l'un des personnages constitue la contrepartie nécessaire de l'autre.

Devant l'impossible quiétude, l'impossible installation dans le bonheur, Zadig, qui se caractérise par la recherche, substitue la conquête à l'acceptation. Il renonce à participer au monde tel qu'il l'éprouve et rêve de changer ce monde pour changer la vie. Mais cette attitude pourrait être une sorte de reniement en ce qu'elle emprunte les voies impures de la pureté. Elle le serait sans le roi Moabdar, qui la favorise, sans l'accord du pouvoir, qui permet à Zadig de rester identique à lui-même. Grâce à Moabdar, Zadig peut intégrer son idéologie dans la pratique, rendre une justice enfin juste, enseigner la sagesse et préparer par là une réorganisation de la cité. Tout ira comme il faudrait, jusqu'au jour où la société, mise en cause dans chaque acte du ministre, trouvera le moyen de contester l'action des réformes entreprises et d'assurer de nouveau son contrôle sur le souverain[6].

Mais le mal se trouve finalement mis en échec : au terme du conte, au terme du destin fictif, le temps n'apparaît plus dans son œuvre destructrice et n'a pas ruiné l'idéal ; au contraire, il a révélé et trempé le véritable amour ; la science retrouve sa valeur, l'envie montre son inutilité, et Zadig finit bien par disposer du pouvoir, et ce, sur le plan romanesque, d'une manière définitive. C'est donc au niveau de la structure générale de l'œuvre que les attitudes diverses et les thèmes particuliers prennent leur sens.

---

4. Voir chapitre III ; 5. Voir J. Van den Heuvel, *op. cit.*, pages 150-151 ; 6. Voir chapitres VI et VII.

LA STRUCTURE DE « ZADIG »

Rien ne semble moins construit que ce conte. Mettant à profit diverses traditions romanesques[7], l'auteur unifie son récit autour des aventures multiples et diverses du héros. Or, celles-ci semblent s'enchaîner les unes aux autres sans autre lien que le pur hasard, faste ou néfaste. L'aventure du madrigal ou celle des babouches d'Astarté sont, à cet égard, exemplaires[8].

Cette structure, en quelque sorte existentielle, se voit comme telle et justifiée sur le plan métaphysique à la fin du conte. La succession en apparence incohérente des événements se révèle — car il s'agit bien d'une révélation — finalement avoir été en réalité un enchaînement dont le sens et la direction étaient d'avance marqués. On l'a vu, la justification a son origine dans Leibniz : pour le philosophe allemand, l'homme n'a qu'une vision fragmentaire de sa destinée, qui ne prend un sens global qu'au plan providentiel, soumis lui-même au principe du meilleur. Ainsi a-t-on dans *Zadig* une double vision des événements : la vision individuelle, qui est celle, en fait, du personnage de Zadig et à travers laquelle le lecteur perçoit ponctuellement la chaîne des événements ; et la vision globale rétrospective, qui n'est possible qu'à la fin du conte, où elle éclaire toute l'œuvre. Au terme de la lecture, les deux visions se superposent, rendant chacune raison d'un état du monde.

La structure linéaire de l'ensemble, fondée sur le récit d'une vie, est combinée à deux autres structures, cyclique et répétitive, qui contribuent à la construction de l'ensemble. Dans la première, chaque événement est nécessaire au suivant, qui, à son tour, en entraîne un autre jusqu'à la « réalisation » du héros. Ainsi, la trahison de Sémire permet au monde clos où était enfermé Zadig d'éclater ; celle d'Azora lui enseigne à distinguer l'être du paraître et à s'avancer ainsi sur le chemin de la sincérité ; la dénonciation de l'Envieux permet finalement à Zadig de devenir ministre ; l'Envieuse cause la fuite du héros, qui, ainsi, échappera aux malheurs de Babylone ; sa vente comme esclave aboutira aux retrouvailles avec Astarté, et ainsi de suite jusqu'à la pleine réalisation du destin du héros. D'un autre côté, une structure de type répétitif complète la précédente et donne son sens à la composition linéaire de l'ensemble. On distingue dans le conte deux périodes qui se répètent et reprennent en fait, dans des situations différentes, les mêmes expériences. Dans la première, qui va du chapitre premier au chapitre VI, le héros, d'abord anéanti, s'empare petit à petit du monde jusqu'à le dominer et lui imposer son idéologie de progrès. Le chapitre VII est, à ce point de vue, un centre où le héros est remis à bas. Des chapitres VIII à XVIII, le même schéma de destinée recommence : d'esclave, le héros deviendra roi. La structure cyclique avait une signification métaphysique : elle était la représentation d'un ordre universel ; la structure répétitive a une signification morale : elle est la représentation d'une certaine liberté humaine ; dans des situations différentes, le même caractère a engendré le même destin. La vie, alors, ne retrouve-t-elle pas un sens ?

---

7. Voir pages 15-17 ; 8. Voir chapitres IV et VIII.

Pour renforcer l'efficacité de cette composition, Voltaire l'étaie par la redite du schéma à l'aide des « histoires » des autres personnages : les « histoires » du pêcheur, d'Itobad, de l'Envieux, de Missouf, d'Arbogad, de Sétoc, de Cador reprennent en « abysme », sous forme cyclique, et confirment celle de Zadig.

On voit donc l'art avec lequel ce conte apparemment décousu est organisé : des structures de type répétitif et cyclique s'insèrent dans une structure générale linéaire pour illustrer une « philosophie » qui justifie l'incompréhension de l'instant par une vue globale de l'univers. Le mal comme le bien se trouvent alors rétrospectivement réintégrés dans l'ordre général du monde que régit le principe du meilleur, sans lequel il n'y aurait pas d'existence.

L'UTILISATION PHILOSOPHIQUE DE « ZADIG » ET LA TRADITION ORIENTALE

On a vu plus haut l'attitude de Voltaire vis-à-vis de la mode des contes orientaux. Néanmoins, ou plutôt à cause de cette mode, l'auteur acquit une connaissance approfondie de la littérature orientale, qui transparaît à chaque page du conte. Mais, plus que des « influences », c'est son attitude vis-à-vis de cette littérature et l'utilisation qu'il en fait qu'il importe d'étudier en regard du projet philosophique de *Zadig*.

La puissance de l'imagination, qui est une des dimensions du conte oriental tel que le voyait Voltaire, est acceptée dans *Zadig* pour mieux y être dénoncée[9]. L'auteur autorise la présence du merveilleux, que le héros lui-même, aussitôt, rationalise par le moyen d'une sagacité d'usage chez les personnages du genre et que Zadig porte à son comble. On se reportera à ce propos aux épisodes du chien et du cheval (chap. III), de la danse, du basilic (chap. XVI), des énigmes (chap. XIX). L'auteur complète la dénonciation intérieure de l'imaginaire par des intrusions directes ou indirectes dans le récit[10].

On ferait les mêmes remarques à propos : de l'abondance des aventures et de leur incohérence, qui deviennent symboliques de la condition humaine ; du style, dénoncé par l'exagération et la répétition insistante des mêmes stéréotypes de langue ; du décor, enfin, qui n'est pas une expression de l'imaginaire, mais qui participe du mythe, lequel, globalement, constitue une atteinte à la raison. J. Van den Heuvel a bien montré comment, dans *Zadig*, le décor servait l'entreprise philosophique du conte. À mesure que le destin de Zadig s'obscurcit, le pittoresque oriental prend l'avantage et s'impose à l'imagination, et *vice versa*. Dans la première partie du conte (chap. I-VI), le pittoresque n'est qu'apparent et peut être comparé à celui du *Monde comme il va*. Babylone rappelle Persépolis, et derrière les deux villes transparaît Paris. Des chapitres VIII à XVII, le pittoresque s'affirme continuellement,

---

9. Pour Voltaire « la belle imagination est toujours naturelle ; la fausse est celle qui assemble des objets incompatibles ». La fausse imagination domine dans les « extravagances des *Mille et Une Nuits* » (*Dictionnaire philosophique*, art. « Imagination », 1764) ; 10. Voir, par exemple, chapitre XVIII.

alors que Zadig semble emporté par la nécessité et touché parfois par le désespoir. À partir de la révélation de l'ange Jesrad (chap. XVIII), tout s'illumine, et ressurgit la Babylone initiale.

La même remarque vaut pour l'intrigue, qui croît de concert avec l'épaississement du décor à mesure que Zadig voit lui échapper le sens de sa destinée.

En somme, c'est à partir de ce genre irrationnel, au niveau même des formes et des structures de l'œuvre, que Voltaire fait la critique de ce qui empêche la raison de prendre son essor. Par la dénonciation incessante du « merveilleux » et de l' « imaginaire », par son intrusion dans le récit, Voltaire amène le lecteur à se regarder lire, à saisir le cheminement des tromperies, des faux raisonnements, des croyances multiples ; il amène le lecteur à conserver sa distance avec l'objet littéraire et, à travers ce dernier, avec lui-même.

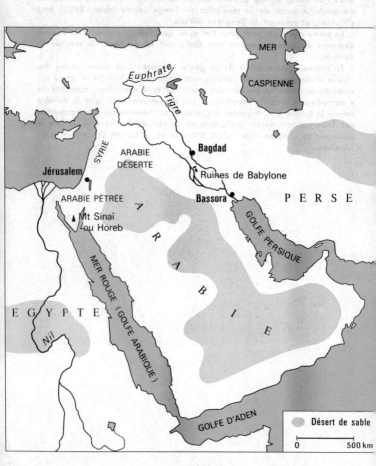

**CARTE DES LIEUX
OÙ SE DÉROULENT LES AVENTURES DE ZADIG**

ZADIG OU LA DESTINÉE

Histoire orientale[11]

APPROBATION [12]

Je soussigné, qui me suis fait passer pour savant, et même pour homme d'esprit, ai lu ce manuscrit que j'ai trouvé, malgré moi, curieux, amusant, moral, philosophique, digne de plaire à ceux même qui haïssent les romans. Ainsi je l'ai décrié, et j'ai assuré M. le cadilesquier[13] que c'est un ouvrage détestable[14].

[Texte accompagnant toutes les éditions du conte sauf la première et la dernière.]

ÉPÎTRE DÉDICATOIRE DE ZADIG À LA SULTANE SHERAA[15], PAR SADI[16]

Le 18[17] du mois de schewal, l'an 837 de l'hégire[18].

Charme des prunelles, tourment des cœurs, lumière de l'esprit, je ne baise point la poussière de vos pieds, parce que vous ne marchez guère, ou que vous marchez sur des tapis d'Iran ou sur des roses. Je vous offre la traduction d'un livre d'un ancien
5 sage, qui, ayant le bonheur de n'avoir rien à faire, eut celui de s'amuser à écrire l'histoire de *Zadig* : ouvrage qui dit plus qu'il ne semble dire. Je vous prie de le lire et d'en juger : car, quoique vous soyez dans le printemps de votre vie, quoique tous les plaisirs vous cherchent, quoique vous soyez belle, et que vos
10 talents ajoutent à votre beauté ; quoiqu'on vous loue du soir

---

11. Le texte donné ici correspond à l'édition de 1775 des œuvres de Voltaire ; nous avons signalé en note les additions limitées apportées pour les éditions de 1748, de 1751 et de 1756, qui ont paru pouvoir être de quelque utilité pédagogique. Pour les variantes plus importantes, on les trouvera dans la Documentation thématique. Les chapitres intitulés « la Danse » et « les Yeux bleus », qui n'ont jamais figuré dans aucune des éditions voulues par Voltaire, ont été rejetés à la fin du texte de l'édition de 1775 ; 12. Parodie des Approbations exigées à l'époque ; 13. Dignitaire turc, chargé de la religion et des lois. L'auteur songe au garde des Sceaux ; 14. Voltaire se moque de Crébillon, son rival malheureux, censeur royal, qui avait refusé de donner l'«Approbation à *Mahomet* (1742) ; 15. *Sheraa* rappelle Schéhérazade, l'héroïne des *Mille et Une Nuits*. On crut reconnaître en elle Mᵐᵉ de Pompadour. G. Ascoli a mis en doute cette hypothèse : le critique préfère voir en Sheraa une dame imaginaire que Voltaire aurait parée des vertus qu'il admirait en Mᵐᵉ du Châtelet ; 16. *Sadi* (ou *Saadi*) : un grand poète persan (1184-1291), auteur du *Gulistan ou Jardin des roses* ; 17. Dix-huitième mois de l'année musulmane ; 18. Ce qui correspond à l'an 1459 de l'ère chrétienne. Sadi était mort depuis longtemps. On voit que Voltaire se soucie peu d'exactitude historique.

au matin, et que par toutes ces raisons vous soyez en droit de
n'avoir pas le sens commun, cependant vous avez l'esprit très
sage et le goût très fin, et je vous ai entendue raisonner mieux
que de vieux derviches[19] à longue barbe et à bonnet pointu.
15 Vous êtes discrète, et vous n'êtes point défiante ; vous êtes
douce sans être faible ; vous êtes bienfaisante avec discernement ; vous aimez vos amis, et vous ne vous faites point d'ennemis. Votre esprit n'emprunte jamais ses agréments des traits de
la médisance[20] ; vous ne dites de mal, ni n'en faites, malgré la
20 prodigieuse facilité que vous y auriez. Enfin votre âme m'a
toujours paru pure comme votre beauté. Vous avez même un
petit fonds de philosophie qui m'a fait croire que vous prendriez
plus de goût qu'une autre à cet ouvrage d'un sage.

Il fut écrit d'abord en ancien chaldéen, que ni vous ni moi
25 n'entendons. On le traduisit en arabe, pour amuser le célèbre
sultan Ouloug-beg[21]. C'était du temps où les Arabes et les Persans commençaient à écrire des *Mille et une nuits,* des *Mille et
un jours,* etc. Ouloug aimait mieux la lecture de *Zadig ;* mais
les sultanes aimaient mieux les *Mille et un*[22]. « Comment
30 pouvez-vous préférer, leur disait le sage Ouloug, des contes qui
sont sans raison et qui ne signifient rien ? — C'est précisément
pour cela que nous les aimons », répondaient les sultanes.

Je me flatte que vous ne leur ressemblerez pas, et que vous
serez un vrai Ouloug. J'espère même que, quand vous serez
35 lasse des conversations générales, qui ressemblent assez aux
Mille et un, à cela près qu'elles sont moins amusantes, je pourrai
trouver une minute pour avoir l'honneur de vous parler raison.
Si vous aviez été Thalestris[23] du temps de Scander[24], fils de Philippe ; si vous aviez été la reine de Sabée[25] du temps de Solei-
40 man[26], c'eussent été ces rois qui auraient fait le voyage.

---

19. *Derviche* (ou *dervis*) : religieux musulman ; **20.** « C'était un travers à la
mode », note G. Ascoli. Destouches en 1715, dans *le Médisant,* et Gresset en
1747, dans *le Méchant,* l'avaient mis en scène avec succès ; **21.** Petit-fils de
Tamerlan, il régna de 1416 à 1449. Au XVIIIe siècle, il était considéré comme
le type du prince éclairé : « Il fonda dans Samarcande, écrit Voltaire, la
première Académie des sciences, fit mesurer la terre et eut part à la composition
des tables astronomiques qui portent son nom » ; **22.** La traduction des *Mille
et Une Nuits* par Jean Galland, qui commença à paraître en 1704, fut suivie
d'un grand nombre d'ouvrages de la même veine, parodiques ou non, dont le
titre commençait par *Mille et Un(e)... (Nuits, Jours, Quarts d'heures,* etc.) ;
23. Reine des Amazones ; **24.** Alexandre, à qui Thalestris était venue s'offrir
comme épouse (Quinte-Curce, *Vie d'Alexandre,* V [v. 25-32]) ; **25.** La reine de
Saba ; **26.** Salomon. « La reine de Saba apprit la renommée que possédait
Salomon, à la gloire de l'Eternel, et elle vint pour l'éprouver par des énigmes »
(I Rois, x, 1).

Je prie les vertus célestes que vos plaisirs soient sans mélange, votre beauté durable, et votre bonheur sans fin. **(1)**

SADI.

CHAPITRE PREMIER

LE BORGNE

Au temps du roi Moabdar[27] il y avait à Babylone[28] un jeune homme nommé Zadig[29], né avec un beau naturel fortifié par l'éducation. Quoique riche et jeune, il savait modérer ses passions ; il n'affectait rien[30] ; il ne voulait point toujours avoir
5 raison, et savait respecter la faiblesse des hommes. On était étonné de voir qu'avec beaucoup d'esprit il n'insultât jamais par des railleries à ces propos si vagues, si rompus[31], si tumultueux, à ces médisances téméraires[32], à ces décisions ignorantes, à ces turlupinades[33] grossières, à ce vain bruit de paroles, qu'on
10 appelait *conversation* dans Babylone[34]. Il avait appris, dans le premier livre de Zoroastre[35], que l'amour-propre est un ballon gonflé de vent, dont il sort des tempêtes quand on lui a fait une piqûre. Zadig surtout ne se vantait pas de mépriser les femmes et de les subjuguer[36]. Il était généreux ; il ne craignait point
15 d'obliger des ingrats, suivant ce grand précepte de Zoroastre : *Quand tu manges, donne à manger aux chiens, dussent-ils te*

---

27. Nom à consonance musulmane forgé par Voltaire ; **28.** Capitale de l'ancienne Chaldée, sur l'Euphrate. Aux XVIIe et XVIIIe siècles, on la confondait avec Bagdad, capitale de la Mésopotamie, sur le Tigre ; **29.** Ce nom semble provenir de l'*Histoire du grand écuyer Saddyk*, conte arabe dont d'Herbelot avait donné une traduction dans la *Bibliothèque orientale* (1697). Il signifie « le Juste » ; **30.** *N'affecter rien* : n'avoir pas d'ambition ; **31.** *Rompu* : décousu ; **32.** Voir note 20 ; **33.** *Turlupinade* : plaisanterie de mauvais goût (l'origine du mot remonte à *Turlupin*, acteur de farces au XVIIe siècle) ; **34.** Voir note 28 ; **35.** *Zoroastre* (ou *Zarathoustra*) : prophète iranien, d'origine peut-être mythique, auquel on attribue la fondation du *parsisme*, ou *mazdéisme*, religion pour laquelle le monde était sous l'influence de deux principes opposés : celui du Bien, *Ormuzd*, et celui du Mal, *Ahriman* ; **36.** Allusion aux « roués » de la Régence.

———— QUESTIONS ————

1. SUR L'ÉPÎTRE DÉDICATOIRE. — Etudiez la parodie du style oriental. Par quels moyens Voltaire s'efforce-t-il de reconstituer une manière de couleur locale ? Comment et pourquoi la dénonce-t-il sans cesse, par la surcharge, l'humour et l'ironie ?

— L'auteur parle peu de son œuvre. Cependant, il souligne certaines de ses caractéristiques. Pouvez-vous dire lesquelles ?

— Dans quel dessein insiste-t-il surtout sur les vertus de la sultane Sheraa ? Par volonté de parodie ? Pour mettre en évidence les qualités nécessaires à une bonne lecture ? Dans ce cas, indiquez quelles sont-elles.

mordre[37]. Il était aussi sage qu'on peut l'être, car il cherchait à
vivre avec des sages. Instruit dans les sciences des anciens
Chaldéens[38], il n'ignorait pas les principes physiques de la
20 nature tels qu'on les connaissait alors, et savait de la métaphysique ce qu'on en a su dans tous les âges, c'est-à-dire fort peu
de chose[39]. Il était fermement persuadé que l'année était de
trois cent soixante et cinq jours et un quart, malgré la nouvelle
philosophie de son temps[40], et que le soleil était au centre du
25 monde ; et quand les principaux mages[41] lui disaient, avec une
hauteur insultante, qu'il avait de mauvais sentiments, et que
c'était être ennemi de l'Etat que de croire que le soleil tournait
sur lui-même[42] et que l'année avait douze mois, il se taisait sans
colère et sans dédain. **(2)**

30   Zadig, avec de grandes richesses, et par conséquent avec
des amis, ayant de la santé, une figure aimable, un esprit juste
et modéré, un cœur sincère et noble, crut qu'il pouvait être
heureux. Il devait se marier à Sémire[43], que sa beauté, sa naissance et sa fortune rendaient le premier parti de Babylone. Il
35 avait pour elle un attachement solide et vertueux, et Sémire
l'aimait avec passion. Ils touchaient au moment fortuné qui
allait les unir, lorsque, se promenant ensemble vers une porte
de Babylone, sous les palmiers qui ornaient le rivage de l'Euphrate, ils virent venir à eux des hommes armés de sabres et
40 de flèches. C'étaient les satellites du jeune Orcan[44], neveu d'un

---

37. « Quand tu manges du pain, mets de côté trois bouchées pour les chiens »
(Hyde, *Histoire de la religion des anciens Perses*). Voltaire modifie le sens de
la formule. Son intention n'est pas de rapporter les propos du Sage ; **38.** Voltaire
admirait les *Chaldéens*, anciens habitants de la Babylonie, pour leurs connaissances astronomiques ; **39.** La *métaphysique* est la partie de la philosophie qui
propose une explication générale de tout ce qui existe. Voltaire ne manque
jamais de la railler ; **40.** Allusion au système de Ptolémée, aux calendriers grecs
et romains, et à Galilée ; **41.** Prêtre de la religion de Zoroastre ; **42.** Galilée a
démontré que le soleil tourne sur lui-même de l'ouest à l'est et accomplit un
tour en vingt-cinq jours environ ; **43.** Nom francisé de *Sémiramis*, « type de
l'infidélité conjugale » (G. Ascoli). Voltaire écrivit en même temps *Zadig* et la
tragédie de *Sémiramis* ; **44.** Anagramme de *Rohan*. Dans *Bajazet* (III, VIII),
Orcan est l'eunuque noir qui porte à Roxane l'ordre de mort de Bajazet.

──────── **QUESTIONS** ────────

2. Quelles sont les qualités prédominantes chez Zadig ? A quoi
peut-on les attribuer ? Comment expliquez-vous que le conte s'ouvre
sur la peinture d'un héros si parfait ? — Faites une analyse thématique
du vocabulaire fondée sur l'alternance ombre-clarté. Relevez le jeu des
négations dans le texte. Montrez que la clarté est affirmée, que l'ombre
est niée et que l'idéal proposé atteint à une pureté qui trouve son expression accomplie dans une conception mathématique de l'univers, où les
chiffres rendent raison des choses.

ministre, à qui les courtisans de son oncle avaient fait accroire que tout lui était permis. Il n'avait aucune des grâces ni des vertus de Zadig; mais, croyant valoir beaucoup mieux, il était désespéré de n'être pas préféré. Cette jalousie, qui ne venait que
45 de sa vanité, lui fit penser qu'il aimait éperdument Sémire. Il voulait l'enlever. Les ravisseurs la saisirent, et dans les emportements de leur violence ils la blessèrent, et firent couler le sang d'une personne dont la vue aurait attendri les tigres du mont Imaüs[45]. Elle perçait le ciel de ses plaintes. Elle s'écriait :
50 « Mon cher époux! on m'arrache à ce que j'adore! » Elle n'était point occupée de son danger; elle ne pensait qu'à son cher Zadig. Celui-ci, dans le même temps, la défendait avec toute la force que donnent la valeur et l'amour. Aidé seulement de deux esclaves, il mit les ravisseurs en fuite et ramena chez elle
55 Sémire, évanouie et sanglante, qui en ouvrant les yeux vit son libérateur. Elle lui dit : « Ô Zadig! je vous aimais comme mon époux; je vous aime comme celui à qui je dois l'honneur et la vie. » Jamais il n'y eut un cœur plus pénétré que celui de Sémire. Jamais bouche plus ravissante n'exprima des sentiments plus
60 touchants par ces paroles de feu qu'inspirent le sentiment du plus grand des bienfaits et le transport le plus tendre de l'amour le plus légitime. Sa blessure était légère; elle guérit bientôt. Zadig était blessé plus dangereusement; un coup de flèche reçu près de l'œil lui avait fait une plaie profonde. Sémire ne deman-
65 dait aux dieux que la guérison de son amant. Ses yeux étaient nuit et jour baignés de larmes : elle attendait le moment où ceux de Zadig pourraient jouir de ses regards; mais un abcès survenu à l'œil blessé fit tout craindre. On envoya jusqu'à Memphis[46] chercher le grand médecin Hermès[47], qui vint avec
70 un nombreux cortège. Il visita le malade, et déclara qu'il per- drait l'œil; il prédit même le jour et l'heure où ce funeste acci- dent devait arriver. « Si c'eût été l'œil droit, dit-il, je l'aurais guéri; mais les plaies de l'œil gauche sont incurables. » Tout Babylone, en plaignant la destinée de Zadig, admira la profon-
75 deur de la science d'Hermès. Deux jours après, l'abcès perça de lui-même; Zadig fut guéri parfaitement. Hermès écrivit un livre où il lui prouva qu'il n'avait pas dû[48] guérir. Zadig ne le lut point; mais, dès qu'il put sortir, il se prépara à rendre visite

---

45. L'Himalaya ; **46.** Capitale de l'ancienne Egypte ; **47.** Hermès Trismégiste, inventeur de toutes les sciences. On disait qu'il avait été roi de Thèbes. Les Grecs le confondaient avec le dieu égyptien Toth; **48.** Latinisme : *n'aurait pas dû.*

à celle qui faisait l'espérance du bonheur de sa vie et pour qui
80 seule il voulait avoir des yeux. Sémire était à la campagne depuis
trois jours. Il apprit en chemin que cette belle dame, ayant
déclaré hautement qu'elle avait une aversion insurmontable
pour les borgnes, venait de se marier à Orcan la nuit même.
A cette nouvelle, il tomba sans connaissance; sa douleur le mit
85 au bord du tombeau; il fut longtemps malade; mais enfin la
raison l'emporta sur son affliction, et l'atrocité de ce qu'il
éprouvait servit même à le consoler. **(3)**

« Puisque j'ai essuyé, dit-il, un si cruel caprice d'une fille
élevée à la cour, il faut que j'épouse une citoyenne[49]. » Il
90 choisit Azora, la plus sage et la mieux née de la ville; il
l'épousa et vécut un mois avec elle dans les douceurs de l'union
la plus tendre. Seulement il remarquait en elle un peu de légèreté et beaucoup de penchant à trouver toujours que les jeunes
gens les mieux faits étaient ceux qui avaient le plus d'esprit
95 et de vertu. **(4) (5)**

---

49. *Citoyen* : citadin.

QUESTIONS
---

3. Comment se révèle-t-il que le monde de l'équilibre et de la pureté
n'était qu'une apparence ? — Montrez l'opposition entre Zadig et Orcan
dans la manière dont l'auteur peint les deux personnages. Faites à cette
intention une nouvelle étude thématique du vocabulaire en partant des
critères précédents. Comparez les structures des phrases; attachez-vous
en particulier au rôle des verbes de mouvement. — L'opposition Zadig-
Orcan témoignait que le monde avait deux réalités. L'opposition Zadig-
Sémire témoigne que la réalité peut avoir deux faces. Montrez le jeu de
l'apparence et de la réalité dans le personnage de Sémire. A quelle
occasion la dualité se révèle-t-elle ? Peut-on parler de duplicité du personnage ?

— Quel est le sens du rapprochement final de Sémire et d'Orcan, qui
laisse Zadig seul ? Le héros retourne-t-il au point de départ ? Qu'est-ce
qui a changé ? Le personnage ? Le monde ?

4. L'aventure de Sémire a-t-elle fait désespérer Zadig des femmes ?
A quoi celui-ci attribue-t-il, pour l'instant, son échec ? Pourquoi choisit-il
délibérément une citoyenne ? A-t-il acquis de l'expérience et, partant,
une nouvelle forme de sagesse ? Qu'est-ce qui a changé dans son caractère ?

5. SUR L'ENSEMBLE DU CHAPITRE PREMIER. — Peut-on faire des rapprochements entre Voltaire et Zadig ?

— L'Orient : comment est-il suggéré ? Quel est son rôle ? Pittoresque ? Satirique ?

— Etudiez la critique de la société de Babylone, où l'on pourra reconnaître celle de Paris.

(Suite, v. p. 67.)

CHAPITRE II

LE NEZ[50]

Un jour Azora[51] revint d'une promenade tout en colère et faisant de grandes exclamations. « Qu'avez-vous, lui dit-il, ma chère épouse ? qui[52] vous peut mettre ainsi hors de vous-même ?
— Hélas ! dit-elle, vous seriez comme moi si vous aviez vu le spectacle dont je viens d'être témoin. J'ai été consoler la jeune veuve Cosrou[53], qui vient d'élever depuis deux jours un tombeau à son jeune époux auprès du ruisseau qui borde cette prairie. Elle a promis aux dieux[54], dans sa douleur, de demeurer auprès de ce tombeau tant que l'eau de ce ruisseau coulerait auprès[55]. —
Eh bien ! dit Zadig, voilà une femme estimable, qui aimait véritablement son mari ! — Ah ! reprit Azora, si vous saviez à quoi elle s'occupait quand je lui ai rendu visite ! — A quoi donc, belle Azora ? — Elle faisait détourner le ruisseau. » Azora se répandit en des invectives si longues, éclata en reproches si violents contre la jeune veuve, que ce faste de vertu ne plut pas à Zadig. (6)

Il avait un ami, nommé Cador[56], qui était un de ces jeunes gens à qui sa femme trouvait plus de probité et de mérite qu'aux autres : il le mit dans sa confidence et s'assura, autant qu'il le pouvait, de sa fidélité par un présent considérable. Azora, ayant passé deux jours chez une de ses amies à la campagne, revint le troisième jour à la maison. Des domestiques en pleurs lui annoncèrent que son mari était mort subitement la nuit même, qu'on n'avait pas osé lui porter cette funeste nouvelle, et qu'on venait d'ensevelir Zadig dans le tombeau de ses pères, au bout du jardin. Elle pleura, s'arracha les cheveux et jura de mourir.

---

50. Voltaire s'inspire de l'histoire de la Matrone d'Éphèse (Pétrone, *Satiricon*, chapitre CXI) et d'un récit chinois qu'il avait lu au tome III du *Recueil* de Du Halde ; **51.** *Azora*, « la brillante », est un prénom arabe fort répandu ; **52.** Qui est-ce *qui ? ;* **53.** *Cosrou* est un nom d'homme ; **54.** En fait, les Persans étaient monothéistes ; **55.** La Matrone d'Éphèse avait la même attitude. La constance amoureuse, symbolisée par l'eau qui coule sans cesse, est un lieu commun de la littérature amoureuse ; **56.** *Cador* est formé d'après *Kaddour*, prénom masculin qui signifie « le Tout-Puissant ».

— QUESTIONS —

— Faites une analyse des variations du rythme des phrases au gré de l'évolution de l'épisode et appréciez le rôle du temps dans la dégradation de l'idéal.

6. Montrez le parallélisme des caractères entre Sémire et Azora. Zadig a-t-il profité de sa première expérience ? Qu'y a-t-il acquis ?

Le soir, Cador lui demanda la permission de lui parler, et ils
pleurèrent moins et dînèrent ensemble. Cador lui confia que
son ami lui avait laissé la plus grande partie de son bien, et lui
30 fit entendre qu'il mettrait son bonheur à partager sa fortune
avec elle. La dame pleura, se fâcha, s'adoucit; le souper fut
plus long que le dîner; on se parla avec plus de confiance :
Azora fit l'éloge du défunt; mais elle avoua qu'il avait des
défauts dont Cador était exempt. **(7)**

35   Au milieu du souper, Cador se plaignit d'un mal de rate
violent; la dame, inquiète et empressée, fit apporter toutes les
essences dont elle se parfumait, pour essayer s'il n'y en avait
pas quelqu'une qui fût bonne pour le mal de rate; elle regretta
beaucoup que le grand Hermès ne fût pas encore à Babylone;
40 elle daigna même toucher le côté où Cador sentait de si vives
douleurs. « Etes-vous sujet à cette cruelle maladie? lui dit-elle
avec compassion. — Elle me met quelquefois au bord du tombeau, lui répondit Cador, et il n'y a qu'un seul remède qui
puisse me soulager; c'est de m'appliquer sur le côté le nez[57]
45 d'un homme qui soit mort la veille. — Voilà un étrange remède,
dit Azora. — Pas plus étrange, répondit-il, que les sachets du
sieur Arnou[58] contre l'apoplexie. » Cette raison, jointe à
l'extrême mérite du jeune homme, détermina enfin la dame.
« Après tout, dit-elle quand mon mari passera du monde d'hier
50 dans le monde du lendemain sur le pont Tchinavar[59], l'ange
Asraël[60] lui accordera-t-il moins de passage, parce que son nez
sera un peu moins long dans la seconde vie que dans la première? » Elle prit donc un rasoir; elle alla au tombeau de son
époux, l'arrosa de ses larmes, et s'approcha pour couper le nez
55 à Zadig, qu'elle trouva tout étendu dans la tombe. Zadig se
relève en tenant son nez d'une main et arrêtant le rasoir de

---

57. Il s'agissait de la cervelle dans le conte chinois; **58.** « Il y avait dans ce
temps un Babylonien, nommé Arnoult, qui guérissait et prévenait toutes les
apoplexies, dans les gazettes, avec un sachet pendu au cou » (note de Voltaire).
Le sieur Arnoult avait acquis une grande renommée à l'époque pour la réclame
qu'il faisait d'un spécifique antiapoplectique dont il était l'inventeur; **59.** Selon
la doctrine de Zoroastre, après la mort, seules les âmes des justes passaient
le pont Tchinavar, qui menait à une éternité de délices; **60.** Ange de la religion
musulmane, chargé de séparer les âmes des corps. Il était inconnu des Persans.

QUESTIONS

7. Faites le parallèle entre l'attitude de la veuve Cosrou et celle
d'Azora. Analysez le comique de la situation. Relevez les figures
d'humour et d'ironie par lesquelles l'auteur intervient dans le récit.

l'autre. « Madame, lui dit-il, ne criez plus tant contre la jeune Cosrou ; le projet de me couper le nez vaut bien celui de détourner un ruisseau. » **(8) (9)**

CHAPITRE III

LE CHIEN ET LE CHEVAL

Zadig éprouva que le premier mois du mariage, comme il est écrit dans le livre du *Zend*[61], est la lune du miel, et que le second est la lune de l'absinthe. Il fut quelque temps après obligé de répudier Azora qui était devenue trop difficile à vivre,
5 et il chercha son bonheur dans l'étude de la nature. « Rien n'est plus heureux, disait-il, qu'un philosophe qui lit dans ce grand livre que Dieu a mis sous nos yeux. Les vérités qu'il découvre sont à lui ; il nourrit et il élève son âme ; il vit tranquille ; il ne craint rien des hommes, et sa tendre épouse ne vient point lui
10 couper le nez. »

Plein de ces idées, il se retira dans une maison de campagne sur les bords de l'Euphrate. Là il ne s'occupait pas à calculer combien de pouces d'eau coulaient en une seconde sous les arches d'un pont[62], ou s'il tombait une ligne cube[63] de pluie
15 dans le mois de la souris plus que dans le mois du mouton[64]. Il n'imaginait point de faire de la soie avec des toiles d'araignée,

---

61. Le *Zend* est le commentaire de l'*Avesta*, ou révélation de Zoroastre ; **62.** Allusion au mémoire que Pitot remit à l'Académie des sciences en 1732 ; *Description d'une machine pour mesurer la vitesse des eaux courantes et le sillage des vaisseaux* ; **63.** *Ligne* : douzième partie du pouce ; **64.** Animaux du zodiaque chinois. Voltaire fait allusion aux relevés systématiques des observations météorologiques que donnait annuellement l'Académie des sciences.

======== **QUESTIONS** ========

8. Examinez les « raisons » qui amènent Azora à accepter les conseils de Cador. Etudiez dans le « portrait » d'Azora l'art de taire, qui, finalement, dit beaucoup. Comment le conteur parvient-il à suggérer la totalité du personnage ? Analysez le comique de la situation.

9. Sur l'ensemble du chapitre II. — Quelle philosophie se dégage de cet épisode ? En quoi confirme-t-elle ou nuance-t-elle celle du précédent chapitre ?
— Quelle peut être la conséquence de cette expérience pour la vie de Zadig ?
— Montrez que le chapitre est construit en fonction de sa fin.
— Etudiez, en vous aidant d'une lecture à haute voix, le rythme propre à chacun des personnages de Cador et d'Azora.
— Pouvez-vous tenter, à travers l'étude de ce texte, une définition de l'esprit voltairien ?

ni de la porcelaine avec des bouteilles cassées[65]; mais il étudia
surtout les propriétés des animaux et des plantes, et il acquit
bientôt une sagacité qui lui découvrait mille différences où
20 les autres hommes ne voient rien que d'uniforme. (10)

Un jour, se promenant auprès d'un petit bois[66], il vit accourir
à lui un eunuque de la reine, suivi de plusieurs officiers qui
paraissaient dans la plus grande inquiétude, et qui couraient
çà et là, comme des hommes égarés qui cherchent ce qu'ils ont
25 perdu de plus précieux. « Jeune homme, lui dit le premier
eunuque, n'avez-vous point vu le chien de la reine? » Zadig
répondit modestement : « C'est une chienne, et non pas un
chien. — Vous avez raison, reprit le premier eunuque. — C'est
une épagneule[67] très petite, ajouta Zadig. Elle a fait depuis peu
30 des chiens; elle boite du pied gauche de devant, et elle a les
oreilles très longues. — Vous l'avez donc vue? dit le premier
eunuque tout essoufflé. — Non, répondit Zadig, je ne l'ai
jamais vue, et je n'ai jamais su si la reine avait une chienne. »

Précisément dans le même temps, par une bizarrerie ordi-
35 naire de la fortune, le plus beau cheval de l'écurie du roi s'était
échappé des mains d'un palefrenier dans les plaines de Babylone. Le grand veneur et tous les autres officiers couraient
après lui avec autant d'inquiétude que le premier eunuque
après la chienne. Le grand veneur s'adressa à Zadig et lui
40 demanda s'il n'avait point vu passer le cheval du roi. « C'est,
répondit Zadig, le cheval qui galope le mieux; il a cinq pieds
de haut, le sabot fort petit; il porte une queue de trois pieds
et demi de long; les bossettes[68] de son mors sont d'or à vingt-
trois carats[69]; ses fers sont d'argent à onze deniers[70]. — Quel

---

65. Allusion aux travaux de Bon de Saint-Hilaire, qui fabriqua de la soie
artificielle avec des toiles d'araignée, et de Réaumur, qui fit de la porcelaine
avec du verre de bouteille ; 66. Voltaire adapte ici un conte oriental qu'il trouva
dans d'Herbelot (art. « Arab » : 112 b) [voir G. Ascoli, *op. cit.,* tome II,
pages 31-33] ; 67. La mode était aux petits chiens ; 68. *Bossette :* ornement en
saillie des deux côtés du mors d'un cheval ; 69. *Carat :* vingt-quatrième partie
d'or pur d'un lingot ; 70. *Denier :* douzième partie d'argent pur d'un lingot.

QUESTIONS

10. Pour trouver le bonheur, à quel renoncement se résout Zadig ? En
quelle solution met-il son espérance ? N'essaie-t-il pas, d'avance, de se
convaincre ? Rapprochez l'atmosphère de ce début d'épisode de celle
des premières lignes du chapitre précédent. — Indiquez la nature des
recherches auxquelles veut se livrer Zadig ? De quelles sciences s'agit-il ?
A quelles autres s'opposent-elles ? Etudiez, en vous aidant des notes, les
traits de satire.

45 chemin a-t-il pris ? où est-il ? demanda le grand veneur. — Je ne l'ai point vu, répondit Zadig, et je n'en ai jamais entendu parler. »

Le grand veneur et le premier eunuque ne doutèrent pas que Zadig n'eût volé le cheval du roi et la chienne de la reine ; 50 ils le firent conduire devant l'assemblée du grand desterham[71], qui le condamna au knout[72] et à passer le reste de ses jours en Sibérie[73]. A peine le jugement fut-il rendu qu'on retrouva le cheval et la chienne. Les juges furent dans la douloureuse nécessité de réformer leur arrêt ; mais ils condamnèrent Zadig 55 à payer quatre cents onces[74] d'or pour avoir dit qu'il n'avait point vu ce qu'il avait vu. Il fallut d'abord payer cette amende ; après quoi il fut permis à Zadig de plaider sa cause au conseil du grand desterham **(11)** ; il parla en ces termes :

« Etoiles de justice, abîmes de science, miroirs de vérité, 60 qui avez la pesanteur du plomb, la dureté du fer, l'éclat du diamant et beaucoup d'affinité avec l'or ! Puisqu'il m'est permis de parler devant cette auguste assemblée, je vous jure par Orosmade[75] que je n'ai jamais vu la chienne respectable de la reine, ni le cheval sacré du roi des rois[76]. Voici ce qui m'est arrivé. 65 Je me promenais vers le petit bois, où j'ai rencontré depuis le vénérable eunuque et le très illustre grand veneur. J'ai vu sur le sable les traces d'un animal, et j'ai jugé aisément que c'étaient celles d'un petit chien. Des sillons légers et longs, imprimés sur de petites éminences de sable, entre les traces des pattes, 70 m'ont fait connaître[77] que c'était une chienne dont les mamelles étaient pendantes, et qu'ainsi elle avait fait des petits il y a peu de jours. D'autres traces en un sens différent, qui paraissaient toujours avoir rasé la surface du sable à côté des pattes de devant, m'ont appris qu'elle avait les oreilles très longues ;

---

71. *Desterham* : altération de *Defterdar*, ou Grand Trésorier ; 72. *Knout* : terme russe qui désigne la bastonnade ; 73. C'est-à-dire en exil ; 74. *Once* : en France, seizième partie de la livre (30,59 g) ; 75. Nom composé à partir d'*Ormuzd* principe du Bien dans le mazdéisme, par opposition à *Ahriman*, qui est le principe du Mal ; 76. *Roi des rois* : nom que les Grecs donnaient au roi de Perse ; 77. *Connaître* : reconnaître (emploi du verbe simple pour le verbe composé).

━━━━━━━ **QUESTIONS** ━━━━━━━━━━━━━━━━━━━━

11. Pourquoi Zadig répond-il *modestement* (ligne 27) à la question du premier eunuque ? Quelle impression peuvent laisser les réponses de Zadig ? Pourquoi celui-ci donne-t-il tous ces détails ? Pourquoi n'indique-t-il pas immédiatement la source de ses connaissances ? — Montrez que, dans son mystère, cet épisode répond jusqu'à présent à la tradition du conte oriental. — Etudiez la satire de la justice.

75 et, comme j'ai remarqué que le sable était toujours moins creusé par une patte que par les trois autres, j'ai compris que la chienne de notre auguste reine était un peu boiteuse, si je l'ose dire.

« A l'égard du cheval du roi des rois, vous saurez que, me 80 promenant dans les routes de ce bois, j'ai aperçu les marques des fers d'un cheval; elles étaient toutes à égales distances. « Voilà, ai-je dit, un cheval qui a un galop parfait. » La poussière des arbres, dans une route étroite qui n'a que sept pieds de large, était un peu enlevée à droite et à gauche, à trois 85 pieds[78] et demi du milieu de la route. « Ce cheval, ai-je dit, a une queue de trois pieds et demi, qui, par ses mouvements de droite et de gauche, a balayé cette poussière. » J'ai vu sous les arbres, qui formaient un berceau de cinq pieds de haut, les feuilles des branches nouvellement tombées, et j'ai connu que 90 ce cheval y avait touché, et qu'ainsi il avait cinq pieds de haut. Quant à son mors, il doit être d'or à vingt-trois carats : car il en a frotté les bossettes[79] contre une pierre que j'ai reconnu être une pierre de touche[80] et dont j'ai fait l'essai. J'ai jugé enfin, par les marques que ses fers ont laissées sur des cailloux d'une 95 autre espèce, qu'il était ferré d'argent à onze deniers de fin[81]. »

Tous les juges admirèrent le profond et subtil discernement de Zadig; la nouvelle en vint jusqu'au roi et à la reine. On ne parlait que de Zadig dans les antichambres, dans la chambre et dans le cabinet[82]; et, quoique plusieurs mages opinassent 100 qu'on devait le brûler comme sorcier, le roi ordonna qu'on lui rendît l'amende des quatre cents onces[83] d'or à laquelle il avait été condamné. Le greffier, les huissiers, les procureurs, vinrent chez lui en grand appareil[84] lui rapporter ses quatre cents onces; ils en retinrent seulement trois cent quatre-vingt-dix-huit pour 105 les frais de justice, et leurs valets demandèrent des honoraires.

Zadig vit combien il était dangereux quelquefois d'être trop savant, et se promit bien, à la première occasion, de ne point dire ce qu'il avait vu. **(12)**

---

78. *Pied* : environ 33 centimètres; 79. *Bossette* : voir note 68; 80. *Pierre de touche* : variété de pierre dure dont on se sert en orfèvrerie pour essayer les métaux précieux; 81. *De fin* : d'argent fin, de métal pur; 82. Il s'agit des antichambres du palais, de la chambre du roi, de son cabinet particulier; 83. *Once* : voir note 74; 84. *Grand appareil* : déploiement de préparatifs en vue d'une chose solennelle.

━━━ QUESTIONS ━━━━━━━━━━━━━━

Questions 12, v. p. 73.

Cette occasion se trouva bientôt. Un prisonnier d'Etat
110 s'échappa ; il passa sous les fenêtres de sa maison. On interrogea
Zadig, il ne répondit rien ; mais on lui prouva qu'il avait
regardé par la fenêtre. Il fut condamné pour ce crime à cinq
cents onces d'or, et il remercia ses juges de leur indulgence,
selon la coutume de Babylone. « Grand Dieu ! dit-il en lui-
115 même, qu'on est à plaindre quand on se promène dans un bois
où la chienne de la reine et le cheval du roi ont passé ! qu'il est
dangereux de se mettre à la fenêtre ! et qu'il est difficile d'être
heureux dans cette vie ! » **(13) (14)**

CHAPITRE IV

L'ENVIEUX[85]

Zadig voulut se consoler par la philosophie et par l'amitié
des maux que lui avait faits la fortune. Il avait, dans un faubourg de Babylone, une maison ornée avec goût, où il rassemblait tous les arts et tous les plaisirs dignes d'un honnête
5 homme. Le matin, sa bibliothèque était ouverte à tous les

---

85. « [...] ce n'était au début, de la part de Voltaire, qu'une réaction purement instinctive contre les attaques de ses ennemis, l'abbé Desfontaines, ou
le théatin Boyer ; puis, progressivement, l'envie devient le symbole du mal
social, et par là même l'obstacle fondamental au bonheur individuel » (J. Van
den Heuvel, *op. cit.*, page 150).

─── **QUESTIONS** ───

12. Peut-on expliquer la raison du style de Zadig au début de sa
plaidoirie ? — Sur quel fondement reposent les connaissances de Zadig ?
— A la lumière de cet épisode, faites l'étude de l'utilisation du merveilleux oriental à des fins philosophiques. Montrez comment le merveilleux
est « expliqué » rationnellement. Voyez-vous le but d'une telle démarche ?
— Quelle apparaît être la finalité de la science ? Ne pensez-vous pas
qu'elle éclaire l'obscur et, par là, met en contradiction la société avec
elle-même en lui offrant la liberté ? Souvenez-vous, à ce propos, que
Micromégas, déjà, fuyait son étoile, persécuté pour sa trop grande
science. — N'y-a-t-il pas cependant un espoir ? La vérité n'a-t-elle pas
fini par se faire jour ?

13. Quel sens donnez-vous à l'aventure du prisonnier ? Est-il possible
à l'intelligence de se taire, à la vérité de rester cachée ?

14. SUR L'ENSEMBLE DU CHAPITRE III. — Par quels moyens l'auteur
parvient-il à donner à l'épisode une couleur orientale ?
— Etudiez dans le personnage de Zadig les rapports entre l'apparence
orientale et la réalité philosophique.
— Récapitulez les étapes de la recherche du bonheur par Zadig.
Faites-en un rapide bilan et voyez quelles perspectives peuvent s'offrir
au personnage.

savants; le soir, sa table l'était à la bonne compagnie; mais il connut bientôt combien les savants sont dangereux. Il s'éleva une grande dispute[86] sur une loi de Zoroastre[87] qui défendait de manger du griffon[88]. « Comment défendre le griffon, disaient
10 les uns, si cet animal n'existe pas? — Il faut bien qu'il existe, disaient les autres, puisque Zoroastre ne veut pas qu'on en mange. » Zadig voulut les accorder, en leur disant : « S'il y a des griffons, n'en mangeons point; s'il n'y en a point, nous en mangerons encore moins, et par là nous obéirons tous à
15 Zoroastre. »

Un savant, qui avait composé treize volumes sur les propriétés du griffon, et qui de plus était grand théurgite[89], se hâta d'aller accuser Zadig devant un archimage[90] nommé Yébor[91], le plus sot des Chaldéens, et partant le plus fanatique. Cet
20 homme aurait fait empaler Zadig pour la plus grande gloire du soleil, et en aurait récité le bréviaire de Zoroastre d'un ton plus satisfait. L'ami Cador (un ami vaut mieux que cent prêtres) alla trouver le vieux Yébor, et lui dit : « Vivent le soleil et les griffons! gardez-vous bien de punir Zadig : c'est un saint; il a
25 des griffons dans sa basse-cour, et il n'en mange point; et son accusateur est un hérétique qui ose soutenir que les lapins ont le pied fendu et ne sont point immondes[92]. — Eh bien! dit Yébor en branlant sa tête chauve, il faut empaler Zadig pour avoir mal pensé des griffons, et l'autre pour avoir mal parlé
30 des lapins. » Cador apaisa l'affaire par le moyen d'une fille d'honneur à laquelle il avait fait un enfant, et qui avait beaucoup de crédit dans le collège des mages. Personne ne fut empalé; de quoi plusieurs docteurs murmurèrent, et en présa-

---

86. *Dispute* : débat, discussion; 87. Voir note 35; 88. *Griffon* : animal fabuleux, moitié aigle, moitié lion. Voltaire vise ici la loi mosaïque, qui interdit de manger certains animaux, parmi lesquels le griffon. En fait, le griffon dont parle le Deutéronome (XIV, 12-13) est une variété de vautour; 89. *Théurgite* : celui qui pratique la théurgie, ou magie fondée sur le commerce avec les esprits célestes. Voltaire vise les théologiens; 90. *Archimage* : archiprêtre; 91. Anagramme de Boyer (1675-1755), évêque de Mirepoix, qui s'était montré hostile à Voltaire depuis la publication des *Lettres philosophiques* (1734). « Boyer, théatin, confesseur de dévotes titrées, évêque par leurs intrigues, qui n'avaient pu réussir à le faire supérieur de son couvent, puis précepteur du dauphin, et enfin ministre de la feuille par le conseil du cardinal de Fleury, qui, comme tous les hommes médiocres, aimait à faire donner des places à des hommes incapables de les remplir, mais aussi incapables de se rendre dangereux. Ce Boyer était un fanatique imbécile qui persécuta M. de Voltaire dans plus d'une occasion » (Note de l'édition de Kehl); 92. « Vous mangerez de tout animal qui a la corne fendue, le pied fourchu, et qui rumine. Mais vous ne mangerez pas de ceux qui ruminent seulement, ou qui ont la corne fendue et le pied fourchu seulement. Ainsi, vous ne mangerez pas le chameau, le lièvre et le daman, qui ruminent, mais qui n'ont pas la corne fendue : vous les regarderez comme impurs » (Deutéronome, XIV, 6).

gèrent la décadence de Babylone. Zadig s'écria : « A quoi tient
35 le bonheur! tout me persécute dans ce monde, jusqu'aux êtres
qui n'existent pas. » Il maudit les savants, et ne voulut plus
vivre qu'en bonne compagnie[93]. **(15)**

Il rassemblait chez lui les plus honnêtes gens de Babylone
et les dames les plus aimables; il donnait des soupers délicats,
40 souvent précédés de concerts, et animés par des conversations
charmantes dont il avait su bannir l'empressement de montrer
de l'esprit, qui est la plus sûre manière de n'en point avoir et
de gâter la société la plus brillante. Ni le choix de ses amis ni
celui des mets n'étaient faits par la vanité : car en tout il pré-
45 férait l'être au paraître; et par là il s'attirait la considération
véritable, à laquelle il ne prétendait pas.

Vis-à-vis sa maison demeurait Arimaze[94], personnage dont
la méchante âme était peinte sur sa grossière physionomie.
Il était rongé de fiel et bouffi d'orgueil; et, pour comble, c'était
50 un bel esprit ennuyeux. N'ayant jamais pu réussir dans le
monde, il se vengeait par en médire[95]. Tout riche qu'il était,
il avait de la peine à rassembler chez lui des flatteurs. Le bruit
des chars qui entraient le soir chez Zadig l'importunait, le bruit
de ses louanges l'irritait davantage. Il allait quelquefois chez
55 Zadig, et se mettait à table sans être prié : il y corrompait toute
la joie de la société, comme on dit que les harpies[96] infectent les
viandes[97] qu'elles touchent. Il lui arriva un jour de vouloir
donner une fête à une dame qui, au lieu de la recevoir, alla
souper chez Zadig. Un autre jour, causant avec lui dans le
60 palais, ils abordèrent un ministre qui pria Zadig à souper, et ne
pria point Arimaze. Les plus implacables haines n'ont pas sou-

---

93. Ce passage est une addition de 1751 ; 94. *Arimaze :* nom composé à partir
d'*Ahriman*, principe du Mal dans la religion de Zoroastre ; 95. *Par en médire :*
en en médisant. A l'époque classique, le syntagme *par* suivi de l'infinitif s'emploie pour le gérondif précédé de *en ;* 96. *Harpie :* monstre fabuleux de la
mythologie grecque, représenté avec un visage de femme, un corps de vautour
et des ongles tranchants ; 97. *Viande :* aliments, mets (du latin *vivenda,*
« choses dont on vit, aliments »).

■ QUESTIONS

15. En quoi cette première aventure complète-t-elle le chapitre précédent ? — Etudiez les intentions satiriques du passage. Que représente
Yébor ? Précisez le rôle de Cador. — Au début de ce chapitre, c'est non
plus seulement le savoir qui paraît dangereux, mais l'intelligence elle-
même. Qui dérange-t-elle dans son exercice ? Pourquoi l'archimage voit-il
un danger dans le seul fait que Zadig ait donné son avis, fût-il indifférent ? — Comment interprétez-vous la décision de Zadig ? Témoigne-t-elle
d'un renoncement ? d'un abandon ? d'une adaptation ? d'une recherche ?

vent des fondements plus importants. Cet homme, qu'on
appelait l'Envieux dans Babylone, voulut perdre Zadig parce
qu'on l'appelait l'Heureux. L'occasion de faire du mal se trouve
65 cent fois par jour, et celle de faire du bien une fois dans l'année,
comme dit Zoroastre. (16)

L'envieux alla chez Zadig, qui se promenait dans ses jardins
avec deux amis et une dame, à laquelle il disait souvent des
choses galantes, sans autre intention que celle de les dire. La
70 conversation roulait sur une guerre que le roi venait de ter-
miner heureusement contre le prince d'Hyrcanie[98], son vassal.
Zadig, qui avait signalé son courage dans cette courte guerre,
louait beaucoup le roi, et encore plus la dame. Il prit ses
tablettes, et écrivit quatre vers qu'il fit sur-le-champ et qu'il
75 donna à lire à cette belle personne. Ses amis le prièrent de leur
en faire part; la modestie, ou plutôt un amour-propre bien
entendu, l'en empêcha. Il savait que des vers impromptus ne
sont jamais bons que pour celle en l'honneur de qui ils sont
faits : il brisa en deux la feuille des tablettes sur laquelle il
80 venait d'écrire, et jeta les deux moitiés dans un buisson de
roses où on les chercha inutilement. Une petite pluie survint;
on regagna la maison. L'envieux, qui resta dans le jardin,
chercha tant qu'il trouva un morceau de la feuille. Elle avait
été tellement[99] rompue que chaque moitié de vers qui rem-
85 plissait la ligne faisait un sens, et même un vers d'une plus
petite mesure; mais, par un hasard encore plus étrange, ces
petits vers se trouvaient former un sens qui contenait les injures
les plus horribles contre le roi. On y lisait :

Par les plus grands forfaits
90 Sur le trône affermi,

---

98. Contrée de l'ancienne Perse, le long de la côte sud-est de la mer Caspienne; 99. *Tellement* : de telle sorte que (emploi classique).

■ QUESTIONS ■

16. L'idéal que s'efforce de réaliser ici Zadig n'est-il pas celui qui est
exprimé dans le poème *le Mondain* (1736)? Que suppose-t-il? Quelle
en est la base morale? — Pourquoi cette importance donnée à l'envie?
N'est-elle pas, pour Voltaire, la manifestation privilégiée du mal social?
Ne sent-on pas à travers la peinture du personnage d'Arimaze, sous-
jacente, toute l'expérience de Voltaire? — En regard du bonheur, Arimaze représente le malheur; en regard du bien, Arimaze figure le principe du mal. Montrez que cette opposition manichéenne se retrouve
sur les plans moral, psychologique, esthétique et sur le plan même de
la structure de l'épisode, qui renvoie au début du chapitre premier,
comme pour prouver l'éternelle impossibilité du bonheur.

Dans la publique paix
C'est le seul ennemi[100].

L'envieux fut heureux pour la première fois de sa vie. Il
avait entre les mains de quoi perdre un homme vertueux et
95 aimable. Plein de cette cruelle joie, il fit parvenir jusqu'au roi
cette satire écrite de la main de Zadig : on le fit mettre en
prison, lui, ses deux amis et la dame. Son procès lui fut bientôt
fait, sans qu'on daignât l'entendre. Lorsqu'il vint recevoir sa
sentence, l'envieux se trouva sur son passage, et lui dit tout
100 haut que ses vers ne valaient rien. Zadig ne se piquait pas d'être
bon poète ; mais il était au désespoir d'être condamné comme
criminel de lèse-majesté et de voir qu'on retînt en prison une
belle dame et deux amis pour un crime qu'il n'avait pas fait.
On ne lui permit pas de parler, parce que ses tablettes
105 parlaient. Telle était la loi de Babylone. On le fit donc aller au
supplice à travers une foule de curieux, dont aucun n'osait le
plaindre, et qui se précipitaient pour examiner son visage et
pour voir s'il mourrait avec bonne grâce. Ses parents seulement
étaient affligés, car ils n'héritaient pas. Les trois quarts de son
110 bien étaient confisqués au profit du roi, et l'autre quart au
profit de l'envieux.

Dans le temps qu'il se préparait à la mort, le perroquet du
roi s'envola de son balcon, et s'abattit dans le jardin de Zadig
sur un buisson de roses. Une pêche y avait été portée d'un
115 arbre voisin par le vent : elle était tombée sur un morceau de
tablette à écrire auquel elle s'était collée. L'oiseau enleva la
pêche et la tablette, et les porta sur les genoux du monarque. Le
prince, curieux, y lut des mots qui ne formaient aucun sens, et
qui paraissaient des fins de vers. Il aimait la poésie, [et il y a tou-
120 jours de la ressource avec les princes qui aiment les vers][101] :
l'aventure de son perroquet le fit rêver[102]. La reine, qui se souvenait de ce qui avait été écrit sur une pièce de la tablette de
Zadig, se la fit apporter. On confronta les deux morceaux, qui
s'ajustaient ensemble parfaitement ; on lut alors les vers tels
125 que Zadig les avait faits :

---

100. Cette anecdote a sans doute son origine dans une aventure arrivée à
Voltaire au moment où il publie son *Poème de Fontenoy* (1745). Son ennemi
acharné, le poète Roy, fit circuler une *Satire sur le « Poème de Fontenoy »*,
parodie du poème précédent, qui, attribuée à Voltaire, pouvait laisser croire
à sa duplicité (voir J. Van den Heuvel, *op. cit.*, page 151) ; 101. Passage ajouté
en 1751, à l'adresse de Frédéric II ; 102. *Rêver* : réfléchir (sens classique).

> Par les plus grands forfaits j'ai vu troubler la terre.
> Sur le trône affermi, le roi sait tout dompter.
> Dans la publique paix l'amour seul fait la guerre :
> C'est le seul ennemi qui soit à redouter. **(17)**

130 Le roi ordonna aussitôt qu'on fît venir Zadig devant lui, et qu'on fît sortir de prison ses deux amis et la belle dame. Zadig se jeta le visage contre terre aux pieds du roi et de la reine : il leur demanda très humblement pardon d'avoir fait de mauvais vers ; il parla avec tant de grâce, d'esprit et de raison que
135 le roi et la reine voulurent le revoir. Il revint, et plus encore davantage. On lui donna tous les biens de l'envieux qui l'avait injustement accusé ; mais Zadig les rendit tous, et l'envieux ne fut touché que du plaisir de ne pas perdre son bien. L'estime du roi s'accrut de jour en jour pour Zadig. Il le mettait de tous
140 ses plaisirs et le consultait dans toutes ses affaires. [La reine le regarda dès lors avec une complaisance qui pouvait devenir dangereuse pour elle, pour le roi son auguste époux, pour Zadig et pour le royaume. Zadig commençait à croire qu'il n'est pas difficile d'être heureux[103].] **(18) (19)**

CHAPITRE V

LES GÉNÉREUX

Le temps arriva où l'on célébrait une grande fête qui revenait tous les cinq ans. C'était la coutume à Babylone de déclarer solennellement, au bout de cinq années, celui des citoyens qui

---

103. Passage ajouté à l'édition de 1748.

QUESTIONS
---

17. Analysez le caractère ironique de la destinée telle qu'elle est peinte ici. N'est-ce pas au moment où Zadig se croit heureux que son malheur se prépare, au moment où il se croit puissant qu'il est menacé ? N'est-ce pas ses qualités qui seront à la source de ses maux ? — Zadig apparaît comme le jouet d'une fortune neutre, qui tantôt, avec l'aide d'Arimaze, l'accable et tantôt, avec l'aide du perroquet, le sauve. Dans ces conditions, comment se présente la situation de l'homme en face de son destin ?

18. Comment se comporte Zadig ? Est-ce seulement un effet de son caractère ? Cette attitude ne relève-t-elle pas plutôt d'une philosophie de la vie ? — L'avenir apparaît-il désormais radieux ?

19. SUR L'ENSEMBLE DU CHAPITRE IV. — Etudiez la structure du passage en notant le mouvement alternatif, jusqu'à la dernière phrase, du bonheur au malheur, imaginé ou réel. Quel en est le sens idéologique ?
(Suite, v. p. 79.)

avait fait l'action la plus généreuse[104]. Les grands et les mages
5 étaient les juges. Le premier satrape[105], chargé du soin de la
ville, exposait les plus belles actions qui s'étaient passées sous
son gouvernement. On allait aux voix[106]; le roi prononçait le
jugement. On venait à cette solennité des extrémités de la terre.
Le vainqueur recevait des mains du monarque une coupe d'or
10 garnie de pierreries, et le roi lui disait ces paroles : *Recevez ce*
prix de la générosité, et puissent les dieux me donner beaucoup
des sujets qui vous ressemblent! **(20)**

Ce jour mémorable venu, le roi parut sur son trône, envi-
ronné des grands, des mages, et des députés de toutes les nations
15 qui venaient à ces jeux, où la gloire s'acquérait non par la
légèreté des chevaux, non par la force du corps, mais par la
vertu. Le premier satrape rapporta à haute voix les actions qui
pouvaient mériter à leurs auteurs ce prix inestimable. Il ne
parla point de la grandeur d'âme avec laquelle Zadig avait
20 rendu à l'envieux toute sa fortune : ce n'était pas une action
qui méritât de disputer le prix.

Il présenta d'abord un juge qui, ayant fait perdre un procès
considérable à un citoyen par une méprise dont il n'était pas
même responsable, lui avait donné tout son bien, qui était la
25 valeur de ce que l'autre avait perdu.

Il produisit ensuite un jeune homme qui, étant éperdument
épris d'une fille qu'il allait épouser, l'avait cédée à un ami[107]

---

104. Voltaire sait gré aux Orientaux d'avoir créé des fêtes pour récompenser la vertu, alors que les Occidentaux ne savaient que châtier durement
les crimes (voir G. Ascoli, *op. cit.,* tome II, pages 47-48) ; 105. *Satrape :* gouverneur de province chez les anciens Perses; 106. *Aller aux voix :* voter (formule
héritée du latin *ire in sententias*) ; 107. Thème courant à l'époque. On le retrouve
dans la pièce de Voltaire *Adélaïde Duguesclin* (composée en 1734) [voir
G. Ascoli, *op. cit.,* tome II, pages 49-51].

--------- QUESTIONS -------------

— Analysez les jeux d'oppositions et de renvois thématiques et esthétiques entre les portraits de Zadig, de Cador et d'Arimaze. Prouvez qu'ils
sont les points d'appui autour desquels s'organise l'épisode.
— Montrez que, dans ce monde inconstant, l'amitié apparaît comme
un élément de référence et de stabilité.
— Faites l'étude de l'utilisation philosophique du merveilleux oriental dans l'épisode.

20. *Le temps arriva où... :* ce début noue-t-il un rapport autre que
temporel avec le chapitre précédent? Le nouvel épisode ne rompt-il
pas le cercle de perfection dans lequel Zadig risquait d'être enfermé? —
Le thème de la bonté, entrepris avec le personnage de Cador, ne se
trouve-t-il pas élargi?

près d'expirer d'amour pour elle, et qui avait encore payé la
dot en cédant la fille.

30   Ensuite il fit paraître un soldat qui, dans la guerre d'Hyrcanie, avait donné encore un plus grand exemple de générosité.
Des soldats ennemis lui enlevaient sa maîtresse, et il la défendait contre eux; on vint lui dire que d'autres Hyrcaniens enlevaient sa mère à quelques pas de là : il quitta en pleurant sa
35 maîtresse, et courut délivrer sa mère; il retourna ensuite vers
celle qu'il aimait, et la trouva expirante. Il voulut se tuer; sa
mère lui remontra qu'elle n'avait que lui pour tout secours, et
il eut le courage de souffrir la vie.

    Les juges penchaient pour ce soldat. Le roi prit la parole, et
40 dit : « Son action et celle des autres sont belles; mais elles ne
m'étonnent point; hier Zadig en a fait une qui m'a étonné.
J'avais disgracié depuis quelques jours mon ministre et mon
favori Coreb. Je me plaignais de lui avec violence, et tous mes
courtisans m'assuraient que j'étais trop doux; c'était à qui me
45 dirait le plus de mal de Coreb. Je demandai à Zadig ce qu'il
en pensait, et il osa en dire du bien. J'avoue que j'ai vu, dans
nos histoires, des exemples qu'on a payé de son bien une erreur,
qu'on a cédé sa maîtresse, qu'on a préféré une mère à l'objet
de son amour; mais je n'ai jamais lu qu'un courtisan ait parlé
50 avantageusement d'un ministre disgracié, contre qui son souverain était en colère. Je donne vingt mille pièces d'or à chacun
de ceux dont on vient de réciter[108] les actions généreuses; mais
je donne la coupe à Zadig. **(21)**

    — Sire, lui dit-il, c'est Votre Majesté seule qui mérite la
55 coupe, c'est elle qui a fait l'action la plus inouïe, puisque, étant
roi[109], vous ne vous êtes point fâché contre votre esclave, lorsqu'il contredisait votre passion. »

    On admira le roi et Zadig. Le juge qui avait donné son bien,
l'amant qui avait marié sa maîtresse à son ami, le soldat qui
60 avait préféré le salut de sa mère à celui de sa maîtresse, reçurent
les présents du monarque; ils virent leurs noms écrits dans le

---

108. *Réciter :* proclamer; 109. Lieu commun de la morale politique que
l'éloge du Prince qui sait écouter ses conseillers vertueux.

QUESTIONS

21. Quelle est l'originalité de ces jeux? Pourquoi l'action de Zadig
ne mérite-t-elle pas, selon le premier satrape, de disputer le prix
(ligne 18)? — Laquelle des trois actions énumérées vous semble valoir
le prix? Pour quelles raisons, d'après vous, les juges penchent-ils en
faveur du soldat? Comment expliquez-vous l'intervention du roi?

livre des généreux. Zadig eut la coupe. Le roi acquit la réputation d'un bon prince, qu'il ne garda pas longtemps. Ce jour fut
consacré par des fêtes plus longues que la loi ne le portait. La
65 mémoire s'en conserve encore dans l'Asie. [Zadig disait : « Je
suis donc enfin heureux ! » Mais il se trompait[110].] **(22) (23)**

CHAPITRE VI

LE MINISTRE

Le roi avait perdu son premier ministre. Il choisit Zadig[111]
pour remplir cette place. Toutes les belles dames de Babylone
applaudirent à ce choix ; car depuis la fondation de l'empire il
n'y avait jamais eu de ministre si jeune. Tous les courtisans
5 furent fâchés ; l'envieux en eut un crachement de sang, et le nez
lui enfla prodigieusement. Zadig, ayant remercié le roi et la
reine, alla remercier aussi le perroquet : « Bel oiseau, lui dit-il,
c'est vous qui m'avez sauvé la vie, et qui m'avez fait premier ministre : la chienne et le cheval de Leurs Majestés m'avaient fait
10 beaucoup de mal, mais vous m'avez fait du bien. Voilà donc
de quoi dépendent les destins des hommes ! Mais, ajouta-t-il,
un bonheur si étrange sera peut-être bientôt évanoui. » Le perroquet répondit : « Oui. » Ce mot frappa Zadig ; cependant,
comme il était bon physicien[112] et qu'il ne croyait pas que les
15 perroquets fussent prophètes, il se rassura bientôt, et se mit
à exercer son ministère de son mieux.

---

110. Passage ajouté en 1748 ; **111.** Au mois de septembre 1742, Voltaire fut
chargé officiellement par Fleury d'aller trouver Frédéric II et de le ramener
aux côtés de la France. « A la fin de 1744, autre événement heureux : c'est le
marquis d'Argenson, ancien condisciple du jeune Arouet, qui devient ministre
des Affaires étrangères, et l'année 1745 va marquer l'apogée du philosophe
dans sa carrière de courtisan » (J. Van den Heuvel, *op. cit.*, page 152) ;
112. *Physicien :* naturaliste.

--- **QUESTIONS** ---

22. Quelle est la valeur de cet ultime retournement ? — Pourquoi,
cette fois, Zadig estime-t-il qu'il est *heureux ?* Esquissez à partir de cette
constatation une définition du bonheur selon Zadig.

23. SUR L'ENSEMBLE DU CHAPITRE V. — Examinez l'élargissement du
thème de l'optimisme entrepris dans le chapitre précédent.
— On ne retrouve pas dans ce chapitre la structure dialectique du
pour au contre des épisodes précédents. Comment interprétez-vous ce
changement ? Certains indices permettent-ils de penser qu'un renversement de situation est proche ?
— Etudiez la composition du chapitre. Quel effet produisent les rebon-
dissements successifs sur le plan du récit ? Ont-ils un sens philosophique ?

Il fit sentir à tout le monde le pouvoir sacré des lois, et ne fit sentir à personne le poids de sa dignité. Il ne gêna point les voix du divan[113], et chaque visir pouvait avoir un avis sans lui
20 déplaire. Quand il jugeait une affaire, ce n'était pas lui qui jugeait, c'était la loi ; mais, quand elle était trop sévère, il la tempérait, et, quand on manquait de lois, son équité en faisait qu'on aurait prises pour celles de Zoroastre[114]. **(24)**

C'est de lui que les nations tiennent ce grand principe : qu'il
25 vaut mieux hasarder de sauver un coupable que de condamner un innocent. Il croyait que les lois étaient faites pour secourir les citoyens autant que pour les intimider. Son principal talent était de démêler la vérité, que tous les hommes cherchent à obscurcir[115].

30 Dès les premiers jours de son administration il mit ce grand talent en usage. Un fameux négociant de Babylone était mort aux Indes ; il avait fait ses héritiers ses deux fils par portions égales, après avoir marié leur sœur, et il laissait un présent de trente mille pièces d'or à celui de ses deux fils qui serait jugé
35 l'aimer davantage. L'aîné lui bâtit un tombeau, le second augmenta d'une partie de son héritage la dot de sa sœur ; chacun disait : « C'est l'aîné qui aime le mieux son père ; le cadet aime mieux sa sœur ; c'est à l'aîné qu'appartiennent les trente mille pièces. »

40 Zadig les fit venir tous deux l'un après l'autre. Il dit à l'aîné : « Votre père n'est point mort, il est guéri de sa dernière maladie, il revient à Babylone. — Dieu soit loué, répondit le jeune homme ; mais voilà un tombeau qui m'a coûté bien cher ! » Zadig dit ensuite la même chose au cadet. « Dieu soit loué,
45 répondit-il, je vais rendre à mon père tout ce que j'ai ; mais je voudrais qu'il laissât à ma sœur ce que je lui ai donné. — Vous

---

113. *Divan :* Conseil des vizirs (ou ministres), présidé par le grand vizir (ou Premier ministre) ; 114. Ces deux premiers paragraphes ont été ajoutés en 1756 ; 115. Voltaire vise tous les systèmes spéculatifs, philosophiques et religieux.

──────── **QUESTIONS** ────────

24. Est-il explicable que Zadig, après avoir remercié le roi et la reine, aille remercier le perroquet ? Croit-il dans le vertus de cet oiseau ? Est-ce une façon de se confier à la nature ? ou bien à soi-même ? En même temps, une telle attitude ne s'accorde-t-elle pas au genre du conte oriental ? — Montrez que le personnage de Zadig se caractérise par la générosité, qui est, selon Descartes, le sentiment du libre arbitre joint à la ferme détermination de n'en pas manquer (*Traité des passions de l'âme*, IIIe partie, art. CLIII). — Par quels principes moraux est guidée la conduite de Zadig ? Quel but poursuit Zadig ? Aménager la vie ou la changer ?

ne rendrez rien, dit Zadig, et vous aurez les trente mille pièces : c'est vous qui aimez le mieux votre père. » **(25)**

50 Une fille fort riche avait fait une promesse de mariage à deux mages, et, après avoir reçu quelques mois des instructions de l'un et de l'autre, elle se trouva grosse. Ils voulaient tous deux l'épouser. « Je prendrai pour mon mari, dit-elle, celui des deux qui m'a mise en état de donner un citoyen à l'empire. — C'est moi qui ai fait cette bonne œuvre, dit l'un. — C'est 55 moi qui ai eu cet avantage, dit l'autre. — Eh bien! répondit-elle, je reconnais pour père de l'enfant celui des deux qui lui pourra donner la meilleure éducation. » Elle accoucha d'un fils. Chacun des mages veut l'élever. La cause est portée devant Zadig. Il fait venir les deux mages. « Qu'enseigneras-tu 60 à ton pupille? dit-il au premier. — Je lui apprendrai, dit le docteur, les huit parties d'oraison, la dialectique, l'astrologie, la démonomanie, ce que c'est que la substance et l'accident, l'abstrait et le concret, les monades et l'harmonie préétablie. — Moi, dit le second, je tâcherai de le rendre juste et digne d'avoir 65 des amis. » Zadig prononça : *Que tu sois son père ou non, tu épouseras sa mère*[116]. **(26)**

CHAPITRE VII

LES DISPUTES ET LES AUDIENCES

C'est ainsi qu'il montrait tous les jours la subtilité de son génie[117] et la bonté de son âme; on l'admirait, et cependant on

_____

116. Ce paragraphe remplace le texte de l'édition de 1747, qu'on trouvera dans le quatrième point de la Documentation thématique ; 117. *Génie* a le sens latin de « dons naturels ».

──────── **QUESTIONS** ────────

25. Indiquez l'objet de ces audiences. Est-il seulement de rendre la justice? N'entreprend-il pas par leur moyen l'éducation d'un peuple? Ne fait-il pas œuvre de « civilisation » (lignes 24-29)? — La réaction du peuple aux actions des deux frères nous donne-t-elle des indications sur sa morale? Que lui enseigne Zadig à travers le jugement rendu? Quelle vertu récompense-t-il? Pourquoi? Pensez-vous qu'un homme seul puisse agir sur le destin d'un peuple? Songez, pour répondre à cette question, à la philosophie de l'histoire de Voltaire telle qu'elle s'exprime dans l'*Essai sur les mœurs* (dans le chapitre XI, par exemple, où Voltaire parle d'hommes providentiels « qui tirent leur patrie de la servitude », et sans l'existence desquels l'histoire du genre humain perdrait son sens).

26. SUR L'ENSEMBLE DU CHAPITRE VI. — Déterminez la part de la tradition orientale dans le chapitre. Quelle utilisation en fait Voltaire?

— Analysez l'art du conteur : sa façon de ménager l'intérêt, la rapidité de l'action, l'enchaînement des épisodes.

l'aimait. Il passait pour le plus fortuné de tous les hommes ; tout
l'empire était rempli de son nom ; toutes les femmes le lor-
5 gnaient[118] ; tous les citoyens célébraient sa justice ; les savants le
regardaient comme leur oracle ; les prêtres même avouaient qu'il
en savait plus que le vieux archimage Yébor. On était bien loin
alors de lui faire des procès sur les griffons ; on ne croyait que ce
qui lui semblait croyable. **(27)**

10 Il y avait une grande querelle dans Babylone, qui durait
depuis quinze cents années, et qui partageait l'empire en deux
sectes opiniâtres[119] : l'une prétendait qu'il ne fallait jamais
entrer dans le temple de Mithra[120] que du pied gauche ; l'autre
avait cette coutume en abomination, et n'entrait jamais que du
15 pied droit. On attendait le jour de la fête solennelle du feu sacré
pour savoir quelle secte serait favorisée par Zadig. L'univers
avait les yeux sur ses deux pieds, et toute la ville était en agitation et en suspens. Zadig entra dans le temple en sautant à
pieds joints, et il prouva ensuite, par un discours éloquent, que
20 le Dieu du ciel et de la terre, qui n'a acception[121] de personne,
ne fait pas plus de cas de la jambe gauche que de la jambe droite.

L'envieux et sa femme prétendirent que dans son discours
il n'y avait pas assez de figures[122], qu'il n'avait pas fait assez
danser les montagnes et les collines[123]. « Il est sec et sans génie,
25 disaient-ils : on ne voit chez lui ni la mer s'enfuir, ni les étoiles
tomber, ni le soleil se fondre comme la cire[124] ; il n'a point le
bon style oriental. » Zadig se contentait d'avoir le style de la
raison. Tout le monde fut pour lui, non pas parce qu'il était

---

118. *Lorgner.* « Elle le regarda du coin de l'œil, ce qui, plusieurs siècles
après, s'est appelé *lorgner* » (Voltaire, *la Princesse de Babylone*, 1768) ;
119. Cette querelle rappelle celle qui oppose les « gros- » et les « petits-
boutiens », dans *les Voyages de Samuel Gulliver* (chap. IV) [il s'agit de savoir si
l'on doit casser un œuf par le gros ou par le petit bout] ; 120. Génie de la
lumière dans la religion mazdéenne ; 121. *Acception :* exception arbitraire en
faveur de quelqu'un ; 122. *Figure :* façon d'exprimer qui enjolive le discours ;
123. On trouve des images de ce genre dans la Bible (voir, par exemple,
Psaumes CXIII, 4-6, et Isaïe, LIV, 10) ; 124. Voir Psaumes CXIII, 3-5, Isaïe,
XIV, 12, et Judith, XVI, 18.

———— QUESTIONS ————

27. Montrez que la subtilité et la bonté de Zadig ont des traits caractéristiques du héros des contes orientaux (consultez la Documentation
thématique). A quel endroit de sa destinée Zadig semble-t-il parvenu ? —
Rapprochez l'atmosphère de ce début de chapitre avec celle d'autres
épisodes. N'avez-vous pas l'impression d'une structure cyclique de la
destinée de Zadig ? N'en est-il pas de même, en arrière-plan, pour les
autres personnages ? Quel peut être le sens philosophique d'un tel mouvement ? — Zadig semble-t-il parvenir à « éduquer » son peuple ? Voyez-
vous les dangers du despotisme, même « éclairé » ?

dans le bon chemin, non pas parce qu'il était raisonnable, non pas parce qu'il était aimable, mais parce qu'il était premier visir.

Il termina aussi heureusement le grand procès entre les mages blancs et les mages noirs[125]. Les blancs soutenaient que c'était une impiété de se tourner, en priant Dieu, vers l'orient d'hiver ; les noirs assuraient que Dieu avait en horreur les prières des hommes qui se tournaient vers le couchant d'été[126]. Zadig ordonna qu'on se tournât comme on voudrait[127]. **(28)**

Il trouva ainsi le secret d'expédier le matin les affaires particulières et les générales ; le reste du jour il s'occupait des embellissements de Babylone[128] ; il faisait représenter des tragédies où l'on pleurait, et des comédies où l'on riait[129] ; ce qui était passé de mode depuis longtemps, et ce qu'il fit renaître parce qu'il avait du goût. Il ne prétendait pas en savoir plus que les artistes ; il les récompensait par des bienfaits et des distinctions, et n'était point jaloux en secret de leurs talents. Le soir, il amusait beaucoup le roi, et surtout la reine. Le roi disait : «Le grand ministre ! », la reine disait : « L'aimable ministre ! » et tous deux ajoutaient : «C'eût été grand dommage qu'il eût été pendu. » **(29)**

Jamais homme en place ne fut obligé de donner tant d'au-

---

125. Allusion aux prêtres catholiques, qui portent un surplis blanc, et aux pasteurs protestants, vêtus d'une robe noire ; **126.** Le soleil ne se lève ni ne se couche au même point de l'horizon en hiver et en été. Le couchant d'été se situe au nord-ouest et l'orient d'hiver au sud-est ; **127.** La querelle des « gros- » et des « petits-boutiens » dans *les Voyages de Samuel Gulliver* se conclut de la même façon (voir note 119) ; **128.** Cette question a toujours beaucoup préoccupé Voltaire (voir *Embellissements de Paris* [1750] et *Embellissements de la ville de Cachemire* [1756-1760]; **129.** Voltaire n'a jamais goûté la comédie larmoyante, mise à la mode par Nivelle de La Chaussée (*les Préjugés à la mode*, 1735 ; *Mélanie*, 1741), qui mêlait le comique et le tragique, les rires et les pleurs. Le drame bourgeois de Diderot ne trouvera pas plus grâce à ses yeux.

■ **QUESTIONS** ■

28. Etudiez les figures d'humour et d'ironie du passage. Que vise à démontrer Voltaire en disproportionnant ainsi l'effet (l'univers... était en agitation et en suspens / un grand procès) et la cause (de quel pied fallait-il entrer dans le temple de Mithra et de quel côté se tourner pour prier Dieu ?) ? — Sur quoi repose la religion ainsi décrite ? Relevez les traits de satire qui pouvaient s'appliquer à la religion catholique. Quel est le sens des solutions proposées par Zadig ? Qu'enseignent-elles ? — Le goût de Voltaire ne se fait-il pas jour au cours de l'épisode (lignes 23-30) ? Pouvez-vous essayer de le définir ? A quelle esthétique se rattache-t-il ? Selon vous, une telle position peut-elle profiter aux arts ? Donnez vos raisons.

29. Ne voit-on pas les idées de Voltaire sur l'urbanisme et les arts se profiler derrière celles de Zadig ? Essayez d'en rappeler la substance. — L'attitude de Zadig vis-à-vis des artistes ne rappelle-t-elle pas celle d'un autre roi que Voltaire donnait souvent en exemple sur ce plan ?

« L'univers avait les yeux sur ses deux pieds, et toute la ville était en agitation et en suspens. Zadig entra dans le temple en sautant à pieds joints... » (Page 84, lignes 16-19.)

diences aux dames. La plupart venaient lui parler des affaires
50 qu'elles n'avaient point, pour en avoir une avec lui. La femme
de l'envieux s'y présenta des premières; elle lui jura par Mithra,
par *Zend-Avesta*, et par le feu sacré, qu'elle avait détesté la
conduite de son mari; elle lui confia ensuite que ce mari était
un jaloux, un brutal; elle lui fit entendre que les dieux le
55 punissaient en lui refusant les précieux effets de ce feu sacré
par lequel seul l'homme est semblable aux immortels : elle finit
par laisser tomber sa jarretière; Zadig la ramassa avec sa politesse ordinaire, mais il ne la rattacha point au genou de la
dame; et cette petite faute, si c'en est une, fut la cause des plus
60 horribles infortunes. Zadig n'y pensa pas, et la femme de l'envieux y pensa beaucoup.

D'autres dames se présentaient tous les jours. Les annales
secrètes de Babylone prétendent qu'il succomba une fois, mais
qu'il fut tout étonné de jouir sans volupté, et d'embrasser son
65 amante avec distraction. Celle à qui il donna, sans presque s'en
apercevoir, des marques de sa protection, était une femme de
chambre de la reine Astarté. Cette tendre Babylonienne se
disait à elle-même pour se consoler : « Il faut que cet homme-là
ait prodigieusement d'affaires dans la tête, puisqu'il y songe
70 encore, même en faisant l'amour. » Il échappa à Zadig, dans
les instants où plusieurs personnes ne disent mot, et où d'autres
ne prononcent que des paroles sacrées, de s'écrier tout d'un
coup : « La reine! » La Babylonienne crut enfin qu'il était
revenu à lui dans un bon moment, et qu'il lui disait : « Ma
75 reine! » Mais Zadig, toujours très distrait, prononça le nom
d'Astarté. La dame, qui dans ces heureuses circonstances inter-
prétait tout à son avantage, s'imagina que cela voulait dire :
« Vous êtes plus belle que la reine Astarté! » Elle sortit du
sérail de Zadig avec de très beaux présents. Elle alla conter
80 son aventure à l'envieuse, qui était son amie intime; celle-ci
fut cruellement piquée de la préférence. « Il n'a pas daigné
seulement, dit-elle, me rattacher cette jarretière que voici, et
dont je ne veux plus me servir. — Oh! oh! dit la fortunée à
l'envieuse, vous portez les mêmes jarretières que la reine! Vous
85 les prenez donc chez la même faiseuse? » L'envieuse rêva profondément, ne répondit rien, et alla consulter son mari
l'envieux.

Cependant Zadig s'apercevait qu'il avait toujours des distrac-
tions quand il donnait des audiences et quand il jugeait; il ne
90 savait à quoi les attribuer : c'était là sa seule peine.

Il eut un songe : il lui semblait qu'il était couché d'abord sur des herbes sèches, parmi lesquelles il y en avait quelques-unes de piquantes qui l'incommodaient, et qu'ensuite il reposait mollement sur un lit de roses, dont il sortait un serpent qui le bles-
95 sait au cœur de sa langue acérée et envenimée. « Hélas! disait-il, j'ai été longtemps couché sur ces herbes sèches et piquantes, je suis maintenant sur le lit de roses; mais quel sera le serpent? » **(30)**

CHAPITRE VIII

LA JALOUSIE

Le malheur de Zadig vint de son bonheur même, et surtout de son mérite[130]. Il avait tous les jours des entretiens avec le roi et avec Astarté[131], son auguste épouse [132]. Les charmes de sa conversation redoublaient encore par cette envie de plaire qui
5 est à l'esprit ce que la parure est à la beauté; sa jeunesse et ses grâces firent insensiblement sur Astarté une impression dont elle ne s'aperçut pas d'abord. Sa passion croissait dans le sein de l'innocence. Astarté se livrait sans scrupule et sans crainte au plaisir de voir et d'entendre un homme cher à son époux et à
10 l'État; elle ne cessait de le vanter au roi; elle en parlait à ses femmes, qui enchérissaient encore sur ses louanges; tout servait à enfoncer dans son cœur le trait qu'elle ne sentait pas. Elle faisait des présents à Zadig, dans lesquels il entrait plus de galanterie qu'elle ne pensait; elle croyait ne lui parler qu'en
15 reine contente de ses services, et quelquefois ses expressions étaient d'une femme sensible.

Astarté était beaucoup plus belle que cette Sémire qui haïs-

---

130. « Pendant toute l'année 1746, le développement de l'affaire Travenol compromettra la sécurité de Voltaire. Il sera de nouveau, plus que jamais, en butte à la calomnie. Comme Moabdar, Louis XV n'est pas foncièrement méchant, mais peu intelligent, et versatile, et toujours à la merci d'une capricieuse Missouf. Comme Moabdar, il va retomber rapidement sous la coupe des mauvais conseillers et des courtisans flatteurs » (J. Van den Heuvel, *op. cit.*, page 155); **131.** Déesse du ciel chez les peuples sémitiques; **132.** Les règles de la discipline étaient beaucoup plus rigoureuses en Orient : Zadig n'aurait pas pu s'entretenir librement avec Astarté.

■ QUESTIONS ■

30. SUR L'ENSEMBLE DU CHAPITRE VII. — Etudiez les allusions satiriques contenues dans ce chapitre.

— De quelle façon Zadig essaie-t-il de mettre en pratique ses principes? Y parvient-il? Son action vous semble-t-elle avoir quelque efficacité civilisatrice?

— Certains faits obscurcissent-ils sa gloire et annoncent-ils une possible trahison du destin? La lumière est-elle, là encore, teintée d'ombre?

sait tant les borgnes, et que cette autre femme qui avait voulu
couper le nez de son époux. La familiarité d'Astarté, ses dis-
20 cours tendres, dont elle commençait à rougir, ses regards,
qu'elle voulait détourner, et qui se fixaient sur les siens, allu-
mèrent dans le cœur de Zadig un feu dont il s'étonna. Il combattit ; il appela à son secours la philosophie, qui l'avait toujours
secouru ; il n'en tira que des lumières, et n'en reçut aucun soula-
25 gement. Le devoir, la reconnaissance, la majesté souveraine
violée, se présentaient à ses yeux comme des dieux vengeurs ;
il combattait, il triomphait ; mais cette victoire, qu'il fallait rem-
porter à tout moment, lui coûtait des gémissements et des larmes.
Il n'osait plus parler à la reine avec cette douce liberté qui avait
30 eu tant de charmes pour tous deux ; ses yeux se couvraient d'un
nuage ; ses discours étaient contraints et sans suite ; il baissait la
vue ; et quand, malgré lui, ses regards se tournaient vers Astarté,
ils rencontraient ceux de la reine mouillés de pleurs, dont il
partait des traits de flamme ; ils semblaient se dire l'un à l'autre :
35 « Nous nous adorons, et nous craignons de nous aimer ; nous
brûlons tous deux d'un feu que nous condamnons. »
    Zadig sortait d'auprès d'elle égaré, éperdu, le cœur surchargé
d'un fardeau qu'il ne pouvait plus porter : dans la violence de
ses agitations, il laissa pénétrer son secret à son ami Cador,
40 comme un homme qui, ayant soutenu longtemps les atteintes
d'une vive douleur, fait enfin connaître son mal par un cri
qu'un redoublement aigu lui arrache, et par la sueur froide qui
coule sur son front. **(31)**
    Cador lui dit : « J'ai déjà démêlé les sentiments que vous
45 vouliez vous cacher à vous-même ; les passions ont des signes
auxquels on ne peut se méprendre. Jugez, mon cher Zadig,
puisque j'ai lu dans votre cœur, si le roi n'y découvrira pas un
sentiment qui l'offense. Il n'a d'autre défaut que celui d'être le
plus jaloux des hommes. Vous résistez à votre passion avec

───────────── **QUESTIONS** ─────────────

31. Étudiez l'art avec lequel Voltaire décrit la naissance de la passion
dans le cœur d'Astarté. En vous souvenant de la profonde influence
qu'eut le théâtre de Racine sur celui de Voltaire, pouvez-vous noter les
aspects raciniens de cette analyse ? En quoi cet épisode ressortit-il également à l'esthétique romanesque de l'époque ? — Faites la même démarche
pour le personnage de Zadig, en précisant ce qui est censé appartenir,
pour Voltaire, à la psychologie masculine. — Le style romanesque de
cet épisode est-il parodique ou sentez-vous qu'il correspond à une réalité
intérieure du conteur (songez au théâtre de Voltaire, en particulier à
Zaïre, et à la veine sensible de certains contes, comme *Cosi Sancta*,
Jeannot et Colin ou *l'Ingénu*) ?

50 plus de force que la reine ne combat la sienne, parce que vous
êtes philosophe et parce que vous êtes Zadig. Astarté est
femme ; elle laisse parler ses regards avec d'autant plus d'imprudence qu'elle ne se croit pas encore coupable. Malheureusement rassurée sur son innocence, elle néglige des dehors néces-
55 saires. Je tremblerai pour elle tant qu'elle n'aura rien à se
reprocher. Si vous étiez d'accord l'un et l'autre, vous sauriez
tromper tous les yeux[133] : une passion naissante et combattue
éclate ; un amour satisfait sait se cacher. » Zadig frémit à la
proposition de trahir le roi, son bienfaiteur ; et jamais il ne fut
60 plus fidèle à son prince que quand il fut coupable envers lui
d'un crime involontaire. Cependant la reine prononçait si souvent le nom de Zadig, son front se couvrait de tant de rougeur
en le prononçant, elle était tantôt si animée, tantôt si interdite,
quand elle lui parlait en présence du roi ; une rêverie si pro-
65 fonde s'emparait d'elle quand il était sorti, que le roi fut troublé.
Il crut tout ce qu'il voyait, et imagina tout ce qu'il ne voyait
point. Il remarqua surtout que les babouches de sa femme
étaient bleues, et que les babouches de Zadig étaient bleues,
que les rubans de sa femme étaient jaunes, et que le bonnet de
70 Zadig était jaune : c'étaient là de terribles indices pour un
prince délicat[134]. Les soupçons se tournèrent en certitude dans
son esprit aigri. **(32)**

Tous les esclaves des rois et des reines sont autant d'espions
de leurs cœurs. On pénétra bientôt qu'Astarté était tendre, et
75 que Moabdar était jaloux. L'envieux engagea l'envieuse à
envoyer au roi sa jarretière, qui ressemblait à celle de la reine.
Pour surcroît de malheur, cette jarretière était bleue. Le monarque ne songea plus qu'à la manière de se venger. Il résolut
une nuit d'empoisonner la reine, et de faire mourir Zadig par

---

133. On trouve la même situation dans le conte de Voltaire intitulé *Cosi
Sancta* (1746) ; 134. *Délicat :* susceptible.

■ QUESTIONS ──────────

32. Quel rôle traditionnel tient ici Cador ? Comment interprétez-vous
ses conseils ? Le portrait rapide qu'il brosse des protagonistes élargit-il
la connaissance que nous avons d'eux ? — Zadig a-t-il reçu l'aide qu'il
espérait ? Quelle en est la conséquence ? — La nouvelle description des
manifestations de la passion chez Astarté ajoute-t-elle à la précédente ?
Indiquez-en le réalisme, en songeant à Racine. — Montrez la finesse
avec laquelle Voltaire peint les effets de la jalousie sur l'esprit du roi.
Quel sens donnez-vous à la concordance des couleurs portées par la
reine et par Zadig ? Le hasard mène-t-il le monde ?

80 le cordeau, au point du jour. L'ordre en fut donné à un impitoyable eunuque, exécuteur de ses vengeances. Il y avait alors
dans la chambre du roi un petit nain qui était muet, mais qui
n'était pas sourd[135]. On le souffrait toujours : il était témoin de
ce qui se passait de plus secret, comme un animal domestique.
85 Ce petit muet était très attaché à la reine et à Zadig. Il entendit,
avec autant de surprise que d'horreur, donner l'ordre de leur
mort. Mais comment faire pour prévenir cet ordre effoyable,
qui allait s'exécuter dans peu d'heures? Il ne savait pas écrire ;
mais il avait appris à peindre, et savait surtout faire ressembler.
90 Il passa une partie de la nuit à crayonner ce qu'il voulait faire
entendre à la reine. Son dessin représentait le roi agité de
fureur, dans un coin du tableau, donnant des ordres à son
eunuque; un cordeau bleu et un vase sur la table, avec des jarretières bleues et des rubans jaunes; la reine, dans le milieu
95 du tableau, expirante entre les bras de ses femmes, et Zadig
étranglé à ses pieds. L'horizon représentait un soleil levant,
pour marquer que cette horrible exécution devait se faire aux
premiers rayons de l'aurore. Dès qu'il eut fini cet ouvrage, il
courut chez une femme d'Astarté, la réveilla, et lui fit entendre
100 qu'il fallait dans l'instant même porter ce tableau à la reine.

Cependant, au milieu de la nuit, on vient frapper à la porte
de Zadig; on le réveille; on lui donne un billet de la reine; il
doute si c'est un songe; il ouvre la lettre d'une main tremblante. Quelle fut sa surprise, et qui pourrait exprimer la cons-
105 ternation et le désespoir dont il fut accablé, quand il lut ces
paroles : *Fuyez dans l'instant même, ou l'on va vous arracher
la vie. Fuyez, Zadig, je vous l'ordonne au nom de notre amour
et de mes rubans jaunes. Je n'étais point coupable; mais je sens
que je vais mourir criminelle.*
110 Zadig eut à peine la force de parler. Il ordonna qu'on fît
venir Cador, et, sans lui rien dire, il lui donna ce billet. Cador
le força d'obéir et de prendre sur-le-champ la route de Memphis. « Si vous osez aller trouver la reine, lui dit-il, vous hâtez
sa mort; si vous parlez au roi, vous la perdez encore. Je me
115 charge de sa destinée; suivez la vôtre. Je répandrai le bruit
que vous avez pris la route des Indes. Je viendrai bientôt vous
trouver, et je vous apprendrai ce qui se sera passé à Babylone. »

---

135. Les nains et les muets sont des personnages habituels des contes orientaux.

120 Cador, dans le moment même, fit placer deux dromadaires des plus légers à la course vers une porte secrète du palais; il fit monter Zadig, qu'il fallut porter et qui était près de rendre l'âme. Un seul domestique l'accompagna; et bientôt Cador, plongé dans l'étonnement et dans la douleur, perdit son ami de vue. **(33)**

125 Cet illustre fugitif, arrivé sur le bord d'une colline, dont on voyait Babylone, tourna la vue sur le palais de la reine, et s'évanouit; il ne reprit ses sens que pour verser des larmes et pour souhaiter la mort. Enfin, après s'être occupé de la destinée déplorable de la plus aimable des femmes, et de la première
130 reine du monde, il fit un moment de retour sur lui-même et s'écria : « Qu'est-ce donc que la vie humaine ? O vertu ! à quoi m'avez-vous servi ? Deux femmes m'ont indignement trompé, la troisième, qui n'est point coupable, et qui est plus belle que les autres, va mourir ! Tout ce que j'ai fait de bien a toujours
135 été pour moi une source de malédiction, et je n'ai été élevé au comble de la grandeur que pour tomber dans le plus horrible précipice de l'infortune. Si j'eusse été méchant comme tant d'autres, je serais heureux comme eux. » Accablé de ces réflexions funestes[136], les yeux chargés du voile de la douleur,
140 la pâleur de la mort sur le visage, et l'âme abîmée dans l'excès d'un sombre désespoir, il continuait son voyage vers l'Egypte. **(34) (35)**

---

136. *Funeste :* « qui cause la mort, ou qui en menace » (Dictionnaire de Furetière, 1690).

──────── **QUESTIONS** ────────

33. Relevez dans ce passage tous les thèmes et les épisodes propres au roman sentimental, au roman d'aventures et au conte oriental. Quel usage en fait Voltaire ? Jusqu'où va la crédibilité qu'il veut lui accorder ? Y a-t-il une utilisation philosophique de la matière romanesque ? En quoi ? — Etudiez le style parodique du billet d'Astarté. — Quel est le sens des rapports qui s'établissent entre Zadig et Cador ? Le héros ne prend-il pas conscience, une nouvelle fois, de l'incohérence du destin ? N'éprouve-t-il pas la tentation de renoncer ? Qu'est-ce qui donne encore un sens à sa vie ? Le souvenir de l'amour ? L'amitié ? Croire en ces sentiments n'est-ce pas affirmer la permanence de l'individu face à une fortune apparemment absurde ? — Appréciez l'habileté du conteur à agencer les aventures et à rythmer l'action ; appréciez son art du « suspense » et du pathétique.

Questions 34 et 35, v. p. 93.

CHAPITRE IX

LA FEMME BATTUE

Zadig dirigeait sa route sur les étoiles. La constellation d'Orion[137] et le brillant astre de Sirius[138] le guidaient vers le pôle de Canope[139]. Il admirait ces vastes globes de lumière qui ne paraissent que de faibles étincelles à nos yeux, tandis que la
5 terre, qui n'est en effet[140] qu'un point imperceptible dans la nature, paraît à notre cupidité quelque chose de si grand et de si noble. Il se figurait alors les hommes tels qu'ils sont en effet, des insectes se dévorant les uns les autres sur un petit atome de boue. Cette image vraie semblait anéantir ses malheurs
10 en lui retraçant le néant de son être et celui de Babylone. Son âme s'élançait jusque dans l'infini, et contemplait, détachée de ses sens, l'ordre immuable de l'univers. Mais lorsque ensuite, rendu à lui-même et rentrant dans son cœur, il pensait qu'Astarté était peut-être morte pour lui, l'univers disparaissait

---

137. Une des plus riches constellations ; 138. Sirius est l'étoile la plus brillante du ciel. Elle appartient à la constellation du Grand Chien ; 139. « La correction de *pôle* en *port*, qu'on a proposée, ne s'impose pas, puisque Zadig se rend à Memphis et non au port égyptien de *Canope*. Il semble que Voltaire cherche une expression équivalente de *pôle sud*. Tournant le dos à l'étoile polaire, Zadig ne peut se diriger qu'à l'aide des étoiles de l'hémisphère austral. Canope se trouve approximativement sur une médiatrice qui couperait un axe fictif joignant le Baudrier d'Orion à Sirius. Par rapport à Zadig, cette médiatrice indique le plein sud — comme dans l'hémisphère boréal la polaire indique le pôle nord. Ainsi pourrait s'expliquer l'expression controversée de *pôle de Canope*, qui reste malgré tout impropre, puisque Canope n'est pas à l'antipode de la polaire. Au demeurant, l'étoile Canope n'est pas visible depuis Babylone. Voltaire a dû se contenter d'indications sommaires prises sur quelque carte du ciel » (note de J. Spica, à son édition des *Contes* de Voltaire, Bordas, 1968) ; 140. *En effet :* en réalité.

QUESTIONS
---

34. Voyez-vous l'intérêt philosophique et romanesque de la récapitulation de sa vie par Zadig ? Ne semble-t-il pas à Zadig contemplant sa destinée que le mauvais sort s'acharne contre lui ou, mieux encore, que la chance ne sourit qu'à ceux qui abondent dans le sens de leurs passions ? Pourquoi ? A-t-il raison ?

35. SUR L'ENSEMBLE DU CHAPITRE VIII. — Montrez le lien thématique entre ce chapitre et celui de « l'Envieux ».

— Dans quel sens peut-on dire que le malheur de Zadig vient de son bonheur même ? Le malheur serait-il métaphysiquement inséparable du bonheur ? Ou bien l'homme lui-même ne pourrait-il supporter l'éclat du bonheur ? Ou bien encore, à un stade donné de civilisation, la réalité sociale ne permettrait-elle pas au bonheur de s'épanouir ? Quel sens paraît avoir, vue à ce point précis du conte, la destinée exemplaire de Zadig et, par là même, la destinée humaine ?

— Faites l'étude des différents registres du vocabulaire.

₁₅ à ses yeux, et il ne voyait dans la nature entière qu'Astarté
mourante et Zadig infortuné. (36)

Comme il se livrait à ce flux et à ce reflux de philosophie
sublime et de douleur accablante, il avançait vers les frontières
de l'Egypte; et déjà son domestique fidèle était dans la première
₂₀ bourgade, où il lui cherchait un logement. Zadig cependant[141]
se promenait vers les jardins qui bordaient ce village. Il vit, non
loin du grand chemin, une femme éplorée qui appelait le ciel
et la terre à son secours, et un homme furieux qui la suivait.
Elle était déjà atteinte par lui, elle embrassait ses genoux. Cet
₂₅ homme l'accablait de coups et de reproches. Il jugea, à la violence de l'Egyptien et aux pardons réitérés que lui demandait
la dame, que l'un était un jaloux et l'autre une infidèle; mais,
quand il eut considéré cette femme, qui était d'une beauté
touchante, et qui même ressemblait un peu à la malheureuse
₃₀ Astarté, il se sentit pénétré de compassion pour elle et d'horreur
pour l'Egyptien. « Secourez-moi, s'écria-t-elle à Zadig avec des
sanglots; tirez-moi des mains du plus barbare des hommes,
sauvez-moi la vie. »

A ces cris, Zadig courut se jeter entre elle et ce barbare. Il
₃₅ avait quelque connaissance de la langue égyptienne. Il lui dit
en cette langue : « Si vous avez quelque humanité[142], je vous
conjure de respecter la beauté et la faiblesse. Pouvez-vous
outrager ainsi un chef-d'œuvre de la nature, qui est à vos
pieds, et qui n'a pour sa défense que des larmes? — Ah! ah!
₄₀ lui dit cet emporté, tu l'aimes donc aussi; et c'est de toi qu'il
faut que je me venge. » En disant ces paroles, il laisse la dame
qu'il tenait d'une main par les cheveux, et, prenant sa lance,
il veut en percer l'étranger. Celui-ci, qui était de sang-froid,
évita aisément le coup d'un furieux. Il se saisit de la lance près
₄₅ du fer dont elle est armée. L'un veut la retirer, l'autre l'arracher.
Elle se brise entre leurs mains. L'Egyptien tire son épée; Zadig

---

141. *Cependant* : pendant ce temps; 142. Des sentiments d'humanité.

QUESTIONS

36. Appréciez la beauté de cette méditation. En vous souvenant des
méditations de Montaigne, de Pascal, de La Bruyère, de Fontenelle
devant le ciel étoilé, vous montrerez que la parodie n'en est pas absente.
A travers cet ordre immuable de l'univers, qui rappelle Newton, Zadig
ne commence-t-il pas à entrevoir que l'univers pris dans son ensemble
a un sens? — Etudiez le mouvement de cette méditation : l'élévation,
la contemplation, le retour à soi. — Pourquoi le chapitre commence-t-il
sur ce ton?

s'arme de la sienne. Ils s'attaquent l'un l'autre. Celui-ci porte
cent coups précipités; celui-là les pare avec adresse. La dame,
assise sur un gazon, rajuste sa coiffure et les regarde. L'Egyp-
50 tien était plus robuste que son adversaire; Zadig était plus
adroit. Celui-ci se battait en homme dont la tête conduisait le
bras, et celui-là comme un emporté, dont une colère aveugle
guidait les mouvements au hasard. Zadig passe[143] à lui et le
désarme; et, tandis que l'Egyptien, devenu plus furieux, veut
55 se jeter sur lui, il le saisit, le presse, le fait tomber en lui tenant
l'épée sur la poitrine; il lui offre de lui donner la vie. L'Egyptien, hors de lui, tire son poignard; il en blesse Zadig dans le
temps même que le vainqueur lui pardonnait. Zadig, indigné,
lui plonge son épée dans le sein. L'Egyptien jette un cri hor-
60 rible, et meurt en se débattant.

　　Zadig alors s'avança vers la dame, et lui dit d'une voix sou-
mise : « Il m'a forcé de le tuer : je vous ai vengée; vous êtes
délivrée de l'homme le plus violent que j'aie jamais vu. Que
voulez-vous maintenant de moi, Madame? — Que tu meures,
65 scélérat, lui répondit-elle, que tu meures; tu as tué mon amant;
je voudrais pouvoir déchirer ton cœur[144]. — En vérité, Madame,
vous aviez là un étrange homme pour amant, lui répondit
Zadig; il vous battait de toutes ses forces, et il voulait m'arracher la vie parce que vous m'avez conjuré de vous secourir. —
70 Je voudrais qu'il me battît encore, reprit la dame en poussant
des cris. Je le méritais bien, je lui avais donné de la jalousie.
Plût au ciel qu'il me battît, et que tu fusses à sa place! » Zadig,
plus surpris et plus en colère qu'il ne l'avait été de sa vie, lui dit :
« Madame, toute belle que vous êtes, vous mériteriez que je
75 vous battisse à mon tour, tant vous êtes extravagante; mais je
n'en prendrai pas la peine. » Là-dessus, il remonta sur son
chameau, et avança vers le bourg (37). A peine avait-il fait

---

143. *Passer* : avancer en portant le pied gauche devant le pied droit pour
gagner le fort de l'épée de l'adversaire et le désarmer; **144.** Parodie de la
scène célèbre d'*Andromaque* (V, III).

37. Relevez les liens thématiques que cet épisode entretient avec
le chapitre précédent (le thème de la jalousie; rapports Missouf-Astarté
et Clétofis-Moabdar). — Au-delà d'Astarté, quelles autres femmes
Missouf rappelle-t-elle dans son comportement? Un tel jeu de renvois
ne grandit-il pas Astarté, qui, seule, se montre l'égale de Zadig?
— Appréciez la peinture des manifestations de la colère dans le comportement de l'Egyptien. — Etudiez la description du combat. Faites l'analyse
de la parodie du roman d'aventures.

quelques pas qu'il se retourne au bruit que faisaient quatre courriers de Babylone. Ils venaient à toute bride. L'un d'eux, 80 en voyant cette femme, s'écria : « C'est elle-même ; elle ressemble au portrait qu'on nous en a fait. » Ils ne s'embarrassèrent pas du mort, et se saisirent incontinent de la dame. Elle ne cessait de crier à Zadig : « Secourez-moi encore une fois, étranger généreux ! je vous demande pardon de m'être plainte 85 de vous. Secourez-moi, et je suis à vous jusqu'au tombeau. » L'envie avait passé à Zadig de se battre désormais pour elle. « A d'autres ! répondit-il ; vous ne m'y attraperez plus. »

D'ailleurs il était blessé, son sang coulait, il avait besoin de secours ; et la vue des quatre Babyloniens, probablement 90 envoyés par le roi Moabdar, le remplissait d'inquiétude. Il s'avance en hâte vers le village, n'imaginant pas pourquoi quatre courriers de Babylone venaient prendre cette Egyptienne, mais encore plus étonné du caractère de cette dame. **(38) (39)**

CHAPITRE X

L'ESCLAVAGE

Comme il entrait dans la bourgade égyptienne, il se vit entouré par le peuple. Chacun criait : « Voilà celui qui a enlevé la belle Missouf, et qui vient d'assassiner Clétofis ! — Messieurs, dit-il, Dieu me préserve d'enlever jamais votre belle Missouf ! 5 elle est trop capricieuse, et, à l'égard de Clétofis, je ne l'ai point assassiné, je me suis défendu seulement contre lui. Il voulait me tuer, parce que je lui avais demandé très humblement grâce pour la belle Missouf, qu'il battait impitoyablement. Je suis un étranger qui vient chercher un asile dans l'Egypte ; et il n'y a

--- **QUESTIONS** ---

38. Qu'a appris Zadig dans l'aventure ? Dans quel dessein Voltaire laisse-t-il le lecteur dans l'incertitude ? Quel est l'état d'esprit du personnage à la fin du chapitre ?

39. SUR L'ENSEMBLE DU CHAPITRE IX. — Etudiez l'évolution qui mène Zadig du désespoir à la curiosité. Quelle en est la signification ?

— Quelles sortes de conséquences a dans la destinée de Zadig le surgissement de Missouf ? La vie ne s'est-elle pas chargée de répondre avec violence à la contemplation du héros ? L'incident ne permet-il pas à Zadig de rentrer immédiatement par l'action en possession de son être, un instant égaré ? Et le meurtre même n'est-il pas la façon suprême d'affirmer son existence ? Ne s'explique-t-il pas, alors, que, contrairement à l'attente du lecteur, Zadig et Missouf se séparent ?

— Montrez que ce chapitre est un des centres structuraux de l'œuvre, à la fois une arrivée et un départ.

« Elle était déjà atteinte par lui, elle embrassait ses genoux.
Cet homme l'accablait de coups et de reproches. »
(Page 94, lignes 24-25.)

Paris, Bibliothèque nationale.

10 pas d'apparence qu'en venant demander votre protection j'aie commencé par enlever une femme, et par assassiner un homme. »

Les Egyptiens étaient alors[145] justes et humains. Le peuple conduisit Zadig à la maison de ville. On commença par le faire
15 panser de sa blessure, et ensuite on l'interrogea, lui et son domestique séparément, pour savoir la vérité. On reconnut que Zadig n'était point un assassin ; mais il était coupable du sang d'un homme ; la loi le condamnait à être esclave. On vendit au profit de la bourgade ses deux chameaux ; on distribua aux
20 habitants tout l'or qu'il avait apporté ; sa personne fut exposée en vente dans la place publique, ainsi que celle de son compagnon de voyage. Un marchand arabe, nommé Sétoc[146], y mit à l'enchère ; mais le valet, plus propre à[147] la fatigue, fut vendu bien plus chèrement que le maître. On ne faisait pas de compa-
25 raison entre ces deux hommes. Zadig fut donc esclave subordonné à son valet : on les attacha ensemble avec une chaîne qu'on leur passa aux pieds, et en cet état ils suivirent le marchand arabe dans sa maison. Zadig, en chemin, consolait son domestique et l'exhortait à la patience ; mais, selon sa coutume,
30 il faisait des réflexions sur la vie humaine. « Je vois, lui disait-il, que les malheurs de ma destinée se répandent sur la tienne. Tout m'a tourné jusqu'ici d'une façon bien étrange. J'ai été condamné à l'amende pour avoir vu passer une chienne[148] ; j'ai pensé être[149] empalé pour un griffon ; j'ai été envoyé au supplice
35 parce que j'avais fait des vers à la louange du roi ; j'ai été sur le point d'être étranglé parce que la reine avait des rubans jaunes ; et me voici esclave avec toi parce qu'un brutal a battu sa maîtresse. Allons, ne perdons point courage ; tout ceci finira peut-être ; il faut bien que les marchands arabes aient des
40 esclaves ; et pourquoi ne le serais-je pas comme un autre, puisque je suis homme comme un autre ? Ce marchand ne sera pas impitoyable ; il faut qu'il traite bien ses esclaves, s'il en veut tirer des services. » Il parlait ainsi, et, dans le fond de son cœur, il était occupé du sort de la reine de Babylone. (40)
45 Sétoc, le marchand, partit deux jours après pour l'Arabie

---

145. Voltaire a toujours cru que les Egyptiens étaient de dangereux fanatiques (voir chap. XII) ; 146. Peut-être altération du prénom *Sadok*, « le Véridique » ; 147. Plus propre à supporter la fatigue ; 148. Inadvertance de Voltaire ; Zadig a été condamné pour ne l'avoir pas vu (voir chap. III) ; 149. *Penser être* : faillir.

QUESTIONS

Questions 40, v. p. 99.

déserte[150] avec ses esclaves et ses chameaux. Sa tribu habitait
vers le désert d'Horeb[151]. Le chemin fut long et pénible. Sétoc,
dans la route, faisait bien plus de cas du valet que du maître,
parce que le premier chargeait bien mieux les chameaux; et
50 toutes les petites distinctions furent pour lui.

Un chameau mourut à deux journées d'Horeb; on répartit
sa charge sur le dos de chacun des serviteurs; Zadig en eut sa
part[152]. Sétoc se mit à rire en voyant tous ses esclaves marcher
courbés. Zadig prit la liberté de lui en expliquer la raison, et
55 lui apprit les lois de l'équilibre. Le marchand, étonné,
commença à le regarder d'un autre œil. Zadig, voyant qu'il
avait excité sa curiosité, la redoubla en lui apprenant beaucoup
de choses qui n'étaient point étrangères à son commerce; les
pesanteurs spécifiques des métaux et des denrées[153] sous un
60 volume égal; les propriétés de plusieurs animaux utiles; le
moyen de rendre tels ceux qui ne l'étaient pas; enfin il lui parut
un sage. Sétoc lui donna la préférence sur son camarade, qu'il
avait tant estimé. Il le traita bien, et n'eut pas sujet de s'en
repentir. **(41)**

---

150. Le désert de Syrie (voir la carte page 60); **151.** Montagne de la région de
l'Arabie Pétrée. Autre nom du Sinaï (voir la carte page 60); **152.** On trouve une
anecdote analogue dans la *Vie d'Esope* de La Fontaine; **153.** *Denrée :* marchan-
dise quelconque.

━━━ QUESTIONS ━━━

40. Par quoi se caractérise la plaidoirie de Zadig? Expliquez les différences qui la séparent de celle qui a été prononcée devant les juges de
Babylone (chap. III). — Qu'est-ce qui rend remarquable la justice égyptienne et la fait supérieure à celle de Babylone? Quel est son but?
Montrez qu'une telle description est satirique par ses aspects positifs
mêmes. Pourtant, cette justice est loin d'être utopique : appréciez le
jugement rendu et indiquez-en les aspects négatifs. — En quoi le changement intervenu dans la situation de Zadig est-il important sur les plans
de l'intrigue et de la psychologie? L'esclavage ne rend-il pas l'individu à
lui-même en abolissant l'artifice des distinctions sociales? Comment
Zadig réagit-il lorsqu'il se voit subordonné à son valet? Voyez-vous
l'importance de ce renversement hiérarchique? — Pouvez-vous indiquer
l'intérêt romanesque et philosophique de la récapitulation de ses aventures par Zadig? Quel sens donne-t-il à la destinée? Voit-il un enchaînement quelconque, un rapport entre les différentes étapes de sa vie?
Pourtant, désespère-t-il? Sur quoi fonde-t-il son optimisme? Montrez
qu'il saisit déjà qu'un certain rapport unit les phénomènes entre eux et
les fait échapper à l'absurde (lignes 30-44).

41. Zadig devenu esclave demeure Zadig. Quelles sont les qualités
qui le désignent à l'attention de son maître? Le conteur n'affirme-t-il pas
ici une permanence de l'individu en dehors de toute situation sociale?
Voyez-vous les conséquences d'une telle philosophie? Dans cette perspective, l'homme est-il totalement le jouet du destin?

65   Arrivé dans sa tribu, Sétoc commença par redemander cinq cents onces[154] d'argent à un Hébreu auquel il les avait prêtées en présence de deux témoins; mais ces deux témoins étaient morts, et l'Hébreu, ne pouvant être convaincu[155], s'appropriait l'argent du marchand, en remerciant Dieu de ce qu'il lui avait 70 donné le moyen de tromper un Arabe. Sétoc confia sa peine à Zadig, qui était devenu son conseil[156]. « En quel endroit, demanda Zadig, prêtâtes-vous vos cinq cents onces à cet infidèle? — Sur une large pierre, répondit le marchand, qui est auprès du mont Horeb. — Quel est le caractère de votre débi- 75 teur? dit Zadig. — Celui d'un fripon, reprit Sétoc. — Mais je vous demande si c'est un homme vif ou flegmatique, avisé ou imprudent. — C'est de tous les mauvais payeurs, dit Sétoc, le plus vif que je le connaisse. — Eh bien! insista Zadig, permettez que je plaide votre cause devant le juge. » En effet, il cita 80 l'Hébreu au tribunal, et il parla ainsi au juge : « Oreiller du trône d'équité, je viens redemander à cet homme, au nom de mon maître, cinq cents onces d'argent, qu'il ne veut pas rendre.
— Avez-vous des témoins? dit le juge. — Non, ils sont morts; mais il reste une large pierre sur laquelle l'argent fut compté; 85 et, s'il plaît à Votre Grandeur d'ordonner qu'on aille chercher la pierre, j'espère qu'elle portera témoignage; nous resterons ici, l'Hébreu et moi, en attendant que la pierre vienne; je l'en-verrai chercher aux dépens de Sétoc, mon maître. — Très volontiers », répondit le juge. Et il se mit à expédier d'autres 90 affaires.

    A la fin de l'audience : « Eh bien; dit-il à Zadig, votre pierre n'est pas encore venue? » L'Hébreu, en riant, répondit : « Votre Grandeur resterait ici jusqu'à demain que la pierre ne serait pas encore arrivée; elle est à plus de six milles[157] d'ici, et il 95 faudrait quinze hommes pour la remuer. — Eh bien! s'écria Zadig, je vous avais bien dit que la pierre porterait témoignage; puisque cet homme sait où elle est, il avoue donc que c'est sur elle que l'argent fut compté. » L'Hébreu, déconcerté, fut bien-tôt contraint de tout avouer. Le juge ordonna qu'il serait lié à 100 la pierre, sans boire ni manger, jusqu'à ce qu'il eût rendu les cinq cents onces, qui furent bientôt payées.

---

    154. *Once* : voir note 74 ; **155.** *Convaincu* : reconnu coupable ; **156.** *Conseil* : conseiller ; **157.** *Mille* : mesure comprise entre 1 600 et 1 800 mètres, selon les époques et les pays.

L'esclave Zadig et la pierre furent en grande recommanda-
tion dans l'Arabie. **(42) (43)**

CHAPITRE XI

LE BÛCHER

Sétoc, enchanté, fit de son esclave son ami intime. Il ne
pouvait pas plus se passer de lui qu'avait fait[158] le roi de Babylone ; et Zadig fut heureux que Sétoc n'eût point de femme.
Il découvrait dans son maître un naturel porté au bien, beau-
5 coup de droiture et de bon sens. Il fut fâché de voir qu'il adorait
l'armée céleste, c'est-à-dire le soleil, la lune et les étoiles, selon
l'ancien usage d'Arabie[159]. Il lui en parlait quelquefois avec
beaucoup de discrétion. Enfin il lui dit que c'étaient des corps
comme les autres, qui ne méritaient pas plus son hommage
10 qu'un arbre ou un rocher. « Mais, disait Sétoc, ce sont des
êtres éternels dont nous tirons tous nos avantages ; ils animent
la nature ; ils règlent les saisons ; ils sont d'ailleurs si loin de
nous qu'on ne peut pas s'empêcher de les révérer. — Vous
recevez plus d'avantages, répondit Zadig, des eaux de la mer

---

158. Dans l'ancienne langue, le verbe *faire* sert habituellement de substitut
à un verbe déjà exprimé, dont il évite la répétition ; **159.** Cette religion dans
laquelle on adore les astres s'appelle *sabisme* ou *sabéisme,* du nom des Sabéens,
peuple d'Arabie chez qui elle aurait pris naissance.

■ QUESTIONS

42. Etudiez l'art du conteur, en particulier l'habileté avec laquelle il
ménage l'intérêt, la vivacité du dialogue, le rythme de l'action. — Dis-
cernez dans cet épisode la présence de l'auteur à travers l'ironie et
l'humour. — Qui de Sétoc ou de Zadig est le « maître » ? En quoi
l'esclave affirme-t-il sa supériorité ? De quelles qualités fait-il preuve ici ?
— Appréciez le portrait de l'Hébreu. Vous noterez les traits stéréotypés
du personnage qui ressortissent à l'image traditionnelle du juif dans la
littérature française.

43. SUR L'ENSEMBLE DU CHAPITRE X. — Examinez comment Zadig,
initialement dépossédé de son être, trouve dans la situation même
d'esclave le moyen de s'affirmer de nouveau. N'a-t-on pas l'impression
d'un recommencement de l'histoire de Zadig à travers cette reconquête
du monde ? — Quel en est, d'après vous, le sens ? Confirme-t-elle le discours initial de Zadig (du chap. IX, ligne 80, au chap. X, ligne 12).
— Etudiez la façon dont le conteur donne l'impression de couleur
locale (termes pittoresques, lieux, situations, personnages attendus, style
fleuri). Relevez les renvois au genre oriental et essayez de déterminer
le comportement du conteur à son égard.
— Le thème de la justice domine le chapitre : notez les traits satiriques qui la concernent.

15 Rouge, qui portent vos marchandises aux Indes. Pourquoi ne
serait-elle pas aussi ancienne que les étoiles ? Et, si vous adorez
ce qui est éloigné de vous, vous devez adorer la terre des Gangarides[160], qui est aux extrémités du monde. — Non, disait
Sétoc, les étoiles sont trop brillantes pour que je ne les adore
20 pas. » Le soir venu, Zadig alluma un grand nombre de flam-
beaux dans la tente où il devait souper avec Sétoc ; et, dès que
son patron parut, il se jeta à genoux devant ces cires allumées[161],
et leur dit : « Eternelles et brillantes clartés, soyez-moi toujours
propices. » Ayant proféré ces paroles, il se mit à table sans
25 regarder Sétoc. « Que faites-vous donc ? lui dit Sétoc étonné. —
Je fais comme vous, répondit Zadig ; j'adore ces chandelles, et
je néglige leur maître et le mien. » Sétoc comprit le sens profond de cet apologue. La sagesse de son esclave entra dans son
âme ; il ne prodigua plus son encens aux créatures, et adora
30 l'Etre éternel qui les a faites. **(44)**

Il y avait alors dans l'Arabie une coutume affreuse, venue
originairement de Scythie, et qui, s'étant établie dans les Indes
par le crédit des bracmanes[162], menaçait d'envahir tout l'Orient.
Lorsqu'un homme marié était mort et que sa femme bien-aimée
35 voulait être sainte, elle se brûlait en public sur le corps de son
mari[163]. C'était une fête solennelle qui s'appelait *le bûcher du
veuvage*. La tribu dans laquelle il y avait eu le plus de femmes
brûlées était la plus considérée. Un Arabe de la tribu de Sétoc
étant mort, sa veuve, nommée Almona, qui était fort dévote,
40 fit savoir le jour et l'heure où elle se jetterait dans le feu au
son des tambours et des trompettes. Zadig remontra à Sétoc

---

160. Les *Gangarides* sont pour Voltaire un peuple « qui habite la rive orientale du Gange » (*la Princesse de Babylone*) ; **161.** C'est-à-dire des bougies
allumées. Mais les mots *cires* (ligne 22) et *chandelles* (ligne 26) ont une valeur
dénigrante ; **162.** La caste sacerdotale chez les hindous, la plus élevée des
castes, issue du dieu *Brahma* ; **163.** Voltaire se souvient ici de la lettre 125 des
Lettres persanes et des récits des voyageurs Birmer et Tavernier.

QUESTIONS

44. Relevez les arguments sur lesquels Sétoc fonde son sabéisme (« le
sabéisme, écrit Voltaire dans l'*Essai sur les mœurs*, consiste dans le
mélange du culte de Dieu et de celui des astres »). — Quelles sont les
bases du déisme de Zadig ? Sétoc a-t-il les qualités requises pour devenir
un bon déiste ? Comment Zadig s'y prend-il pour l'amener à douter de
ses croyances ? Pourquoi passe-t-il du raisonnement à la mise en scène ?
Celle-ci est-elle sacrilège ou parodique ? — A travers cet épisode essayez
de définir la religion de Voltaire.

combien cette horrible coutume était contraire au bien du genre
humain; qu'on laissait brûler tous les jours de jeunes veuves
qui pouvaient donner des enfants à l'Etat, ou du moins élever
45 les leurs; et il le fit convenir qu'il fallait, si on pouvait, abolir
un usage si barbare. Sétoc répondit : « Il y a plus de mille ans
que les femmes sont en possession de[164] se brûler. Qui de nous
osera changer une loi que le temps a consacrée? Y a-t-il rien
de plus respectable qu'un ancien abus[165]? — La raison est plus
50 ancienne, reprit Zadig. Parlez aux chefs des tribus, et je vais
trouver la jeune veuve. »

Il se fit présenter à elle; et, après s'être insinué dans son
esprit[166] par des louanges sur sa beauté, après lui avoir dit
combien c'était dommage de mettre au feu tant de charmes, il
55 la loua encore sur sa confiance et sur son courage. « Vous
aimiez donc prodigieusement votre mari? lui dit-il. — Moi?
Point du tout, répondit la dame arabe. C'était un brutal, un
jaloux, un homme insupportable; mais je suis fermement réso-
lue de me jeter sur son bûcher. — Il faut, dit Zadig, qu'il y ait
60 apparemment un plaisir bien délicieux à être brûlée vive. —
Ah! cela fait frémir la nature, dit la dame; mais il faut en
passer par là. Je suis dévote; je serais perdue de réputation, et
tout le monde se moquerait de moi, si je ne me brûlais pas. »
Zadig, l'ayant fait convenir qu'elle se brûlait pour les autres,
65 et par vanité, lui parla longtemps d'une manière à lui faire
aimer un peu la vie, et parvint même à lui inspirer quelque
bienveillance pour celui qui lui[167] parlait. « Que feriez-vous
enfin, lui dit-il, si la vanité de vous brûler ne vous tenait pas? —
Hélas! dit la dame, je crois que je vous prierais de m'épouser. »

70 Zadig était trop rempli de l'idée d'Astarté pour ne pas
éluder[168] cette déclaration; mais il alla dans l'instant trouver
les chefs des tribus, leur dit ce qui s'était passé, et leur conseilla
de faire une loi par laquelle il ne serait permis à une veuve de
se brûler qu'après avoir entretenu un jeune homme, tête à tête,
75 pendant une heure entière. Depuis ce temps, aucune dame ne
se brûla en Arabie. On eut au seul Zadig l'obligation d'avoir

---

164. *Être en possession de :* avoir coutume de ; **165.** « Une de ces formules
raccourcies et expressives, monstrueuses dans leur cynisme ingénu, dont Voltaire a le secret » (G. Ascoli, *op. cit.*, tome II, page 86) ; **166.** *S'insinuer dans
l'esprit de quelqu'un :* gagner ses bonnes grâces ; **167.** Voltaire se souvient ici
de la Matrone d'Ephèse ; **168.** *Éluder :* éviter adroitement.

détruit en un jour une coutume si cruelle, qui durait depuis tant de siècles. Il était donc le bienfaiteur de l'Arabie[169]. (45) (46)

CHAPITRE XII

LE SOUPER

Sétoc, qui ne pouvait se séparer de cet homme en qui habitait la sagesse, le mena à la grande foire de Balzora[170], où devaient se rendre les plus grands négociants de la terre habitable. Ce fut pour Zadig une consolation sensible de voir tant d'hommes 5 de diverses contrées réunis dans la même place. Il lui paraissait que l'univers était une grande famille qui se rassemblait à Balzora. Il se trouva à table[171], dès le second jour, avec un Egyp-

169. Variante de l'édition de 1747 : « Mais, comme la destinée de Memnon était que tout le bien qu'il faisait lui devint funeste, les prêtres des étoiles se déchaînèrent contre lui. Les pierreries et les ornements des dames qu'ils envoyaient au bûcher leur appartenaient de droit ; ils perdaient leurs plus beaux honoraires. C'était bien le moins qu'ils fissent brûler Memnon pour le mauvais tour qu'il leur avait joué ; ils représentèrent qu'il avait des sentiments erronés sur les étoiles et il allait être brûlé sans miséricorde au lieu de la dame, si Sétoc, son maître, n'avait eu la bonté de le faire évader ; il le fit partir secrètement avec cet ancien domestique, compagnon de son esclavage, et lui donna de l'argent pour se conduire ; ils se quittèrent en pleurant, en se jurant une amitié éternelle et en se promettant que le premier des deux qui ferait une grosse fortune en ferait part à l'autre. Memnon marcha du côté de la Syrie [...] » ; 170. Port de l'ancienne Turquie, situé sur le Chatt al-Arab, célèbre pour sa foire ; 171. On pourra comparer ce chapitre avec la lettre 46 des *Lettres persanes* (1721) et la lettre VI des *Lettres philosophiques* (1734).

──── **QUESTIONS** ────

45. Pour quelles raisons Zadig veut-il changer une coutume depuis si longtemps établie ? Les arguments de Sétoc sont-ils dépourvus de sens ? Et que pensez-vous de ceux de la dame arabe ? Pourquoi Voltaire montre-t-il la cérémonie du bûcher sous le double visage de l'horreur et du grotesque ? A quels sentiments Zadig fait-il appel pour obtenir l'appui de Sétoc et convaincre la jeune veuve ? A travers Almona, Voltaire ne raille-t-il pas la dévote française ? Dans quelle optique s'inscrit l'action de Zadig ? De quel dessein plus vaste, sans cesse repris par Zadig, participe-t-elle ? Quel effet produit le rappel final d'Astarté ?

46. SUR L'ENSEMBLE DU CHAPITRE XI. — Montrez que les deux épisodes se rattachent à une idée commune et annoncent le chapitre suivant.

— Evaluez le rôle et l'importance du thème de la vanité, constant depuis le début du conte.

— La personnalité morale de Zadig se précise : comment apparaît-elle ?

— En dehors de toute localisation historique ou géographique, Zadig s'affirme par certaines constantes : lesquelles ? Commencez-vous à discerner le rôle philosophique du personnage ?

— Dans ce destin de « champion » qui se dessine, quelle place Astarté, sans cesse rappelée en référence, prend-elle ?

tien, un Indien gangaride[172], un habitant du Cathay[173], un Grec,
un Celte, et plusieurs autres étrangers qui, dans leurs fréquents
10 voyages vers le golfe arabique[174], avaient appris assez d'arabe
pour se faire entendre **(47)**. L'Egyptien paraissait fort en colère.
« Quel abominable pays que Balzora! disait-il; on m'y refuse
mille onces[175] d'or sur le meilleur effet[176] du monde. — Comment
donc! dit Sétoc; sur quel effet a-t-on refusé cette somme? —
15 Sur le corps de ma tante, répondit l'Egyptien; c'était la plus
brave femme d'Egypte. Elle m'accompagnait toujours; elle est
morte en chemin : j'en ai fait une des plus belles momies que
nous ayons; et je trouverais dans mon pays tout ce que je voudrais en la mettant en gage[177]. Il est bien étrange qu'on ne veuille
20 pas seulement me donner ici mille onces d'or sur un effet si
solide. » Tout en se courrouçant, il était prêt de[178] manger d'une
excellente poule bouillie, quand l'Indien, le prenant par la
main, s'écria avec douleur : « Ah! qu'allez-vous faire? —
Manger de cette poule, dit l'homme à la momie. — Gardez-
25 vous-en bien, dit le Gangaride[179]. Il se pourrait faire que l'âme
de la défunte fût passée dans le corps de cette poule, et vous
ne voudriez pas vous exposer à manger votre tante. Faire cuire
des poules, c'est outrager manifestement la nature. — Que
voulez-vous dire avec votre nature et vos poules? reprit le colé-
30 rique Egyptien; nous adorons un bœuf[180], et nous en mangeons
bien. — Vous adorez un bœuf! est-il possible? dit l'homme du
Gange. — Il n'y a rien de si possible, repartit l'autre; il y a
cent trente-cinq mille ans[181] que nous en usons ainsi; et personne parmi nous n'y trouve à redire. — Ah! cent trente-cinq

---

172. Voir note 160; 173. Nom de la Chine au Moyen Age; 174. C'est-à-dire
la mer Rouge; 175. *Once* : voir note 74; 176. *Effet* : valeur négociable;
177. Selon l'*Histoire ancienne des Égyptiens* de Rollin (1740) et l'*Histoire des
empires et des républiques depuis le Déluge* de l'abbé Guyon (1741), une loi
égyptienne obligerait tout emprunteur à donner en gage de sa dette la momie
d'un parent. Si l'emprunteur mourait avant de s'être acquitté, il était déclaré
impie et privé de sépulture; 178. *Prêt de :* disposé à; la confusion était fréquente avec *prêt à;* 179. La religion de Brahma interdisait de manger de la
viande; 180. Le bœuf Apis; 181. « Il est vrai qu'il n'y a point de famille, de
ville, de nation qui ne cherche à reculer son origine » (lettre XVII des *Lettres
philosophiques*, 1734). Dans la même lettre, Voltaire accorde aux Egyptiens
une ancienneté de 11 340 années.

■——— QUESTIONS ———————————————————

47. Relevez les anachronismes et les incohérences historiques du passage, et montrez sur quoi repose l'illusion de vraisemblance. — L'exotisme de convention est peu existant. Qu'est-ce qui est l'important pour le
conteur? Que symbolise cette réunion d'*hommes de diverses contrées*
(ligne 4)?

35 mille ans! dit l'Indien, ce compte est un peu exagéré, il n'y en a
que quatre-vingt mille que l'Inde est peuplée, et assurément
nous sommes vos anciens; et Brahma nous avait défendu de
manger des bœufs avant que vous vous fussiez avisés de les
mettre sur les autels et à la broche[182]. — Voilà un plaisant
40 animal que votre Brahma, pour le comparer à Apis! dit l'Egyptien; qu'a donc fait votre Brahma de si beau?» Le bramin
répondit : « C'est lui qui a appris aux hommes à lire et à
écrire[183], et à qui toute la terre doit le jeu des échecs[184]. — Vous
vous trompez, dit un Chaldéen qui était aurès de lui; c'est le
45 poisson Oannès[185] à qui on doit de si grands bienfaits, et il est
juste de ne rendre qu'à lui ses hommages. Tout le monde vous
dira que c'était un être divin, qu'il avait la queue dorée, avec
une belle tête d'homme, et qu'il sortait de l'eau pour venir
prêcher à terre trois heures par jour. Il eut plusieurs enfants,
50 qui furent rois, comme chacun sait. J'ai son portrait chez moi,
que je révère comme je le dois. On peut manger du bœuf tant
qu'on veut; mais c'est assurément une très grande impiété de
faire cuire du poisson; d'ailleurs vous êtes tous deux d'une origine trop peu noble et trop récente pour me rien disputer[186]. La
55 nation égyptienne ne compte que cent trente-cinq mille ans, et
les Indiens ne se vantent que de quatre-vingt mille, tandis que
nous avons des almanachs[187] de quatre mille siècles. Croyez-moi,
renoncez à vos folies, et je vous donnerai à chacun un beau
portrait d'Oannès. »

60   L'homme de Cambalu[188], prenant la parole, dit : « Je respecte
fort les Egyptiens, les Chaldéens, les Grecs, les Celtes, Brahma,
le bœuf Apis, le beau poisson Oannès; mais peut-être que le Li
ou le Tien[189], comme on voudra l'appeler, vaut bien les bœufs
et les poissons. Je ne dirai rien de mon pays; il est aussi grand
65 que la terre d'Egypte, la Chaldée et les Indes ensemble. Je ne
dispute pas d'antiquité, parce qu'il suffit d'être heureux, et que
c'est fort peu de chose d'être ancien; mais, s'il fallait parler
d'almanachs, je dirais que toute l'Asie prend les nôtres, et que

---

182. Selon d'Herbelot; 183. « [Brahma] a laissé quatre livres dans lesquels
toutes les sciences et toutes les cérémonies des brachmanes sont comprises »
(d'Herbelot); 184. Jeu d'origine orientale. Au XVIIIe siècle, on en attribuait
l'invention aux hindous; 185. Dieu chaldéen, moitié homme, moitié poisson,
qui serait sorti de la mer Rouge pour apprendre aux hommes les lettres, les
sciences et les arts; 186. *Disputer* : fournir des arguments pour ou contre une
cause, discuter; 187. *Almanach* : calendrier; 188. Pékin; 189. « Mots chinois
qui signifient proprement : *Li*, la lumière naturelle, la raison, et *Tien*, le ciel;
et qui signifient aussi Dieu » (note de Voltaire).

nous en avions de fort bons avant qu'on sût l'arithmétique en
70 Chaldée. (48)

— Vous êtes de grands ignorants tous tant que vous êtes,
s'écria le Grec ; est-ce que vous ne savez pas que le chaos[190] est
le père de tout, et que la forme et la matière ont mis le monde
dans l'état où il est[191] ? » Ce Grec parla longtemps ; mais il fut
75 enfin interrompu par le Celte[192], qui, ayant beaucoup bu pendant qu'on disputait, se crut alors plus savant que tous les
autres, et dit en jurant qu'il n'y avait que Teutath[193] et le gui
de chêne qui valussent la peine qu'on en parlât ; que, pour lui,
il avait toujours du gui dans sa poche ; que les Scythes, ses
80 ancêtres, étaient les seuls gens de bien qui eussent jamais été au
monde ; qu'ils avaient, à la vérité, quelquefois mangé des
hommes, mais que cela n'empêchait pas qu'on ne dût avoir
beaucoup de respect pour sa nation ; et qu'enfin, si quelqu'un
parlait mal de Teutath, il lui apprendrait à vivre[194]. La querelle
85 s'échauffa pour lors, et Sétoc vit le moment où la table allait
être ensanglantée (49). Zadig, qui avait gardé le silence pendant toute la dispute, se leva enfin : il s'adressa d'abord au
Celte, comme au plus furieux ; il lui dit qu'il avait raison, et lui
demanda du gui ; il loua le Grec sur son éloquence, et adoucit

---

190. « [Le chaos] est impossible aux yeux de la raison, car il est impossible
que, l'intelligence étant éternelle, il y ait jamais eu quelque chose d'opposé
aux lois de l'intelligence ; car le chaos est précisément l'opposé de toutes les
lois de la nature » (Voltaire, *le Philosophe ignorant*, 1766) ; 191. Critique de la
philosophie scolastique, encore influente à l'époque ; 192. Notre ancêtre... ;
193. Dieu de la religion druidique, auquel on offrait des sacrifices humains. On
l'a assimilé à Mercure ; 194. Voltaire se moque ici de Rollin, qui faisait l'éloge
des Scythes dans son *Histoire ancienne des Egyptiens* (1740).

─────── QUESTIONS ───────

48. Indiquez la cause de l'irritation de l'Egyptien. Déterminez ce que
tend à démontrer cet épisode. Etudiez l'effet du burlesque et de l'humour
noir dans la présentation de l'idée. — Comment la croyance de l'Indien
à la métempsycose est-elle présentée ? Qu'est-ce qui rend ridicule la
conclusion du personnage ? La réplique méprisante de l'Egyptien ne sou-
ligne-t-elle pas l'incompréhension qui naît de la relativité des croyances ?
— Sur quel point porte la dispute concernant le droit de manger des
bœufs (ligne 31) ? Analysez le sens et la portée du comique du passage.
Relevez les traits satiriques à l'encontre de la Bible. — En quoi le
Chaldéen s'oppose-t-il aux deux premiers interlocuteurs ? Faites, à travers
ce personnage, le portrait du fanatique selon Voltaire. De quelle façon
est-il rendu ridicule ? — Pouvez-vous caractériser le Chinois ? Montrez
qu'il est un sage.

49. La querelle dégénère. Pourquoi ? — Voyez-vous une raison à ce
que Voltaire ait réservé pour la fin le personnage du Celte ? N'est-il pas
notre ancêtre ?

⁹⁰tous les esprits échauffés. Il ne dit que très peu de chose à
l'homme du Cathay, parce qu'il avait été le plus raisonnable
de tous. Ensuite il leur dit : « Mes amis, vous alliez vous quereller pour rien, car vous êtes tous du même avis¹⁹⁵. » A ce mot,
ils se récrièrent tous. « N'est-il pas vrai, dit-il au Celte, que vous
⁹⁵n'adorez pas ce gui, mais celui qui a fait le gui et le chêne? —
Assurément, répondit le Celte. — Et vous, monsieur l'Égyptien,
vous révérez apparemment dans un certain bœuf celui qui vous
a donné les bœufs? — Oui, dit l'Égyptien. — Le poisson Oannès,
continua-t-il, doit céder à celui qui a fait la mer et les poissons.
¹⁰⁰— D'accord, dit le Chaldéen. — L'Indien, ajouta-t-il, et le Ca-
thayen reconnaissent comme vous un premier principe; je n'ai
pas trop bien compris les choses admirables que le Grec a dites,
mais je suis sûr qu'il admet aussi un Être supérieur, de qui la
forme et la matière dépendent. » Le Grec, qu'on admirait, dit
¹⁰⁵que Zadig avait très bien pris sa pensée. « Vous êtes donc tous
de même avis, répliqua Zadig, et il n'y a pas là de quoi se
quereller. » Tout le monde l'embrassa **(50)**. Sétoc, après avoir
vendu fort cher ses denrées, reconduisit son ami Zadig dans sa
tribu. Zadig apprit en arrivant qu'on lui avait fait son procès
¹¹⁰en son absence et qu'il allait être brûlé à petit feu. **(51) (52)**

---

195. C'est l'opinion de Voltaire, pour qui toutes les religions peuvent se
ramener à la croyance à un être suprême.

──────── **QUESTIONS** ────────

50. Où en était le débat au moment de l'intervention de Zadig? Cette
bataille sanglante (ligne 107) qui allait survenir n'est-elle pas l'image
restreinte des guerres de Religion? — Comment procède Voltaire pour
apaiser les passions? Pourquoi Zadig commence-t-il par rassurer le
Celte? Le Chinois n'obtient-il pas son approbation? Pour quelles raisons? De quelle façon Zadig parvient-il, finalement, à réconcilier tout
le monde? Ne remonte-t-il pas des divergences extérieures jusqu'à la
source commune de la croyance? Sur quoi se fonde sa foi en un être
supérieur? Sur la révélation? Sur la raison?

51. Quel est le ton de l'épilogue? Expliquez-vous sa brièveté?
Comment interprétez-vous ce rappel final du fanatisme?

52. SUR L'ENSEMBLE DU CHAPITRE XII. — Dégagez la composition de
ce chapitre.

— Faites les remarques que vous jugerez utiles sur le cadre choisi
par l'auteur pour exposer ses idées. Le genre du banquet ne vous
semble-t-il pas propice à une confrontation entre des hommes? Son antiquité (songez à Platon, à Xénophon, à Athénée) ne lui assure-t-elle pas
une dignité adéquate au sujet?

— Distinguez dans ce chapitre la description positive du déisme.
(Suite, v. p. 109.)

CHAPITRE XIII

LES RENDEZ-VOUS

Pendant son voyage à Balzora[196] les prêtres des étoiles[197] avaient résolu de le punir. Les pierreries et les ornements des jeunes veuves qu'ils envoyaient au bûcher leur appartenaient de droit[198]; c'était bien le moins qu'ils fissent brûler Zadig pour
5 le mauvais tour qu'il leur avait joué. Ils accusèrent donc Zadig d'avoir des sentiments erronés sur l'armée céleste[199]; ils déposèrent contre lui et jurèrent qu'ils lui avaient entendu dire que les étoiles ne se couchaient pas dans la mer[200]. Ce blasphème effroyable fit frémir les juges; ils furent prêts de déchirer leurs
10 vêtements quand ils ouïrent[201] ces paroles impies, et ils l'auraient fait, sans doute, si Zadig avait eu de quoi les payer. Mais, dans l'excès de leur douleur, ils se contentèrent de le condamner à être brûlé à petit feu. Sétoc, désespéré, employa en vain son crédit pour sauver son ami; il fut bientôt obligé de se taire. La
15 jeune veuve Almona, qui avait pris beaucoup de goût à la vie et qui en avait obligation à Zadig, résolut de le tirer du bûcher, dont il lui avait fait connaître l'abus[202]. Elle roula son dessein dans sa tête, sans en parler à personne. Zadig devait être exécuté le lendemain; elle n'avait que la nuit pour le sauver : voici
20 comme elle s'y prit, en femme charitable et prudente. **(53)**

Elle se parfuma; elle releva sa beauté par l'ajustement le plus riche et le plus galant, et alla demander une audience secrète au chef des prêtres des étoiles. Quand elle fut devant ce vieillard vénérable, elle lui parla en ces termes : « Fils aîné de la

---

196. Voir note 170; 197. « On nomme « sabisme » cette sorte d'idolâtrie qui a pour objet de son culte les astres et les planètes » (Banier, *Mythologie et fables*); 198. Voltaire trouvait ces indications dans Tavernier; 199. Le soleil, la lune, et les autres astres. « Le mot *Sabba* en arabe signifie l'armée des cieux, et c'est de là que le sabisme prit scn nom, et que vient chez les Hébreux le mot *Sabbahot* » (Voltaire, *Lettre civile et honnête*, 1760); 200. Voir chapitre premier, lignes 22 à 29; 201. *Ouïr* : entendre; 202. Voir chapitre XI.

━━━ QUESTIONS ━━━

— Etudiez l'art avec lequel Voltaire s'efforce de convaincre son lecteur. Montrez que l'ironie vise, ici, à réduire les croyances religieuses à des pratiques rituelles et à une idéologie incompréhensible. N'a-t-il pas alors beau jeu d'opposer à ces croyances ainsi simplifiées la sagesse rationnelle du déisme? Cette méthode, de bonne guerre, ne vous fait-elle pas songer à celle qui est employée par Pascal dans les *Provinciales*?

53. Relevez les traits satiriques à l'encontre de la religion et de la justice. — Analysez les figures d'humour et d'ironie en indiquant leur effet et leur but.

25 grande ourse, frère du taureau, cousin du grand chien[203] (c'étaient les titres de ce pontife), je viens vous confier mes scrupules. J'ai bien peur d'avoir commis un péché énorme en ne me brûlant pas dans le bûcher de mon cher mari. En effet, qu'avais-je à conserver ? une chair périssable, et qui est déjà
30 toute flétrie. » En disant ces paroles, elle tira de ses longues manches de soie ses bras nus, d'une forme admirable et d'une blancheur éblouissante. « Vous voyez, dit-elle, le peu que cela vaut. » Le pontife trouva dans son cœur que cela valait beaucoup. Ses yeux le dirent, et sa bouche le confirma : il jura qu'il
35 n'avait vu de sa vie de si beaux bras. « Hélas ! lui dit la veuve, les bras peuvent être un peu moins mal que le reste ; mais vous m'avouerez que la gorge n'était pas digne de mes attentions. » Alors elle laissa voir le sein le plus charmant que la nature eût jamais formé. Un bouton de rose sur une pomme d'ivoire n'eût
40 paru auprès que de la garance[204] sur du buis, et les agneaux sortant du lavoir auraient semblé d'un jaune brun[205]. Cette gorge, ses grands yeux noirs qui languissaient en brillant doucement d'un feu tendre, ses joues animées de la plus belle pourpre mêlée au blanc de lait le plus pur, son nez, qui n'était pas
45 comme la tour du mont Liban, ses lèvres, qui étaient comme deux bordures de corail renfermant les plus belles perles de la mer d'Arabie, tout cela ensemble fit croire au vieillard qu'il avait vingt ans. Il fit en bégayant une déclaration tendre. Almona, le voyant enflammé, lui demanda la grâce de Zadig.
50 « Hélas ! dit-il, ma belle dame, quand je vous accorderais sa grâce, mon indulgence ne servirait de rien ; il faut qu'elle soit signée de trois autres de mes confrères. — Signez toujours, dit Almona. — Volontiers, dit le prêtre, à condition que vos faveurs seront le prix de ma facilité. — Vous me faites trop
55 d'honneur, dit Almona ; ayez seulement pour agréable de venir dans ma chambre après que le soleil sera couché, et dès que la brillante étoile Sheat[206] sera sur l'horizon. Vous me trouverez sur un sofa[207] couleur de rose, et vous en userez comme vous pourrez avec votre servante. » Elle sortit alors emportant avec
60 elle la signature, et laissa le vieillard plein d'amour et de défiance de ses forces. Il employa le reste du jour à se baigner ; il but

---

203. Ces trois constellations sont parmi les plus brillantes et les plus anciennement distinguées dans le ciel ; 204. *Garance* : genre de rubiacées, remarquable par la couleur rouge de ses racines ; 205. Comparaison de style oriental ; 206. Une des étoiles de la constellation de Pégase ; 207. *Sofa* : mot arabe qui signifie « banc » et désigne une estrade élevée et couverte d'un tapis.

une liqueur composée de la cannelle de Ceylan[208] et des précieuses épices de Tidor et de Ternate[209], et attendit avec impatience que l'étoile Sheat vînt à paraître. (54)

65 Cependant la belle Almona alla trouver le second pontife. Celui-ci l'assura que le soleil, la lune et tous les feux du firmament n'étaient que des feux follets en comparaison de ses charmes. Elle lui demanda la même grâce, et on lui proposa d'en donner le prix. Elle se laissa vaincre, et donna rendez-vous 70 au second pontife au lever de l'étoile Algénib[210]. De là, elle passa chez le troisième et chez le quatrième prêtre, prenant toujours une signature et donnant un rendez-vous d'étoile en étoile. Alors elle fit avertir les juges de venir chez elle pour une affaire importante. Ils s'y rendirent : elle leur montra les quatre noms, 75 et leur dit à quel prix les prêtres avaient vendu la grâce de Zadig. Chacun d'eux arriva à l'heure prescrite ; chacun fut bien étonné d'y trouver ses confrères, et plus encore d'y trouver les juges, devant qui leur honte fut manifestée. Zadig fut sauvé. Sétoc fut si charmé de l'habileté d'Almona qu'il en fit sa femme. 80 Zadig partit après s'être jeté aux pieds de sa belle libératrice. Sétoc et lui se quittèrent en pleurant, en se jurant une amitié éternelle et en se promettant que le premier des deux qui ferait une grande fortune en ferait part à l'autre[211]. (55)

Zadig marcha du côté de la Syrie[212], toujours pensant à la 85 malheureuse Astarté, et toujours réfléchissant sur le sort qui s'obstinait à se jouer de lui et à le persécuter. « Quoi ! disait-il, quatre cents onces d'or pour avoir vu passer une chienne[213] ! condamné à être décapité pour quatre mauvais vers à la louange du roi ! prêt à être étranglé parce que la reine avait des 90 babouches[214] de la couleur de mon bonnet ! réduit en esclavage

---

208. *Cannelle* : écorce de cannelier, employée comme épice. Au XVIIIe siècle, la cannelle était la principale richesse de Ceylan ; **209.** Villes de l'archipel des Moluques ; **210.** Une des étoiles de la constellation de Pégase ; **211.** Ferait participer l'autre ; **212.** Zadig reprend la route de la Chaldée ; **213.** Voir note 74 ; **214.** *Babouche* : pantoufle orientale en cuir de couleur, sans quartier ni talon.

QUESTIONS

54. La scène de séduction féminine ressortit à la tradition romanesque de l'époque. Etudiez-en les éléments parodiques. — Quel visage ont les prêtres dans cette scène ? et Almona ? La vertu conduit parfois les femmes à d'étranges démarches : montrez que cette idée est très voltairienne et trouve son expression dans plusieurs contes (en particulier *Cosi Sancta* et *l'Ingénu*, chap. XVII).

55. Les prêtres se distinguent-ils entre eux ? Qu'est-ce qui semble faire l'unité de cette catégorie sociale ? — Les juges n'apparaissent-ils pas dans leurs ridicules, comme au début du chapitre. Pourquoi ?

pour avoir secouru une femme qu'on battait ! et sur le point
d'être brûlé pour avoir sauvé la vie à toutes les jeunes veuves
arabes ! » **(56) (57)**

CHAPITRE XIV

LE BRIGAND

En arrivant aux frontières qui séparent l'Arabie Pétrée[215] de
la Syrie, comme il passait près d'un château assez fort, des
Arabes armés en sortirent. Il se vit entouré ; on lui criait : « Tout
ce que vous avez nous appartient, et votre personne appartient
5 à notre maître. » Zadig pour réponse tira son épée ; son valet,
qui avait du courage, en fit autant. Ils renversèrent morts les
premiers Arabes qui mirent la main sur eux ; le nombre
redoubla ; ils ne s'étonnèrent point, et résolurent de périr en
combattant. On voyait deux hommes se défendre contre une
10 multitude ; un tel combat ne pouvait durer longtemps. Le
maître du château, nommé Arbogad, ayant vu d'une fenêtre les
prodiges de valeur que faisait Zadig, conçut de l'estime pour
lui. Il descendit en hâte, et vint lui-même écarter ses gens et
délivrer les deux voyageurs. « Tout ce qui passe sur mes terres
15 est à moi, dit-il, aussi bien que ce que je trouve sur les terres
des autres ; mais vous me paraissez un si brave[216] homme que
je vous exempte de la loi commune. » Il le fit entrer dans son
château, ordonnant à ses gens de le bien traiter, et, le soir,
Arbogad voulut souper avec Zadig. **(58)**

---

215. Très fortifié ; 216. *Brave :* courageux.

QUESTIONS
---

56. Etudiez l'effet de ce rappel des malheurs passés. Quelle est la
pensée qui donne un sens et une cohérence à la destinée de Zadig ?

57. SUR L'ENSEMBLE DU CHAPITRE XIII. — Appréciez l'art du conteur,
en particulier la construction du récit, l'enchaînement des faits, la facilité de recréer en quelques mots une atmosphère ou un lieu, l'habileté
avec laquelle l'auteur s'introduit en tiers dans le récit sans disloquer la
fiction, mais en lui donnant une teinte « philosophique » originale.
— Par quels moyens cet épisode est-il rattaché à la trame romanesque ?
Par un ton ? Par des thèmes ? Par une philosophie ? Par des personnages ?
— Quelle vous semble être la morale de l'aventure ?

58. En songeant à quelques chapitres de l'*Histoire de Gil Blas de
Santillane* (par exemple les chapitres v à x du livre premier), relevez les
traits qui appartiennent à la tradition du roman d'aventures dans ce
passage. Voltaire en fait-il la parodie ? Cette action nous apprend-elle ou
confirme-t-elle certains traits de caractère de Zadig ?

20   Le seigneur du château était un de ces Arabes qu'on appelle
voleurs[217] ; mais il faisait quelquefois de bonnes actions parmi
une foule de mauvaises ; il volait avec une rapacité furieuse[218],
et donnait libéralement ; intrépide dans l'action, assez doux
dans le commerce[219], débauché à table, gai dans la débauche,
25 et surtout plein de franchise. Zadig lui plut beaucoup ; sa
conversation, qui s'anima, fit durer le repas ; enfin Arbogad lui
dit : « Je vous conseille de vous enrôler sous moi ; vous ne
sauriez mieux faire ; ce métier-ci n'est pas mauvais ; vous pourrez un jour devenir ce que je suis. — Puis-je vous demander,
30 dit Zadig, depuis quel temps vous exercez cette noble profession ? — Dès ma plus tendre jeunesse, reprit le seigneur. J'étais
valet d'un Arabe assez habile ; ma situation m'était insupportable. J'étais au désespoir de voir que dans toute la terre, qui
appartient également aux hommes, la destinée ne m'eût pas
35 réservé ma portion[220]. Je confiai mes peines à un vieil Arabe,
qui me dit : « Mon fils, ne désespérez pas : il y avait autrefois
« un grain de sable qui se lamentait d'être un atome[221] ignoré
« dans les déserts ; au bout de quelques années il devint diamant,
« et il est à présent le plus bel ornement de la couronne du
40 « roi des Indes[222]. » Ce discours me fit impression ; j'étais le
grain de sable, je résolus de devenir diamant. Je commençai
par voler deux chevaux ; je m'associai des camarades ; je me
mis en état de voler de petites caravanes ; ainsi je fis cesser peu
à peu la disproportion qui était d'abord entre les hommes et
45 moi. J'eus ma part aux biens de ce monde, et je fus même
dédommagé avec usure : on me considéra beaucoup ; je devins
seigneur brigand, j'acquis ce château par voie de fait[223]. Le
satrape[224] de Syrie voulut m'en déposséder ; mais j'étais déjà
trop riche pour avoir rien à craindre : je donnai de l'argent au
50 satrape, moyennant quoi je conservai ce château, et j'agrandis
mes domaines ; il me nomma même trésorier des tributs que
l'Arabie Pétrée payait au roi des rois. Je fis ma charge de receveur, et point du tout celle de payeur.

---

217. Cette histoire rappelle à la fois les chapitres célèbres de l'*Histoire de Gil Blas de Santillane* (liv. I, chap. v-x) et les exploits d'un brigand persan nommé Abdala, qui s'était enrichi en pillant des caravanes et devint un grand prince ; **218.** *Furieux* : porté à l'extrême ; **219.** *Commerce* : rapports suivis, fréquentation ; **220.** Doctrine de Hobbes (1588-1679), qui affirmait que, les hommes étant égaux par nature, ils pouvaient s'emparer par la force de ce qui ne leur appartenait pas. C'est le sens de la fameuse formule *homo homini lupus*, « l'homme est un loup pour l'homme » ; **221.** *Atome* : corps minuscule ; **222.** Apologue fort répandu en Orient. Voltaire le reprendra dans *Micromégas* (chapitre II, 1752) ; **223.** *Par voie de fait* : par la force ; cette expression s'oppose à *voie de droit* ; **224.** *Satrape* : gouverneur d'une province en Perse.

« Le grand desterham[225] de Babylone envoya ici, au nom du
55 roi Moabdar, un petit satrape pour me faire étrangler. Cet
homme arriva avec son ordre : j'étais instruit de tout ; je fis
étrangler en sa présence les quatre personnes qu'il avait ame-
nées avec lui pour serrer le lacet ; après quoi je lui demandai
ce que pouvait lui valoir[226] la commission de m'étrangler. Il me
60 répondit que ses honoraires pouvaient aller à trois cents pièces
d'or. Je lui fis voir clair qu'il y aurait plus à gagner avec moi.
Je le fis sous-brigand ; il est aujourd'hui un de mes meilleurs
officiers, et des plus riches. Si vous m'en croyez, vous réussirez
comme lui. Jamais la saison de voler n'a été meilleure, depuis
65 que Moabdar est tué et que tout est en confusion dans Babylone. **(59)**

— Moabdar est tué ! dit Zadig, et qu'est devenue la reine
Astarté ? — Je n'en sais rien, reprit Arbogad. Tout ce que je
sais, c'est que Moabdar est devenu fou, qu'il a été tué, que
70 Babylone est un grand coupe-gorge, que tout l'empire est
désolé, qu'il y a de beaux coups à faire encore, et que pour
ma part j'en ai fait d'admirables. — Mais la reine ? dit Zadig ;
de grâce, ne savez-vous rien de la destinée de la reine ? — On
m'a parlé d'un prince d'Hyrcanie, reprit-il ; elle est probable-
75 ment parmi ses concubines, si elle n'a pas été tuée dans le
tumulte ; mais je suis plus curieux de butin que de nouvelles.
J'ai pris plusieurs femmes dans mes courses[227] ; je n'en garde
aucune ; je les vends cher quand elles sont belles, sans m'informer de ce qu'elles sont. On n'achète point le rang ; une reine
80 qui serait laide ne trouverait pas marchand[228] : peut-être ai-je
vendu la reine Astarté, peut-être est-elle morte ; mais peu m'importe, et je pense que vous ne devez pas vous en soucier plus
que moi. » En parlant ainsi il buvait avec tant de courage, il
confondait tellement toutes les idées, que Zadig n'en put tirer
85 aucun éclaircissement.

Il restait interdit, accablé, immobile. Arbogad buvait toujours, faisait des contes, répétait sans cesse qu'il était le plus

---

225. Voir note 71 ; **226.** *Valoir :* rapporter ; **227.** *Course :* expédition sur
terre comme sur mer. « Signifie aussi incursion, hostilité » (Dictionnaire de
Furetière, 1690) ; **228.** *Trouver marchand :* trouver acheteur.

■ QUESTIONS ■

59. Quel est le sens de l'apologue du vieil Arabe ? Pourquoi celui-ci
a-t-il impressionné Arbogad ? — Comment Voltaire est-il parvenu à
rendre ce dernier sympathique ? Dans quel dessein le fait-il ? Arbogad
défend une philosophie de la vie : quelle est-elle ? Jusqu'à présent, les
événements semblent-ils lui avoir donné raison ?

heureux de tous les hommes, exhortant Zadig à se rendre aussi
heureux que lui. Enfin, doucement assoupi par les fumées du
90 vin, il alla dormir d'un sommeil tranquille. Zadig passa la nuit
dans l'agitation la plus violente. « Quoi ! disait-il, le roi est
devenu fou ! il est tué ! Je ne peux m'empêcher de le plaindre.
L'empire est déchiré, et ce brigand est heureux. Ô fortune !
ô destinée ! un voleur est heureux et ce que la nature a fait de
95 plus aimable a péri peut-être d'une manière affreuse, ou vit
dans un état pire que la mort. Ô Astarté ! qu'êtes-vous devenue ? » (60)

Dès le point du jour, il interrogea tous ceux qu'il rencontrait
dans le château ; mais tout le monde était occupé, personne ne
100 lui répondit : on avait fait pendant la nuit de nouvelles
conquêtes, on partageait les dépouilles. Tout ce qu'il put obtenir dans cette confusion tumultueuse, ce fut la permission de
partir. Il en profita sans tarder, plus abîmé que jamais dans
ses réflexions douloureuses.

105 Zadig marchait inquiet, agité, l'esprit tout occupé de la
malheureuse Astarté, du roi de Babylone, de son fidèle Cador,
de l'heureux brigand Arbogad, de cette femme si capricieuse
que les Babyloniens avaient enlevée sur les confins de l'Egypte ;
enfin de tous les contretemps et de toutes les infortunes qu'il
110 avait éprouvés. (61) (62)

──────── ● QUESTIONS ●────────

60. Etudiez le ton des deux personnages et voyez-y le reflet de deux
psychologies. — Qu'est-ce qui, essentiellement, distingue les deux
hommes ? Astarté ne donne-t-elle pas un sens, une valeur et une justification à la vie de Zadig ? La nouvelle de son sort malheureux confirme-
t-elle la philosophie d'Arbogad ? La destinée est-elle un chaos ? En cet
instant, Zadig désespère-t-il ou bien s'achemine-t-il vers la révolte contre
la Providence ?

61. Etudiez la profondeur de la solitude de Zadig. Que lui reste-t-il ?
— Pourquoi repasse-t-il en son esprit tous les malheurs qu'il a connus
sans s'arrêter en particulier à la *malheureuse Astarté* ? Celle-ci n'apparaît-elle pas comme intégrée, sans privilège aucun, à une sorte d'enchaînement absurde ? Ces hommes, nommés par Zadig, qu'ont-ils en commun ?
N'est-ce pas déjà une annonce de fraternité possible (voyez le chapitre
suivant) ?

62. SUR L'ENSEMBLE DU CHAPITRE XIV. — Appréciez l'importance de
l'aventure par rapport à l'économie de l'œuvre. L'épisode fait-il pro-
gresser l'action ? La psychologie des personnages a-t-elle révélé des
aspects nouveaux ? Où se dirige à présent Zadig ? En somme, le chapitre
marque-t-il un point d'arrivée, de départ ou d'attente ? — Montrez de
quelle façon la rencontre avec Arbogad s'inscrit dans la recherche du
sens de la destinée par Zadig. Quel est le bilan idéologique de l'épisode ?
N'est-ce pas là son principal intérêt ?

CHAPITRE XV

LE PÊCHEUR

A quelques lieues du château d'Arbogad, il se trouva sur le
bord d'une petite rivière, toujours déplorant sa destinée et se
regardant comme le modèle du malheur. Il vit un pêcheur
couché sur la rive, tenant à peine[229] d'une main languissante
5 son filet, qu'il semblait abandonner, et levant les yeux vers le
ciel.

« Je suis certainement le plus malheureux de tous les
hommes, disait le pêcheur. J'ai été, de l'aveu de tout le monde,
le plus célèbre marchand de fromages à la crème dans Baby-
10 lone, et j'ai été ruiné. J'avais la plus jolie femme qu'homme de
ma sorte pût posséder, et j'en ai été trahi. Il me restait une
chétive[230] maison, je l'ai vue pillée et détruite. Réfugié dans une
cabane, je n'ai de ressource que ma pêche, et je ne prends pas
un poisson. O mon filet! je ne te jetterai plus dans l'eau, c'est à
15 moi de m'y jeter. » En disant ces mots il se lève, et s'avance dans
l'attitude d'un homme qui allait se précipiter et finir sa vie.

« Eh quoi! se dit Zadig à lui-même, il y a donc des hommes
aussi malheureux que moi! » L'ardeur de sauver la vie au
pêcheur fut aussi prompte que cette réflexion. Il court à lui,
20 il l'arrête, il l'interroge d'un air attendri et consolant. On prétend qu'on est moins malheureux quand on ne l'est pas seul.
Mais, selon Zoroastre, ce n'est pas par malignité, c'est par
besoin. On se sent alors entraîné vers un infortuné comme vers
son semblable. La joie d'un homme heureux serait une insulte ;
25 mais deux malheureux sont comme deux arbrisseaux faibles
qui, s'appuyant l'un sur l'autre, se fortifient contre l'orage. (63)

« Pourquoi succombez-vous à vos malheurs? dit Zadig au
pêcheur. — C'est, répondit-il, parce que je n'y vois pas de res-

---

229. *À peine* : avec peine, avec difficulté ; 230. *Chétif* : sans valeur.

QUESTIONS

---

63. Zadig se trouve sur le bord d'une petite rivière (ligne 1). Quelle
est l'importance de cette notation et, plus largement, du thème de la
nature dans le conte ? — La situation du pêcheur présente-t-elle des simi-
litudes avec celle de Zadig ? Relevez les points de concordance. — Zadig
n'éprouve-t-il pas un sentiment nouveau au contact d'une infortune qu'il
sent semblable à la sienne ? Quelle est sa réaction ? La vie prend-elle un
nouveau sens ? De désespéré Zadig devient consolateur : montrez que
cette attitude s'inscrit en fait dans la mission que le conteur semble avoir
assignée au personnage.

source. J'ai été le plus considéré du village de Derlback[231] auprès
30 de Babylone, et je faisais, avec l'aide de ma femme, les meilleurs fromages à la crème de l'empire. La reine Astarté et le
fameux ministre Zadig les aimaient passionnément. J'avais
fourni à leur maison six cents fromages. J'allai un jour à la ville
pour être payé; j'appris, en arrivant dans Babylone, que la
35 reine et Zadig avaient disparu. Je courus chez le seigneur Zadig,
que je n'avais jamais vu : je trouvai les archers du grand desterham[232], qui, munis d'un papier royal, pillaient sa maison
loyalement[233] et avec ordre. Je volai aux cuisines de la reine :
quelques-uns des seigneurs de la bouche me dirent qu'elle était
40 morte; d'autres dirent qu'elle était en prison; d'autres prétendirent qu'elle avait pris la fuite; mais tous m'assurèrent qu'on
ne me payerait point mes fromages. J'allai avec ma femme chez
le seigneur Orcan[234], qui était une de mes pratiques[235] : nous
lui demandâmes sa protection dans notre disgrâce; il l'accorda
45 à ma femme, et me la refusa. Elle était plus blanche que ses
fromages à la crème, qui commencèrent mon malheur; et
l'éclat de la pourpre de Tyr n'était pas plus brillant que l'incar-
nat qui animait cette blancheur. C'est ce qui fit qu'Orcan la
retint, et me chassa de sa maison. J'écrivis à ma chère femme
50 la lettre d'un désespéré. Elle dit au porteur : « Ah! ah! oui, je
« sais quel est l'homme qui m'écrit, j'en ai entendu parler :
« on dit qu'il fait des fromages à la crème excellents; qu'on
« m'en apporte, et qu'on les lui paye. »

« Dans mon malheur, je voulus m'adresser à la justice. Il me
55 restait six onces[236] d'or : il fallut en donner deux onces à
l'homme de loi que je consultai, deux au procureur qui entreprit mon affaire, deux au secrétaire du premier juge. Quand
tout cela fut fait, mon procès n'était pas encore commencé, et
j'avais dépensé plus d'argent que mes fromages et ma femme
60 ne valaient. Je retournai à mon village dans l'intention de
vendre ma maison pour avoir ma femme.

« Ma maison valait bien soixante onces d'or; mais on me
voyait pauvre et pressé de vendre. Le premier à qui je m'adressai
m'en offrit trente onces, le second vingt, et le troisième dix.
65 J'étais prêt enfin de conclure, tant j'étais aveugle, lorsqu'un
prince d'Hyrcanie[237] vint à Babylone et ravagea tout sur son

---

231. G. Ascoli suppose qu'il s'agit d'une déformation de *Diarbek*, nom
de la Mésopotamie, et de *Diarbékir*, nom d'une ville du Kurdistan, sur le
Tigre; **232.** Voir note 71; **233.** *Loyalement :* selon la loi, légalement; **234.** Voir
note 44; **235.** *Pratique :* client; **236.** *Once :* voir note 74; **237.** Voir note 98.

passage. Ma maison fut d'abord saccagée, et ensuite brûlée.

« Ayant ainsi perdu mon argent, ma femme et ma maison,
je me suis retiré dans ce pays où vous me voyez. J'ai tâché de
70 subsister du métier de pêcheur ; les poissons se moquent de
moi comme les hommes. Je ne prends rien, je meurs de faim ;
et, sans vous, auguste consolateur, j'allais mourir dans la
rivière. » **(64)**

Le pêcheur ne fit point ce récit tout de suite[238] ; car à tout
75 moment Zadig, ému et transporté, lui disait : « Quoi ! vous ne
savez rien de la destinée de la reine ? — Non, Seigneur, répondait le pêcheur ; mais je sais que la reine et Zadig ne m'ont point
payé mes fromages à la crème, qu'on a pris ma femme, et que
je suis au désespoir. — Je me flatte[239], dit Zadig, que vous ne
80 perdrez pas tout votre argent. J'ai entendu parler de ce Zadig ;
il est honnête homme ; et s'il retourne à Babylone, comme il
l'espère, il vous donnera plus qu'il ne vous doit ; mais pour
votre femme, qui n'est pas si honnête, je vous conseille de ne
pas chercher à la reprendre. Croyez-moi, allez à Babylone ;
85 j'y serai avant vous, parce que je suis à cheval et que vous êtes
à pied. Adressez-vous à l'illustre Cador ; dites-lui que vous
avez rencontré son ami ; attendez-moi chez lui. Allez ; peut-
être ne serez-vous pas toujours malheureux.

« Ô puissant Orosmade ! continua-t-il, vous vous servez de
90 moi pour consoler cet homme, de qui vous servirez-vous pour
me consoler ? » En parlant ainsi il donnait au pêcheur la moitié
de tout l'argent qu'il avait apporté d'Arabie, et le pêcheur,
confondu et ravi, baisait les pieds de l'ami de Cador, et disait :
« Vous êtes un ange sauveur. »
95 Cependant Zadig demandait toujours des nouvelles et versait

---

238. *Tout de suite* : tout à la suite ; 239. *Se flatter* : aimer à croire.

QUESTIONS
---

64. Quel lien nouveau s'établit entre le pêcheur et Zadig ? Pourquoi
le conteur n'a-t-il pas commencé par là ? — Montrez les rapports entre
les épisodes de la vie du pêcheur et les épisodes de la vie de Zadig. Quel
est le sens d'un tel rapprochement ? — La vie du pêcheur ne présente-t-elle
pas quelque ressemblance avec celle du brigand ? Déterminez quels liens
entretiennent par là les chapitres xiv et xv. Relevez les traits satiriques à
l'endroit de la justice (lignes 28-88) et prouvez qu'ils participent d'un des
thèmes les plus fondamentaux du conte. — Ces malheurs ne rendent-ils
pas compte, au-delà des institutions sociales, de la bassesse humaine
(lignes 62-73) ? Existe-t-il une solution ou bien la « nature humaine
repose-t-elle sur des constantes inchangeables ? Dans chacune de ces
perspectives, quel serait le rôle de Zadig ?

des larmes. « Quoi! Seigneur, s'écria le pêcheur, vous seriez donc aussi malheureux, vous qui faites du bien? — Plus malheureux que toi cent fois, répondait Zadig. — Mais comment se peut-il faire, disait le bonhomme[240], que celui qui
100 donne soit plus à plaindre que celui qui reçoit? — C'est que ton plus grand malheur, reprit Zadig, était le besoin, et que je suis infortuné par le cœur. — Orcan vous aurait-il pris votre femme? » dit le pêcheur. Ce mot rappela dans l'esprit de Zadig toutes ses aventures : il répétait la liste de ses infortunes, à
105 commencer depuis la chienne de la reine jusqu'à son arrivée chez le brigand Arbogad. « Ah! dit-il au pêcheur, Orcan mérite d'être puni. Mais d'ordinaire ce sont ces gens-là qui sont les favoris de la destinée[241]. Quoi qu'il en soit, va chez le seigneur Cador, et attends-moi. » Ils se séparèrent : le pêcheur marcha
110 en remerciant son destin, et Zadig courut en accusant toujours le sien. **(65) (66)**

CHAPITRE XVI

LE BASILIC[242]

Arrivé dans une belle prairie, il y vit plusieurs femmes qui cherchaient quelque chose avec beaucoup d'application. Il prit

---

240. *Bonhomme* : homme simple et doux ; **241.** « Ce ne sont pas les sages qui trouvent le bonheur, mais ceux qui abondent dans le sens de leurs passions et entrent dans le jeu de cette nécessité universelle » (J. Van den Heuvel, *op. cit.,* page 159) ; **242.** Le *basilic* dont il est question n'est pas le genre d'iguane originaire d'Amérique, mais un serpent fabuleux dont le regard était mortel pour tous les êtres vivants, sauf pour les femmes.

━━━━━━ **QUESTIONS** ━━━━━━━━━━━━━━━━━

65. Faites les remarques que vous jugerez bonnes sur la technique romanesque employée par Voltaire dans ce passage. Quel est l'avantage d'avoir séparé le récit du pêcheur des questions de Zadig ? Etait-ce une nécessité romanesque ? L'ensemble y perd-il en vraisemblance ? — Pourquoi Zadig cache-t-il son identité ? Voyez-en l'intérêt pour la fiction et la part de parodie du genre oriental. — Déterminez l'effet final de la répétition des malheurs de Zadig. *Ce sont ces gens-là qui sont les favoris de la destinée* (lignes 62-106) : quelle conception philosophique de la vie exprime cette remarque ? Etudiez la progression du thème depuis l'origine du conte. A quel moment de son évolution intellectuelle semble arrivé Zadig ?

66. SUR L'ENSEMBLE DU CHAPITRE XV. — Appréciez l'habileté avec laquelle le conteur rattache ce chapitre à la trame du récit. — Partagez-vous l'opinion de M. R. Mauzi selon laquelle « pour la première fois Zadig a l'idée d'une communauté des êtres dans la souffrance, et c'est ce jour-là, celui où il pense le moins à lui-même, qu'il est le plus près du désespoir » ?

la liberté de s'approcher de l'une d'elles et de lui demander s'il
pouvait avoir l'honneur de les aider dans leurs recherches.
5 « Gardez-vous-en bien, répondit la Syrienne ; ce que nous cher-
chons ne peut être touché que par des femmes. — Voilà qui est
bien étrange, dit Zadig ; oserai-je vous prier de m'apprendre ce
que c'est qu'il n'est permis qu'aux femmes de toucher ? — C'est
un basilic, dit-elle. — Un basilic, Madame ? et pour quelle
10 raison, s'il vous plaît, cherchez-vous un basilic ? — C'est pour
notre seigneur et maître Ogul[243], dont vous voyez le château sur
le bord de cette rivière, au bout de la prairie. Nous sommes
ses très humbles esclaves ; le seigneur Ogul est malade ; son médecin lui a ordonné de manger un basilic cuit dans l'eau rose[244],
15 et comme c'est un animal fort rare, qui ne se laisse jamais
prendre que par des femmes, le seigneur Ogul a promis de
choisir pour sa femme bien-aimée celle de nous qui lui apporterait un basilic : laissez-moi chercher, s'il vous plaît, car vous
voyez ce qu'il m'en coûterait si j'étais prévenue[245] par mes
20 compagnes. » (67)

Zadig laissa cette Syrienne et les autres chercher leur basilic,
et continua de marcher dans la prairie. Quand il fut au bord
d'un petit ruisseau, il y trouva une autre dame couchée sur le
gazon, et qui ne cherchait rien. Sa taille paraissait majestueuse,
25 mais son visage était couvert d'un voile. Elle était penchée
vers le ruisseau ; de profonds soupirs sortaient de sa bouche.
Elle tenait en main une petite baguette, avec laquelle elle traçait
des caractères sur un sable fin qui se trouvait entre le gazon
et le ruisseau. Zadig eut la curiosité de voir ce que cette femme
30 écrivait ; il s'approcha, il vit la lettre Z, puis un A ; il fut étonné ;
puis parut un D ; il tressaillit. Jamais surprise ne fut égale à la
sienne quand il vit les deux dernières lettres de son nom. Il
demeura quelque temps immobile ; enfin, rompant le silence

---

243. Anagramme du mot latin *gulo*, « glouton » ; **244.** *Eau rose* : liqueur
obtenue en distillant les roses ; **245.** *Prévenir* : devancer.

QUESTIONS

67. *Arrivé dans une belle prairie...* : en vous reportant au début du
chapitre précédent, quelle remarque pouvez-vous faire sur cette proposition. — Zadig est intrigué et intéressé : n'y a-t-il pas rupture de ton
avec le précédent chapitre. En voyez-vous la raison ? N'est-elle pas
révélatrice d'une constante de la psychologie de Zadig qui laisse finalement bien augurer de l'avenir ? — Quelle première image se fait-on du
seigneur Ogul à travers les propos de la femme ? Dans quelle atmosphère sommes-nous placés ?

d'une voix entrecoupée : « Ô généreuse[246] dame! pardonnez à un
35 étranger, à un infortuné, d'oser vous demander par quelle
aventure étonnante je trouve ici le nom de ZADIG tracé de
votre main divine. » A cette voix, à ces paroles, la dame releva
son voile d'une main tremblante, regarda Zadig, jeta un cri
d'attendrissement, de surprise et de joie, et, succombant sous
40 tous les mouvements divers qui assaillaient à la fois son âme,
elle tomba évanouie entre ses bras. C'était Astarté elle-même,
c'était la reine de Babylone, c'était celle que Zadig adorait, et
qu'il se reprochait d'adorer ; c'était celle dont il avait tant pleuré
et tant craint la destinée. Il fut un moment privé de l'usage
45 de ses sens ; et quand il eut attaché ses regards sur les yeux
d'Astarté, qui se rouvraient avec une langueur mêlée de confusion et de tendresse : « Ô puissances immortelles! s'écria-t-il,
qui présidez aux destins des faibles humains, me rendez-vous
Astarté? En quel temps, en quels lieux, en quel état la
50 revois-je! » Il se jeta à genoux devant Astarté, et il attacha
son front à la poussière de ses pieds. La reine de Babylone le
relève, et le fait asseoir auprès d'elle sur le bord de ce ruisseau ;
elle essuyait à plusieurs reprises ses yeux, dont les larmes
recommençaient toujours à couler. Elle reprenait vingt fois des
55 discours que ses gémissements interrompaient ; elle l'interro-
geait sur le hasard qui les rassemblait ; et prévenait soudain ses
réponses par d'autres questions. Elle entamait le récit de ses
malheurs, et voulait savoir ceux de Zadig. Enfin tous deux
ayant un peu apaisé le tumulte de leurs âmes, Zadig lui conta
60 en peu de mots par quelle aventure il se trouvait dans cette
prairie. « Mais, ô malheureuse et respectable reine! comment
vous retrouvé-je en ce lieu écarté, vêtue en esclave, et accompagnée d'autres femmes esclaves qui cherchent un basilic pour
le faire cuire dans de l'eau rose par ordonnance du mé-
65 decin? (68)

— Pendant qu'elles cherchent leur basilic, dit la belle
Astarté, je vais vous apprendre tout ce que j'ai souffert, et tout
ce que je pardonne au ciel depuis que je vous revois. Vous

---

246. *Généreux* : noble.

— QUESTIONS —

68. Etudiez dans ce passage la parodie des romans à la mode. Notez
en particulier le cadre naturel, la description des personnages, leur langage, l'atmosphère de mystère, les formules stéréotypées, le ton douce-
reux derrière lesquels vous reconnaîtrez Voltaire.

savez que le roi mon mari trouva mauvais que vous fussiez le
70 plus aimable de tous les hommes ; et ce fut pour cette raison
qu'il prit une nuit la résolution de vous faire étrangler et de
m'empoisonner. Vous savez comme[247] le ciel permit que mon
petit muet m'avertît de l'ordre de Sa Sublime Majesté. A peine
le fidèle Cador vous eut-il forcé de m'obéir et de partir qu'il osa
75 entrer chez moi au milieu de la nuit par une issue secrète. Il
m'enleva, et me conduisit dans le temple d'Orosmade, où le
mage, son frère, m'enferma dans une statue colossale dont la
base touche aux fondements du temple et dont la tête atteint
la voûte. Je fus là comme ensevelie, mais servie par le mage
80 et ne manquant d'aucune chose nécessaire. Cependant, au point
du jour, l'apothicaire de Sa Majesté entra dans ma chambre
avec une potion mêlée de jusquiame[248], d'opium, de ciguë[249],
d'ellébore noir[250] et d'aconit[251] ; et un autre officier alla chez vous
avec un lacet de soie bleue. On ne trouva personne. Cador,
85 pour mieux tromper le roi, feignit de venir nous accuser tous
deux. Il dit que vous aviez pris la route des Indes, et moi celle
de Memphis : on envoya des satellites après vous et après moi.

« Les courriers qui me cherchaient ne me connaissaient pas.
Je n'avais presque jamais montré mon visage qu'à vous seul, en
90 présence et par ordre de mon époux[252]. Ils coururent à ma pour-
suite, sur le portrait qu'on leur faisait de ma personne : une
femme de la même taille que moi, et qui peut-être avait plus de
charmes, s'offrit à leurs regards sur les frontières de l'Egypte.
Elle était éplorée, errante. Ils ne doutèrent pas que cette femme
95 ne fût la reine de Babylone ; ils la menèrent à Moabdar. Leur
méprise fit entrer d'abord le roi dans une violente colère ; mais
bientôt, ayant considéré de plus près cette femme, il la trouva
très belle, et fut consolé. On l'appelait Missouf. On m'a dit
depuis que son nom signifie en langue égyptienne *la belle*
100 *capricieuse*. Elle l'était en effet ; mais elle avait autant d'art
que de caprice. Elle plut à Moabdar. Elle le subjugua au point
de se faire déclarer sa femme. Alors son caractère se développa
tout entier ; elle se livra sans crainte à toutes les folies de son
imagination. Elle voulut obliger le chef des mages, qui était
105 vieux et goutteux, de danser devant elle ; et, sur le refus du
mage, elle le persécuta violemment. Elle ordonna à son grand

---

247. *Comme* : comment ; 248. *Jusquiame* : plante narcotique de la région
méditerranéenne ; 249. *Ciguë* : plante vénéneuse ; 250. *Ellébore* : plante purga-
tive et apaisante. On la croyait propre à guérir la folie ; 251. *Aconit* : plante
vénéneuse ; 252. Voir chapitres VII et VIII.

écuyer de lui faire une tourte de confitures. Le grand écuyer
eut beau lui représenter qu'il n'était point pâtissier, il fallut
qu'il fît la tourte ; et on le chassa parce qu'elle était trop brûlée.
110 Elle donna la charge de grand écuyer à son nain, et la place
de chancelier à un page. C'est ainsi qu'elle gouverna Babylone.
Tout le monde me regrettait. Le roi, qui avait été assez honnête homme jusqu'au moment où il avait voulu m'empoisonner
et vous faire étrangler, semblait avoir noyé ses vertus dans
115 l'amour prodigieux qu'il avait pour la belle capricieuse. Il vint
au temple le grand jour du feu sacré. Je le vis implorer les
dieux pour Missouf aux pieds de la statue où j'étais renfermée.
J'élevai la voix ; je lui criai : *Les dieux refusent les vœux d'un*
roi devenu tyran, qui a voulu faire mourir une femme raison-
120 *nable pour épouser une extravagante.* Moabdar fut confondu
de ces paroles au point que sa tête se troubla. L'oracle que
j'avais rendu et la tyrannie de Missouf suffisaient pour lui
fait perdre le jugement[253]. Il devint fou en peu de jours.

« Sa folie, qui parut un châtiment du ciel, fut le signal de la
125 révolte. On se souleva, on courut aux armes. Babylone, si longtemps plongée dans une mollesse oisive, devint le théâtre d'une
guerre civile affreuse. On me tira du creux de ma statue, et on
me mit à la tête d'un parti. Cador courut à Memphis pour vous
ramener à Babylone. Le prince d'Hyrcanie, apprenant ces
130 funestes nouvelles, revint avec son armée faire un troisième
parti dans la Chaldée. Il attaqua le roi, qui courut au-devant
de lui avec son extravagante Egyptienne. Moabdar mourut percé
de coups. Missouf tomba aux mains des vainqueurs. Mon
malheur voulut que je fusse prise moi-même par un parti hyr-
135 canien, et qu'on me menât devant le prince précisément dans
le temps qu'on lui amenait Missouf. Vous serez flatté, sans
doute, en apprenant que le prince me trouva plus belle que
l'Egyptienne ; mais vous serez fâché d'apprendre qu'il me des-
tina à son sérail. Il me dit fort résolument que, dès qu'il aurait
140 fini une expédition militaire qu'il allait exécuter, il viendrait
à moi. Jugez de ma douleur. Mes liens avec Moabdar étaient
rompus, je pouvais être à Zadig ; et je tombais dans les chaînes
de ce barbare. Je lui répondis avec toute la fierté que me donnaient mon rang et mes sentiments. J'avais toujours entendu
145 dire que le ciel attachait aux personnes de ma sorte un carac-

---

253. « Les idoles rendaient aussi des oracles, et des prêtres cachés dans le
creux des statues parlaient au nom de la divinité » (*Dictionnaire philosophique*,
article « Idoles », 1764).

tère de grandeur qui, d'un mot et d'un coup d'œil, faisait rentrer
dans l'abaissement du plus profond respect les téméraires qui
osaient s'en écarter. Je parlai en reine; mais je fus traitée en
demoiselle suivante. L'Hyrcanien, sans daigner seulement
150 m'adresser la parole, dit à son eunuque noir que j'étais une
impertinente, mais qu'il me trouvait jolie. Il lui ordonna d'avoir
soin de moi, et de me mettre au régime des favorites, afin de
me rafraîchir le teint et de me rendre plus digne de ses faveurs
pour le jour où il aurait la commodité de m'en honorer. Je lui
155 dis que je me tuerais; il répliqua en riant qu'on ne se tuait point,
qu'il était fait à ces façons-là, et me quitta comme un homme
qui vient de mettre un perroquet dans sa ménagerie[254]. Quel
état pour la première reine de l'univers, et, je dirai plus, pour
un cœur qui était à Zadig! » **(69)**
160   A ces paroles, il se jeta à ses genoux et les baigna de larmes.
Astarté le releva tendrement, et elle continua ainsi : « Je me
voyais au pouvoir d'un barbare et rivale d'une folle avec qui
j'étais renfermée. Elle me raconta son aventure d'Egypte. Je
jugeai par les traits dont elle vous peignait, par le temps, par le
165 dromadaire sur lequel vous étiez monté, par toutes les circonstances, que c'était Zadig qui avait combattu pour elle. Je ne
doutai pas que vous ne fussiez à Memphis; je pris la résolution
de m'y retirer. « Belle Missouf, lui dis-je, vous êtes beaucoup
« plus plaisante que moi, vous divertirez bien mieux que moi
170 « le prince d'Hyrcanie. Facilitez-moi les moyens de me sauver;
« vous régnerez seule, vous me rendrez heureuse en vous
« débarrassant d'une rivale. » Missouf concerta avec moi les
moyens de ma fuite. Je partis donc secrètement avec une
esclave égyptienne.

---

254. *Ménagerie.* « Dans les maisons des princes, on appelle *ménagerie*
le lieu où ils tiennent des animaux étranges et rares » (*Dictionnaire de l'Académie*, 1718).

QUESTIONS
---

69. Relevez les thèmes qui ressortissent au roman d'aventures. De
quelle façon et pourquoi l'auteur les signale-t-il au lecteur ? — Par quel
artifice les deux aventures d'Astarté et de Missouf sont-elles jointes,
et la trame de la fiction maintenue dans la cohérence ? Voyez-vous une
conséquence philosophique à l'affirmation romanesque d'un lien entre
des aventures apparemment sans rapport ? — Le portrait de Missouf
confirme-t-il celui que nous connaissions déjà ? Lui apporte-t-il des éléments nouveaux ? — Etudiez à travers le personnage de Moabdar
l'envahissement d'un être par la passion. Sur quel ton cette description
est-elle faite ? A quelle tradition se rattache-t-elle ? Distinguez-la de
celle qui a été entreprise au chapitre VIII.

175 « J'étais déjà près de l'Arabie, lorsqu'un fameux voleur, nommé Arbogad, m'enleva, et me vendit à des marchands qui m'ont amenée dans ce château, où demeure le seigneur Ogul. Il m'a achetée sans savoir qui j'étais. C'est un homme voluptueux qui ne cherche qu'à faire grande chère, et qui croit que
180 Dieu l'a mis au monde pour tenir table. Il est d'un embonpoint excessif, qui est toujours prêt à le suffoquer. Son médecin, qui n'a que peu de crédit auprès de lui quand il digère bien, le gouverne despotiquement quand il a trop mangé. Il lui a persuadé qu'il le guérirait avec un basilic cuit dans de l'eau rose[255]. Le
185 seigneur Ogul a promis sa main à celle de ses esclaves qui lui apporterait un basilic. Vous voyez que je les laisse s'empresser à mériter cet honneur, et je n'ai jamais eu moins d'envie de trouver ce basilic que depuis que le ciel a permis que je vous revisse. »
190 Alors Astarté et Zadig se dirent tout ce que des sentiments longtemps retenus, tout ce que leurs malheurs et leurs amours pouvaient inspirer aux cœurs les plus nobles et les plus passionnés; et les génies qui président à l'amour portèrent leurs paroles jusqu'à la sphère de Vénus. **(70)**
195 Les femmes rentrèrent chez Ogul sans avoir rien trouvé. Zadig se fit présenter à lui, et lui parla en ces termes : « Que la santé immortelle descende du ciel pour avoir soin de tous vos jours! Je suis médecin; j'ai accouru vers vous sur le bruit de votre maladie, et je vous ai apporté un basilic cuit dans de
200 l'eau rose. Ce n'est pas que je prétende vous épouser. Je ne vous demande que la liberté d'une jeune esclave de Babylone que vous avez depuis quelques jours; et je consens de rester en esclavage à sa place si je n'ai pas le bonheur de guérir le magnifique seigneur Ogul. »
205 La proposition fut acceptée, Astarté partit pour Babylone avec le domestique de Zadig, en lui promettant de lui envoyer incessamment un courrier pour l'instruire de tout ce qui se

---

255. *Eau rose* : voir note 244.

──────── ■ QUESTIONS ────────

70. Relevez le nouveau lien avec une aventure antérieure, celle d'Arbogad. Quel en est l'effet ? — Le portrait d'Ogul se poursuit : Astarté lui apporte-t-elle des éléments nouveaux ? — Le récit d'Astarté est-il émouvant ? L'auteur s'assigne-t-il ce but ? Montrez que Voltaire cherche surtout à être présent dans la fiction. Ne reconnaît-on pas sa voix à travers celle d'Astarté ?

serait passé. Leurs adieux furent aussi tendres que l'avait été leur reconnaissance. Le moment où l'on se retrouve et celui où l'on se sépare sont les deux plus grandes époques de la vie, comme dit le grand livre du *Zend*[256]. Zadig aimait la reine autant qu'il le jurait, et la reine aimait Zadig plus qu'elle ne lui disait.

Cependant Zadig parlait ainsi à Ogul[257] : « Seigneur, on ne mange point mon basilic[258], toute sa vertu doit entrer chez vous par les pores. Je l'ai mis dans un petit outre[259] bien enflé et couvert d'une peau fine : il faut que vous poussiez cet outre de toute votre force, et que je vous le renvoie à plusieurs reprises ; et en peu de jours de régime vous verrez ce que peut mon art. » Ogul, dès le premier jour, fut tout essoufflé, et crut qu'il mourrait de fatigue. Le second, il fut moins fatigué, et dormit mieux. En huit jours il recouvra toute la force, la santé, la légèreté et la gaieté de ses plus brillantes années. « Vous avez joué au ballon, et vous avez été sobre, lui dit Zadig : apprenez qu'il n'y a point de basilic dans la nature, qu'on se porte toujours bien avec de la sobriété et de l'exercice, et que l'art de faire subsister ensemble l'intempérance et la santé est un art aussi chimérique que la pierre philosophale[260], l'astrologie judiciaire[261] [et la théologie des mages[262]]. **(71)**

Le premier médecin d'Ogul, sentant combien cet homme était dangereux pour la médecine, s'unit avec l'apothicaire du corps[263] pour envoyer Zadig chercher des basilics dans l'autre monde. Ainsi, après avoir été toujours puni pour avoir bien

---

256. *Zend* (ou, plus exactement, *Zend-Avesta*) : grand livre où sont gardés les principes de la religion de Zoroastre. La sentence que Voltaire lui attribue est de pure fantaisie ; **257.** Voir note 243. L'anecdote est imitée de l'histoire du médecin Duban (*les Mille et Une Nuits*) ; **258.** Voir note 242 ; **259.** *Outre*. Le mot n'a été employé au féminin qu'à partir du XVIIIe siècle ; **260.** *Pierre philosophale* : pierre qui, dans la vieille alchimie, devait permettre de transformer tous les métaux en or ; **261.** *Astrologie judiciaire* : art qui se propose d'étudier le caractère et l'avenir d'un enfant d'après l'influence exercée à sa naissance par la situation des astres ; **262.** Mots ajoutés en 1756. Ils visent la théologie tout court ; **263.** Le corps des officiers.

———— QUESTIONS ————

71. Analysez le style employé par Zadig en expliquant sa particularité en fonction du destinataire. Quelle double leçon Zadig donne-t-il à Ogul ? Comment élève-t-il le débat au niveau philosophique ? Montrez qu'il affirme que l'espoir de découvrir le secret de faire des miracles et la prétention de lire dans les astres sont également chimériques. En opposition ne réhabilite-t-il pas l'homme ? Pouvez-vous justifier l'addition, en 1756 seulement, de la formule *la théologie des mages* (ligne 229) ?

fait, il était prêt de périr pour avoir guéri un seigneur gour-
235 mand. On l'invita à un excellent dîner. Il devait être empoi-
sonné au second service; mais il reçut un courrier de la belle
Astarté au premier. Il quitta la table, et partit. « Quand on
est aimé d'une belle femme, dit le grand Zoroastre, on se tire
toujours d'affaire dans ce monde. » **(72) (73)**

CHAPITRE XVII

LES COMBATS

La reine avait été reçue à Babylone avec les transports qu'on
a toujours pour une belle princesse qui a été malheureuse.
Babylone alors paraissait être plus tranquille. Le prince d'Hyrcanie[264] avait été tué dans un combat. Les Babyloniens, vain-
5 queurs, déclarèrent qu'Astarté épouserait celui qu'on choisirait
pour souverain. On ne voulut point que la première place du
monde, qui serait celle de mari d'Astarté et de roi de Babylone, dépendît des intrigues et des cabales. On jura de reconnaître pour roi le plus vaillant et le plus sage. Une grande
10 lice[265] bordée d'amphithéâtres[266] magnifiquement ornés fut formée à quelques lieues de la ville. Les combattants devaient s'y
rendre armés de toutes pièces. Chacun d'eux avait derrière les
amphithéâtres un appartement séparé où il ne devait être vu ni
connu de personne. Il fallait courir quatre lances[267]. Ceux qui

---

264. Voir note 98; 265. *Lice* : cirque. Dans tout ce passage, Voltaire imite
l'Arioste (*Roland furieux*, chap. XVII); 266. *Amphithéâtre* : lieu où sont
installés les spectateurs; 267. *Courir des lances* : se précipiter lance en avant.

━ QUESTIONS ━

72. Son action manque de coûter à Zadig la vie. D'où vient l'hostilité? Une telle attitude ne renforce-t-elle pas Zadig dans son rôle de
« champion »? Un hasard le fait échapper à la mort : comment inter-
préter ce fait?

73. SUR L'ENSEMBLE DU CHAPITRE XVI. — L'intrigue sentimentale,
suspendue depuis le chapitre VIII, revient sur le devant de la scène :
montrez qu'elle n'a jamais cessé de dominer le récit.

— Les retrouvailles sont-elles à la mesure de l'attente du lecteur?
Pourquoi?

— Comparez les destinées respectives de Zadig et d'Astarté.

— Dans une vue providentialiste de l'univers, quels peuvent être le
sens de la souffrance et en particulier, dans notre texte, celui de la mort
de Moabdar et des épreuves de Babylone?

— Le personnage de Zadig n'est-il pas proche d'atteindre sa pleine
réalité? A quoi le voyez-vous?

15 seraient assez heureux pour vaincre quatre chevaliers devraient
combattre ensuite les uns contre les autres ; de façon que celui
qui resterait le dernier maître du champ serait proclamé le
vainqueur des jeux. Il devait revenir quatre jours après, avec
les mêmes armes, et expliquer les énigmes proposées par les
20 mages. S'il n'expliquait point les énigmes, il n'était point roi,
et il fallait recommencer à courir les lances jusqu'à ce qu'on
trouvât un homme qui fût vainqueur dans ces deux combats ;
car on voulait absolument pour roi le plus vaillant et le plus
sage. La reine, pendant tout ce temps, devait être étroitement
25 gardée : on lui permettait seulement d'assister aux jeux, couverte d'un voile ; mais on ne souffrait pas qu'elle parlât à aucun
des prétendants, afin qu'il n'y eût ni faveur ni injustice. **(74)**

Voilà ce qu'Astarté faisait savoir à son amant, espérant qu'il
montrerait pour elle plus de valeur et d'esprit que personne.
30 Il partit, et pria Vénus de fortifier son courage et d'éclairer
son esprit. Il arriva sur le rivage de l'Euphrate la veille de ce
grand jour. Il fit inscrire sa devise[268] parmi celles des combattants, en cachant son visage et son nom, comme la loi l'ordon-
nait, et alla se reposer dans l'appartement qui lui échut par le
35 sort. Son ami Cador, qui était revenu à Babylone après l'avoir
inutilement cherché en Egypte, fit porter dans sa loge une
armure complète que la reine lui envoyait. Il lui fit amener
aussi de sa part le plus beau cheval de Perse. Zadig reconnut
Astarté à ces présents : son courage et son amour en prirent
40 de nouvelles forces et de nouvelles espérances.

Le lendemain, la reine étant venue se placer sous un dais
de pierreries, et les amphithéâtres étant remplis de toutes les
dames et de tous les ordres de Babylone, les combattants
parurent dans le cirque. Chacun d'eux vint mettre sa devise
45 aux pieds du grand mage. On tira au sort les devises ; celle
de Zadig fut la dernière. Le premier qui s'avança était un
seigneur très riche, nommé Itobad, fort vain, peu courageux,

---

268. *Devise* : figure emblématique peinte sur un bouclier, accompagnée
d'une courte sentence qui l'explique.

─────── **QUESTIONS** ───────

74. L'atmosphère qui règne en ce début de chapitre n'est-elle pas
inattendue ? Quelle sorte de rupture introduit-elle dans le récit ? Lui
donnez-vous une signification ? Quelles qualités les Babyloniens exigent-
ils de leur monarque ? Dans la façon qu'ils ont de le choisir ne voyez-vous
pas une légère satire contre certains régimes politiques ?

très maladroit, et sans esprit. Ses domestiques l'avaient persuadé qu'un homme comme lui devait être roi ; il leur avait
50 répondu : « Un homme comme moi[269] doit régner. » Ainsi on
l'avait armé de pied en cap. Il portait une armure d'or émaillée
de vert, un panache vert, une lance ornée de rubans verts[270].
On s'aperçut d'abord[271], à la manière dont Itobad gouvernait
son cheval, que ce n'était pas un homme comme lui à qui le
55 ciel réservait le sceptre de Babylone. Le premier cavalier qui
courut contre lui le désarçonna ; le second le renversa sur la
croupe de son cheval, les deux jambes en l'air et les bras étendus. Itobad se remit, mais de si mauvaise grâce que tout l'amphithéâtre se mit à rire. Un troisième ne daigna pas se servir de
60 sa lance ; mais, en lui faisant une passe[272], il le prit par la jambe
droite, et, lui faisant faire un demi-tour, il le fit tomber sur le
sable ; les écuyers des jeux accoururent à lui en riant et le
remirent en selle. Le quatrième combattant le prend par la
jambe gauche, et le fait tomber de l'autre côté. On le conduisit
65 avec des huées à sa loge, où il devait passer la nuit selon la loi ;
et il disait en marchant à peine[273] : « Quelle aventure pour un
homme comme moi ! » **(75)**

Les autres chevaliers s'acquittèrent mieux de leur devoir.
Il y en eut qui vainquirent deux combattants de suite ; quelques-
70 uns allèrent jusqu'à trois. Il n'y eut que le prince Otame qui en
vainquit quatre. Enfin Zadig combattit à son tour : il désarçonna quatre cavaliers de suite avec toute la grâce possible.
Il fallut donc voir qui serait vainqueur d'Otame ou de Zadig.
Le premier portait des armes bleues et or, avec un panache de
75 même ; celles de Zadig étaient blanches[274]. Tous les vœux se
partageaient entre le cavalier bleu et le cavalier blanc. La reine,

---

269. « En France est marquis qui veut, et quiconque arrive à Paris du fond
de sa province avec de l'argent à dépenser et un nom en *ac* ou en *ille,* peut
dire un homme comme moi, un homme de ma qualité et mépriser souverainement un négociant » (*Lettres philosophiques,* X, 1734) ; **270.** Couleur des
nouveaux chevaliers ; **271.** *D'abord :* dès l'abord ; **272.** Voir note 143 ; **273.** *À
peine :* voir note 229 ; **274.** Comme le cheval et les armes enchantées de Grifon
dans *Roland furieux* (chant XVII).

--- **QUESTIONS** ---

75. Appréciez l'art de la description dans ce passage. Y a-t-il des
indices qui permettent de savoir que la scène se passe en Orient ? Quel
est l'important pour le conteur ? Examinez les raisons pour lesquelles
l'auteur a fait commencer le tournoi par cette scène comique. — Itobad
ne renvoie-t-il pas par son caractère, ses propos et son maintien à un
personnage précédent ? Le thème de la vanité réapparaît ici avec force :
pourquoi lui avoir donné cette importance dans le conte ?

à qui le cœur palpitait, faisait des prières au ciel pour la couleur blanche.

Les deux champions firent des passes et des voltes avec tant
80 d'agilité, ils se donnèrent de si beaux coups de lance, ils étaient
si fermes sur leurs arçons, que tout le monde, hors la reine,
souhaitait qu'il y eût deux rois dans Babylone. Enfin, leurs
chevaux étant lassés, et leurs lances rompues, Zadig usa de cette
adresse : il passe derrière le prince bleu, s'élance sur la croupe
85 de son cheval, le prend par le milieu du corps, le jette à terre,
se met en selle à sa place et caracole[275] autour d'Otame étendu
sur la place. Tout l'amphithéâtre crie : « Victoire au cavalier
blanc ! » Otame, indigné, se relève, tire son épée ; Zadig
saute de cheval, le sabre à la main. Les voilà tous deux sur
90 l'arène, livrant un nouveau combat, où la force et l'agilité
triomphent tour à tour. Les plumes de leur casque, les clous
de leurs brassards, les mailles de leur armure sautent au loin
sous mille coups précipités. Ils frappent de pointe et de taille,
à droite, à gauche, sur la tête, sur la poitrine ; ils reculent, ils
95 avancent, ils se mesurent, ils se rejoignent, ils se saisissent, ils
se replient comme des serpents, ils s'attaquent comme des lions ;
le feu jaillit à tout moment des coups qu'ils se portent. Enfin
Zadig, ayant un moment repris ses esprits, s'arrête, fait une
feinte, passe sur Otame, le fait tomber, le désarme, et Otame
100 s'écrie : « Ô chevalier blanc ! c'est vous qui devez régner sur
Babylone. » La reine était au comble de la joie. On reconduisit
le chevalier bleu et le chevalier blanc chacun à sa loge, ainsi
que tous les autres, selon ce qui était porté par la loi. Des
muets vinrent les servir et leur apporter à manger. On peut
105 juger si le petit muet de la reine ne fut pas celui qui servit
Zadig. Ensuite on les laissa dormir seuls jusqu'au lendemain
matin, temps où le vainqueur devait apporter sa devise au
grand mage pour la confronter et se faire reconnaître. (76)

Zadig dormit, quoique amoureux, tant il était fatigué. Itobad,
110 qui était couché auprès de lui, ne dormit point[276]. Il se leva
pendant la nuit, entra dans la loge, prit les armes blanches de
Zadig avec sa devise, et mit son armure verte à la place. Le
point du jour étant venu, il alla fièrement au grand mage

---

275. *Caracoler* : faire exécuter à son cheval des mouvements en rond ;
276. Ainsi se comportent Grifon et Martan dans *Roland furieux*.

QUESTIONS

Questions 76, v. p. 131.

déclarer qu'un homme comme lui était vainqueur. On ne s'y
115 attendait pas ; mais il fut proclamé pendant que Zadig dormait
encore. Astarté, surprise et le désespoir dans le cœur s'en
retourna dans Babylone. Tout l'amphithéâtre était déjà presque
vide lorsque Zadig s'éveilla ; il chercha ses armes, et ne trouva
que cette armure verte. Il était obligé de s'en couvrir, n'ayant
120 rien autre chose auprès de lui. Etonné et indigné, il les endosse
avec fureur, il avance dans cet équipage.

Tout ce qui était encore sur l'amphithéâtre et dans le cirque
le reçut avec des huées. On l'entourait ; on lui insultait en face.
Jamais homme n'essuya des mortifications[277] si humiliantes.
125 La patience lui échappa ; il écarta à coup de sabre la populace
qui osait l'outrager ; mais il ne savait quel parti prendre. Il ne
pouvait voir la reine ; il ne pouvait réclamer l'armure blanche
qu'elle lui avait envoyée : c'eût été la compromettre ; ainsi,
tandis qu'elle était plongée dans la douleur, il était pénétré
130 de fureur et d'inquiétude. Il se promenait sur les bords de
l'Euphrate, persuadé que son étoile le destinait à être malheureux sans ressource, repassant dans son esprit toutes ses disgrâces, depuis l'aventure de la femme qui haïssait les borgnes
jusqu'à celle de son armure. « Voilà ce que c'est, disait-il, de
135 m'être éveillé trop tard ; si j'avais moins dormi, je serais roi de
Babylone, je posséderais Astarté. Les sciences, les mœurs, le
courage, n'ont donc jamais servi qu'à mon infortune. » Il lui
échappa enfin de murmurer contre la Providence, et il fut tenté
de croire que tout était gouverné par une destinée cruelle qui
140 opprimait les bons et qui faisait prospérer les chevaliers verts.
Un de ses chagrins était de porter cette armure verte qui lui avait
attiré tant de huées. Un marchand passa, il la lui vendit à vil
prix, et prit du marchand une robe et un bonnet long[278].
Dans cet équipage, il côtoyait l'Euphrate, rempli de

---

277. *Mortifications :* humiliations ; **278.** Costume oriental traditionnel,
composé de la gandoura et de la chéchia.

═══════ **QUESTIONS** ═══════

76. Etudiez l'aisance et la précision avec lesquelles Voltaire décrit le
combat (phases de l'action, enchaînement des événements, comportement des personnages, rythme des phrases, jeu des verbes et des nomi-
naux). Examinez en particulier les lignes 79 à 108. De quelles qualités
a fait preuve Zadig dans le combat ? Montrez que toute sa personnalité
se fait jour ici et se donne en spectacle. N'est-il pas déjà digne d'être
roi de Babylone ? S'agit-il seulement d'une victoire contre Otame ? Analysez les aspects symboliques du combat.

¹⁴⁵ désespoir, et accusant en secret la Providence, qui le persécutait toujours. **(77) (78)**

CHAPITRE XVIII

L'ERMITE²⁷⁹

Il rencontra en marchant un ermite dont la barbe blanche et vénérable lui descendait jusqu'à la ceinture. Il tenait en main un livre qu'il lisait attentivement. Zadig s'arrêta, et lui fit une profonde inclination²⁸⁰. L'ermite le salua d'un air si noble et si doux
⁵ que Zadig eut la curiosité de l'entretenir. Il lui demanda quel livre il lisait. « C'est le livre des destinées, dit l'ermite ; voulez-vous en lire quelque chose ? » Il mit le livre dans les mains de Zadig, qui, tout instruit qu'il était dans plusieurs langues, ne put déchiffrer un seul caractère du livre²⁸¹. Cela redoubla encore sa
¹⁰ curiosité. « Vous me paraissez bien chagrin, lui dit ce bon père.
— Hélas ! que j'en ai sujet ! dit Zadig. — Si vous permettez que je vous accompagne, repartit le vieillard, peut-être vous serai-je utile : j'ai quelquefois répandu des sentiments de consolation dans l'âme des malheureux. » Zadig se sentit du respect pour
¹⁵ l'air, pour la barbe et pour le livre de l'ermite. Il lui trouva dans la conversation des lumières supérieures. L'ermite parlait de la destinée, de la justice, de la morale, du souverain bien, de la

---

279. L'épisode suivant est inspiré d'une antique légende qui montre que l'homme est incapable de pénétrer les voies de la Providence. La source semble être un récit talmudique qu'Addison a rapporté dans son *Spectator* en 1711. Le conte fut repris bien des fois en des langues et des civilisations diverses. Le poète anglais Parnell lui donna une forme accomplie en 1721. C'est de ce dernier auteur que Voltaire semble surtout s'être inspiré (voir G. Ascoli, *op. cit.*, tome II, pages 136-151) ; **280.** *Inclination* : action de pencher la tête ou le corps en signe de respect ; **281.** On retrouve cette idée au chapitre VII de *Micromégas* (1752).

———— QUESTIONS ————

77. Ce coup de théâtre était-il prévisible ? En distinguez-vous le sens philosophique ? — Quelle idée traverse Zadig à ce moment ? Voit-il un sens à sa vie ? Lequel ? Montrez la nouveauté de cette pensée chez le personnage. Pourquoi repasse-t-il le cheminement de sa vie dans son esprit ? — Pour la première fois, il « murmure » contre la Providence ? À quelle étape de son évolution intellectuelle se trouve-t-il ? N'est-il pas temps que survienne l'ermite ?

78. SUR L'ENSEMBLE DU CHAPITRE XVII. — Etudiez dans ce chapitre le mouvement et la couleur du style de Voltaire. Comment le conteur est-il parvenu à faire rebondir l'intérêt du récit ?

— Cette dernière épreuve que réserve la Providence à Zadig n'est-elle pas la plus cruelle de toutes ? Comment réagit le héros ? Pourrait-il supporter d'être encore le jouet du destin ? La révolte qui s'affirme en son esprit n'est-elle pas, finalement, un appel à la Providence ?

faiblesse humaine, des vertus et des vices, avec une éloquence si
vive et si touchante que Zadig se sentit entraîné vers lui par un
20 charme invincible. Il le pria avec insistance de ne le point quitter
jusqu'à ce qu'ils fussent de retour à Babylone. « Je vous
demande moi-même cette grâce, lui dit le vieillard ; jurez-moi
par Orosmade[282] que vous ne vous séparerez point de moi d'ici
à quelques jours, quelque chose que je fasse. » Zadig jura et ils
25 partirent ensemble. **(79)**

Les deux voyageurs arrivèrent le soir à un château superbe.
L'ermite demanda l'hospitalité pour lui et pour le jeune homme
qui l'accompagnait. Le portier, qu'on aurait pris pour un grand
seigneur, les introduisit avec une espèce de bonté dédaigneuse.
30 On les présenta à un principal domestique, qui leur fit voir les
appartements magnifiques du maître. Ils furent admis à sa
table, au bas bout, sans que le seigneur du château les honorât
d'un regard ; mais ils furent servis comme les autres, avec délicatesse[283] et profusion. On leur donna ensuite à laver dans un
35 bassin d'or garni d'émeraudes et de rubis. On les mena coucher
dans un bel appartement, et le lendemain matin un domestique
leur apporta à chacun une pièce d'or, après quoi on les
congédia.

« Le maître de la maison, dit Zadig en chemin, me paraît
40 être un homme généreux, quoique un peu fier ; il exerce noble-
ment l'hospitalité. » En disant ces paroles, il aperçut qu'une
espèce de poche très large que portait l'ermite paraissait tendue
et enflée : il y vit le bassin d'or garni de pierreries, que celui-ci
avait volé. Il n'osa d'abord en rien témoigner ; mais il était dans
45 une étrange surprise. **(80)**

---

282. Voir note 75, page 71 ; **283.** *Délicatesse :* raffinement.

——— QUESTIONS ———

79. La rencontre de l'ermite est-elle une surprise ? Le surgissement
du mystère n'était-il pas appelé par l'impasse dans laquelle se trouvait
le héros par sa révolte contre la Providence ? — Pourquoi Zadig se
sent-il du *respect* pour l'ermite et trouve-t-il à sa conversation des
lumières supérieures et à sa présence un *charme invincible ?* — Montrez
que Voltaire, fidèle à sa méthode de narration philosophique, refuse
de laisser tout pouvoir à la fiction, qu'il met en doute l'atmosphère de
mystère et désamorce par avance le pathétique en intervenant dans le
récit au moyen de l'humour et de l'ironie. — La mention d'Orosmade
(ligne 23) relève-t-elle seulement de la couleur orientale ?

80. Etudiez l'emploi du pronom personnel indéfini *on.* Indiquez quels
sont les éléments qui rendent la soirée étrange. — Comment apparaît le
comportement de l'ermite ? Quel est l'effet du silence de ce dernier dans
le récit ? Pourquoi Zadig n'ose-t-il rien dire ?

Vers le midi l'ermite se présenta à la porte d'une maison très petite où logeait un riche avare; il y demanda l'hospitalité pour quelques heures. Un vieux valet mal habillé le reçut d'un ton rude, et fit entrer l'ermite et Zadig dans l'écurie, où on
50 leur donna quelques olives pourries, de mauvais pain et de la bière gâtée. L'ermite but et mangea d'un air aussi content que la veille[284]; puis, s'adressant à ce vieux valet, qui les observait tous deux pour voir s'ils ne volaient rien et qui les pressait de partir, il lui donna les deux pièces d'or qu'il avait reçues le
55 matin et le remercia de toutes ses attentions. « Je vous prie, ajouta-t-il, faites-moi parler à votre maître. » Le valet, étonné, introduisit les deux voyageurs : « Magnifique[285] seigneur, dit l'ermite, je ne puis que vous rendre de très humbles grâces de la manière noble dont vous nous avez reçus : daignez accepter ce
60 bassin d'or comme un faible gage de ma reconnaissance. » L'avare fut près de tomber à la renverse. L'ermite ne lui donna pas le temps de revenir de son saisissement; il partit au plus vite avec son jeune voyageur. « Mon père, lui dit Zadig, qu'est-ce que tout ce que je vois? Vous ne me paraissez res-
65 sembler en rien aux autres hommes : vous volez un bassin d'or garni de pierreries à un seigneur qui vous reçoit magnifique-ment, et vous le donnez à un avare qui vous traite avec indignité. — Mon fils, répondit le vieillard, cet homme magni-fique, qui ne reçoit les étrangers que par vanité et pour faire
70 admirer ses richesses, deviendra plus sage; l'avare apprendra à exercer l'hospitalité : ne vous étonnez de rien, et suivez-moi. » Zadig ne savait encore s'il avait affaire au plus fou ou au plus sage de tous les hommes; mais l'ermite parlait avec tant d'ascendant[286] que Zadig, lié d'ailleurs par son serment, ne put
75 s'empêcher de le suivre. **(81)**

Ils arrivèrent le soir à une maison agréablement bâtie, mais

---

284. On leur donna ensuite l'eau et le linge nécessaires pour se laver; **285.** *Magnifique :* « qui se plaît à faire de grandes et éclatantes dépenses » (Dictionnaire de l'Académie, 1794); **286.** La conversation avec le mauvais hôte ne se trouve pas chez Parnell, mais dans le conte du Moyen Age de *l'Ermite qui s'accompagna à l'ange* (Gaston Paris, *Poésie au Moyen Âge,* 1903).

────── **QUESTIONS** ──────

81. Faites l'étude du contraste avec le précédent épisode au niveau du temps, du lieu, de la situation, des personnages et du matériel du récit (voyez en particulier le rythme des phrases et les adjectifs). Quel en est l'effet? le sens? — Pourquoi, cette fois, Zadig se détermine-t-il à parler? L'attitude du vieillard s'explique-t-elle? Comment celui-ci appa-raît-il désormais? Le mystère s'éclaircit-il ou, au contraire, s'est-il accru?

simple, où rien ne sentait ni la prodigalité ni l'avarice. Le
maître était un philosophe retiré du monde, qui cultivait en
paix la sagesse et la vertu, [et qui cependant ne s'ennuyait
80 pas[287]]. Il s'était plu à bâtir cette retraite, dans laquelle il recevait les étrangers avec une noblesse qui n'avait rien de l'osten-
tation. Il alla lui-même au-devant des deux voyageurs, qu'il fit
reposer d'abord dans un appartement commode. Quelque temps
après, il les vint prendre lui-même pour les inviter à un repas
85 propre[288] et bien entendu[289], pendant lequel il parla avec discrétion des dernières révolutions de Babylone. Il parut sincè-
rement attaché à la reine, et souhaita que Zadig eût paru dans
la lice pour disputer la couronne. « Mais les hommes,
ajouta-t-il, ne méritent pas d'avoir un roi comme Zadig. »
90 Celui-ci rougissait et sentait redoubler ses douleurs. On convint
dans la conversation que les choses de ce monde n'allaient pas
toujours au gré des plus sages. L'ermite soutint toujours qu'on
ne connaissait pas les voies de la Providence, et que les hommes
avaient tort de juger d'un tout dont ils n'apercevaient que la
95 plus petite partie[290].

On parla des passions[291]. « Ah! qu'elles sont funestes! disait
Zadig. — Ce sont les vents qui enflent les voiles du vaisseau,
repartit l'ermite : elles le submergent quelquefois; mais sans
elles il ne pourrait voguer. La bile rend colère et malade; mais
100 sans la bile l'homme ne saurait vivre. Tout est dangereux ici-bas,
et tout est nécessaire. »

[On parla du plaisir, et l'ermite prouva que c'est un présent
de la Divinité : « Car, dit-il, l'homme ne peut se donner ni
sensations ni idées, il reçoit tout; la peine et le plaisir lui
105 viennent d'ailleurs, comme son être[292]. »

Zadig admirait comment un homme qui avait fait des choses
si extravagantes pouvait raisonner si bien[293].] Enfin, après un
entretien aussi instructif qu'agréable, l'hôte reconduisit ses deux
voyageurs dans leur appartement, en bénissant le ciel qui lui
110 avait envoyé deux hommes si sages et si vertueux. Il leur
offrit de l'argent d'une manière aisée et noble qui ne pouvait

---

287. Addition de 1756; **288.** *Propre :* approprié, bon; **289.** *Entendu :* composé
avec l'intelligence; **290.** Idée maîtresse de Leibniz; **291.** L'apologie des passions
et du plaisir participe d'un courant d'idées qui trouve son origine chez les
philosophes anglais, en particulier Locke (voir Notice, page 55 et Documentation thématique, pages 155-157); **292.** Doctrine de Malebranche, que l'on trouve
exprimée dans *la Recherche de la vérité* (1674). Voltaire subit son influence;
son déisme en est fortement imprégné; **293.** Ce passage a été ajouté en 1748.

déplaire. L'ermite le refusa, et lui dit qu'il prenait congé de lui,
comptant partir pour Babylone avant le jour. Leur séparation
fut tendre; Zadig surtout se sentait plein d'estime et d'incli-
115 nation pour un homme si aimable.

Quand l'ermite et lui furent dans leur appartement, ils
firent longtemps l'éloge de leur hôte. Le vieillard au point du
jour éveilla son camarade. « Il faut partir, dit-il; mais, tandis
que tout le monde dort encore, je veux laisser à cet homme un
120 témoignage de mon estime et de mon affection. » En disant ces
mots, il prit un flambeau, et mit le feu à la maison. Zadig,
épouvanté, jeta des cris, et voulut l'empêcher de commettre
une action si affreuse[294]. L'ermite l'entraînait par une force
supérieure; la maison était enflammée. L'ermite, qui était déjà
125 assez loin avec son compagnon, la regardait brûler tranquillement. « Dieu merci! dit-il, voilà la maison de mon cher hôte
détruite de fond en comble! L'heureux homme! » A ces mots
Zadig fut tenté à la fois d'éclater de rire, de dire des injures au
révérend père, de le battre, et de s'enfuir, mais il ne fit rien de
130 tout cela, et, toujours subjugué par l'ascendant de l'ermite, il
le suivit malgré lui à la dernière couchée[295]. **(82)**

Ce fut chez une veuve charitable et vertueuse qui avait un
neveu de quatorze ans, plein d'agréments et son unique espérance. Elle fit du mieux qu'elle put les honneurs de sa maison.
135 Le lendemain, elle ordonna à son neveu d'accompagner les
voyageurs jusqu'à un pont qui, étant rompu depuis peu, était

---

294. Variante de l'édition de 1747 : « L'ermite le prend par le bras et l'entraîne malgré lui : « Vous avez fait serment de me suivre : il faut que vous
me suiviez; vous n'avez pas d'autre parti à prendre. » Les reproches de la
colère ne servirent de rien à Memnon. » Au lieu de : « Dieu merci! dit-il...
L'heureux homme ! » Les éditions de 1747 et de 1748 précisaient : « Voilà
un homme très heureux, disait-il; il va trouver sous les ruines de sa maison
un trésor immense qui le mettra pour toute sa vie en état d'exercer ses
vertus »; 295. *Couchée* : « gîte, lieu où l'on couche, particulièrement en
voyage » (Dictionnaire de Furetière, 1690).

QUESTIONS

82. A quel autre personnage le philosophe s'oppose-t-il ? Pour quelles
raisons Voltaire l'a-t-il présenté dans sa vie quotidienne avant de lui
laisser exposer ses idées ? Sa façon de vivre et de recevoir ne repré-
sente-t-elle pas un idéal de civilisation que préconisait Voltaire ?
Essayez de la définir, en vous souvenant du *Mondain* (1736). Quelles
sont les idées du philosophe ? — L'ermite a un comportement différent :
lequel et pourquoi? Relevez les idées philosophiques qu'il défend. En
vous aidant des notes déterminez à quels courants d'idées contemporaines elles se rattachent. Ce personnage n'apparaît-il pas dès à présent
comme le porte-parole de Voltaire ? — Expliquez le sens de l'éclat de
rire de Zadig et sa tentation de s'enfuir.

devenu un passage dangereux. Le jeune homme, empressé, marche au-devant d'eux. Quand ils furent sur le pont : « Venez, dit l'ermite au jeune homme, il faut que je marque ma reconnaissance à votre tante. » Il le prend alors par les cheveux et le jette dans la rivière. L'enfant tombe, reparaît un moment sur l'eau, et est engouffré dans le torrent. « Ô monstre ! ô le plus scélérat de tous les hommes ! s'écria Zadig. — Vous m'aviez promis plus de patience, lui dit l'ermite en l'interrompant : apprenez que, sous les ruines de cette maison où la Providence a mis le feu, le maître a trouvé un trésor immense ; apprenez que ce jeune homme, dont la Providence a tordu le cou, aurait assassiné sa tante dans un an, et vous dans deux. — Qui te l'a dit, barbare ? cria Zadig ; et quand tu aurais lu cet événement dans ton livre des destinées, t'est-il permis de noyer un enfant qui ne t'a point fait de mal ? » **(83)**

Tandis que le Babylonien parlait, il aperçut que le vieillard n'avait plus de barbe, que son visage prenait les traits de la jeunesse. Son habit d'ermite disparut ; quatre belles ailes couvraient un corps majestueux et resplendissant de lumière. « Ô envoyé du ciel ! ô ange divin[296] ! s'écria Zadig en se prosternant, tu es donc descendu de l'empyrée[297] pour apprendre à un faible mortel à se soumettre aux ordres éternels ? — Les hommes, dit l'ange Jesrad[298], jugent de tout sans rien connaître : tu étais celui de tous les hommes qui méritait le plus d'être éclairé. » Zadig lui demanda la permission de parler[299]. « Je me défie de moi-même, dit-il ; mais oserai-je te prier de m'éclaircir un doute : ne vaudrait-il pas mieux avoir corrigé cet enfant, et l'avoir rendu vertueux, que de le noyer ? » Jesrad reprit : « S'il

---

296. Voltaire pensait que la croyance aux anges était d'origine chaldéenne ; 297. *Empyrée :* partie la plus élevée du ciel, la plus proche de la lumière céleste. Elle était habitée par les dieux et les bienheureux. 298. *Jesrad. Yezd-Dad* signifierait « Dieudonné » dans la langue ancienne des Perses ; *Yezd* désigne le dieu tout-puissant ; 299. « Dans tous les récits antérieurs, dans le *Koran*, le récit latin des *Vitae Patrum*, l'histoire de *l'Ermite qui s'accompagna à l'ange*, chez le comte de Permission, chez Parnell, l'homme instruit par l'ange adore et se tait. Seul Zadig, fils de Voltaire, va discuter » (G. Ascoli, *op. cit.*, tome II, page 159).

— QUESTIONS ——————

83. Cet épisode est le plus dramatique : pour quelles raisons ? — Vous démontrerez que tout y est conçu pour accentuer l'horreur du dénouement. — Comment interprétez-vous la proposition *ce jeune homme, dont la Providence a tordu le cou* (ligne 147) ? Une certaine conception de la Providence n'y est-elle pas mise en cause ? La raison et la sensibilité ne se révoltent-elles pas en Zadig ? Montrez que son indignation violente est attendue par le lecteur. N'atteint-on pas à un paroxysme ?

165 avait été vertueux, et s'il eût vécu, son destin était d'être assassiné lui-même avec la femme qu'il devait épouser, et le fils qui devait naître. — Mais quoi! dit Zadig, il est donc nécessaire qu'il y ait des crimes et des malheurs, et les malheurs tombent sur les gens de bien? — Les méchants, répondit Jesrad, sont
170 toujours malheureux : ils servent à éprouver un petit nombre de justes répandus sur la terre, et il n'y a point de mal dont il ne naisse un bien[300]. — Mais, dit Zadig, s'il n'y avait que du bien, et point de mal? — Alors, reprit Jesrad, cette terre serait une autre terre; l'enchaînement des événements serait un autre
175 ordre de sagesse; et cet autre ordre, qui serait parfait, ne peut être que dans la demeure éternelle de l'Etre suprême, de qui le mal ne peut approcher. Il a créé des millions de mondes dont aucun ne peut ressembler à l'autre. Cette immense variété est un attribut de sa puissance immense. Il n'y a ni deux feuilles
180 d'arbre sur la terre, ni deux globes dans les champs infinis du ciel, qui soient semblables; et tout ce que tu vois sur le petit atome où tu es né devait être dans sa place et dans son temps fixe, selon les ordres immuables de celui qui embrasse tout[301]. Les hommes pensent que cet enfant qui vient de périr est
185 tombé dans l'eau par hasard, que c'est par un même hasard que cette maison est brûlée; mais il n'y a point de hasard : tout est épreuve, ou punition, ou récompense, ou prévoyance. Souviens-toi de ce pêcheur qui se croyait le plus malheureux de tous les hommes. Orosmade t'a envoyé pour changer sa des-
190 tinée. Faible mortel, cesse de disputer[302] contre ce qu'il faut adorer. — Mais[303], dit Zadig... » Comme il disait *Mais*, l'ange prenait déjà son vol vers la dixième sphère[304]. Zadig, à genoux, adora la Providence, et se soumit. L'ange lui cria du haut des airs : « Prends ton chemin vers Babylone. » **(84) (85)**

---

300. Principe leibnizien (voir Notice, page 55, et Documentation thématique, pages 155-159); 301. « Tout événement présent est né du passé et père du futur, sans quoi cet univers serait absolument un autre univers, comme le dit si bien Leibniz, qui a deviné plus juste en cela que dans son harmonie préétablie » (Voltaire, *Il faut prendre un parti*, 1772); 302. *Disputer :* voir note 186; 303. « [...] il ne faut surtout pas chercher le pourquoi, ni même le comment des choses. Le dernier *mais* de Zadig, celui qui fait s'enfuir l'ange détenteur de la vérité, avait sans doute cette prétention déplacée » (J. Van den Heuvel, *op. cit.*, page 178); 304. Dans le système de Ptolémée (IIe siècle apr. J.-C.), la terre était entourée de neuf sphères concentriques où se mouvaient les différents astres. La dixième sphère était le séjour des bienheureux.

━━━━━ QUESTIONS ━━━━━

Questions 84 et 85, v. p. 139.

CHAPITRE XIX

LES ÉNIGMES[305]

Zadig, hors de lui-même et comme un homme auprès de qui est tombé le tonnerre, marchait au hasard. Il entra dans Babylone le jour où ceux qui avaient combattu dans la lice étaient déjà rassemblés dans le grand vestibule du palais pour expli-
5 quer les énigmes, et pour répondre aux questions du grand mage. Tous les chevaliers étaient arrivés, excepté l'armure verte. Dès que Zadig parut dans la ville, le peuple s'assembla autour de lui; les yeux ne se rassasiaient point de le voir, les bouches de le bénir, les cœurs de lui souhaiter l'empire. L'en-
10 vieux le vit passer, frémit, et se détourna; le peuple le porta jusqu'au lieu de l'assemblée. La reine, à qui on apprit son arrivée, fut en proie à l'agitation de la crainte et de l'espérance; l'inquiétude la dévorait : elle ne pouvait comprendre ni pourquoi Zadig était sans armes, ni comment Itobad portait
15 l'armure blanche. Un murmure confus s'éleva à la vue de Zadig. On était surpris et charmé de le revoir; mais il n'était permis qu'aux chevaliers qui avaient combattu de paraître dans l'assemblée. (86)

---

305. Le jeu des énigmes est dans le goût oriental. Il était également très apprécié par la société mondaine des XVIIᵉ et XVIIIᵉ siècles.

━━━ QUESTIONS ━━━

84. Expliquez pourquoi l'intervention du surnaturel devenait nécessaire. Zadig se prosterne, mais sa raison se soumet-elle ? Etudiez à ce propos l'importance des quatre *mais* qu'il avance. En vous aidant des notes et de la Documentation thématique, montrez que l'ange Jesrad est le porte-parole de Leibniz et de Pope.

85. SUR L'ENSEMBLE DU CHAPITRE XVIII. — Montrez l'originalité et l'indépendance de Voltaire par rapport à ses sources. Examinez en particulier comment il a su tirer un parti personnel de la fiction orientale.

— Peut-on dire que ce chapitre constitue le véritable dénouement de *Zadig ?* Pourquoi Voltaire en a-t-il fait l'avant-dernier du conte ?

— Essayez de déterminer la position et l'intention de Voltaire dans ce chapitre bilan. Croit-il à un ordre du monde ? Quelle est sa situation par rapport à l'optimisme de Leibniz ? à l'optimisme chrétien ? De quelle façon le mal se trouve-t-il réintégré dans l'ordre de l'univers ? Faites la preuve que la toute-puissance de la Providence et sa bonté sont conciliées, et qu'un bonheur relatif est ainsi rendu possible. Pourtant la tentation de l'absurde n'effleure-t-elle pas Zadig ? Comment est-elle jugulée ? Par un sursaut de la raison pure ? Par un acte de foi ? Par les deux ? Interprétez le *Mais* final de Zadig et l'envol muet de l'ange Jesrad.

86. Quel semble être l'état d'esprit du personnage à son arrivée à Babylone ? Comment celui-ci apparaît-il au milieu de sa ville ?

« J'ai combattu comme un autre, dit-il ; mais un autre porte
20 ici mes armes ; et, en attendant que j'aie l'honneur de le prouver, je demande la permission de me présenter pour expliquer
les énigmes. » On alla aux voix[306] : sa réputation de probité
était encore si fortement imprimée dans les esprits qu'on ne
balança[307] pas à l'admettre.

25   Le grand mage proposa d'abord cette question :
« Quelle est de toutes les choses du monde la plus longue
et la plus courte, la plus prompte et la plus lente, la plus divi-
sible et la plus étendue, la plus négligée et la plus regrettée,
sans qui rien ne se peut faire, qui dévore tout ce qui est petit,
30 et qui vivifie tout ce qui est grand ? »
C'était à Itobad à parler. Il répondit qu'un homme comme
lui n'entendait rien aux énigmes, et qu'il suffisait d'avoir
vaincu à grands coups de lance. Les uns dirent que le mot de
l'énigme était la fortune, d'autres la terre, d'autres la lumière.
35 Zadig dit que c'était le temps. « Rien n'est plus long, ajouta-t-il,
puisqu'il est la mesure de l'éternité ; rien n'est plus court,
puisqu'il manque à tous nos projets ; rien n'est plus lent pour
qui attend ; rien de plus rapide pour qui jouit ; il s'étend
jusqu'à l'infini en grand ; il se divise jusque dans l'infini en
40 petit ; tous les hommes le négligent, tous en regrettent la perte ;
rien ne se fait sans lui ; il fait oublier tout ce qui est indigne
de la postérité, et il immortalise les grandes choses. » L'assemblée convint que Zadig avait raison.
[On demanda ensuite : « Quelle est la chose qu'on reçoit
45 sans remercier, dont on jouit sans savoir comment, qu'on
donne aux autres quand on ne sait où l'on en est, et qu'on
perd sans s'en apercevoir ? »
Chacun dit son mot. Zadig devina seul que c'était la vie[308].]
Il expliqua toutes les autres énigmes avec la même facilité.
50 Itobad disait toujours que rien n'était plus aisé, et qu'il en
serait venu à bout tout aussi facilement s'il avait voulu s'en
donner la peine. On proposa des questions sur la justice, sur le
souverain bien, sur l'art de régner. Les réponses de Zadig furent
jugées les plus solides. « C'est bien dommage, disait-on, qu'un
55 si bon esprit soit un si mauvais cavalier. » (87)

---

306. *Aller aux voix* : voir note 106 ; **307.** *Balancer* : être en suspens, incertain, hésitant ; **308.** Addition de 1748.

───────── **QUESTIONS** ─────────

Questions 87, v. p. 141.

— Illustres seigneurs, dit Zadig, j'ai eu l'honneur de vaincre dans la lice. C'est à moi qu'appartient l'armure blanche. Le seigneur Itobad s'en empara pendant mon sommeil : il jugea apparemment qu'elle lui siérait mieux que la verte. Je suis
50 prêt de[309] lui prouver d'abord devant vous, avec ma robe et mon épée, contre toute cette belle armure blanche qu'il m'a prise, que c'est moi qui ai eu l'honneur de vaincre le brave Otame. »

Itobad accepta le défi avec la plus grande confiance. Il ne
65 doutait pas qu'étant casqué, cuirassé, brassardé[310], il ne vînt aisément à bout d'un champion en bonnet de nuit et en robe de chambre. Zadig tira son épée, en saluant la reine, qui le regardait, pénétrée de joie et de crainte. Itobad tira la sienne, en ne saluant personne. Il s'avança sur Zadig comme un homme
70 qui n'avait rien à craindre. Il était prêt à lui fendre la tête. Zadig sut parer le coup, en opposant ce qu'on appelle le fort de l'épée au faible[311] de son adversaire, de façon que l'épée d'Itobad se rompit. Alors Zadig, saisissant son ennemi au corps, le renversa par terre ; et, lui portant la pointe de son épée au
75 défaut de la cuirasse : « Laissez-vous désarmer, dit-il, ou je vous tue. » Itobad, toujours surpris des disgrâces qui arrivaient à un homme comme lui, laissa faire Zadig, qui lui ôta paisiblement son magnifique casque, sa superbe cuirasse, ses beaux brassards, ses brillants cuissards[312], s'en revêtit, et courut,
80 dans cet équipage, se jeter aux genoux d'Astarté. Cador prouva aisément que l'armure appartenait à Zadig. Il fut reconnu roi d'un consentement unanime, et surtout de celui d'Astarté, qui goûtait, après tant d'adversités, la douceur de voir son amant digne aux yeux de l'univers d'être son époux. Itobad alla se

---

309. *Prêt de :* voir note 178 ; **310.** *Brassardé :* armé de brassards ; le brassard était la partie de l'armure qui couvrait le bras ; **311.** Le *fort de l'épée* est le premier tiers de la lame en partant de la garde ; le *faible* est le dernier tiers ; **312.** *Cuissard :* partie de l'armure qui couvrait les cuisses de l'homme d'armes.

--- **QUESTIONS** ---

87. Pourquoi le conteur ne cite-t-il que les deux énigmes relatives au temps et à la vie ? Ne sont-elles pas comme le résumé des expériences du personnage et d'une sagesse qui a trouvé sa confirmation dans les épreuves ? Est-ce un hasard s'il y répond avec autant d'aisance ? — Analysez l'art avec lequel Voltaire conte ce tournoi intellectuel. Comment rend-il ridicule Itobad ? Ne fait-il pas la partie trop belle à Zadig ou n'est-ce qu'une des expressions du combat de la lumière contre l'ombre, de la civilisation contre l'obscurantisme ?

85 faire appeler monseigneur dans sa maison **(88)**. Zadig fut roi, et fut heureux. Il avait présent à l'esprit ce que lui avait dit l'ange Jesrad. Il se souvenait même du grain de sable devenu diamant. La reine et lui adorèrent la Providence. Zadig laissa la belle capricieuse Missouf courir le monde. Il envoya
90 chercher le brigand Arbogad, auquel il donna un grade honorable dans son armée, avec promesse de l'avancer aux premières dignités s'il se comportait en vrai guerrier, et de le faire pendre s'il faisait le métier de brigand.

Sétoc fut appelé du fond de l'Arabie, avec la belle Almona,
95 pour être à la tête du commerce de Babylone. Cador fut placé et chéri selon ses services ; [il fut l'ami du roi, et le roi fut alors le seul monarque de la terre qui eût un ami. Le petit muet ne fut pas oublié. On donna une belle maison au pêcheur. Orcan fut condamné à lui payer une grosse somme et à lui rendre sa
100 femme ; mais le pêcheur, devenu sage, ne prit que l'argent[313].]

Ni la belle Sémire ne se consolait d'avoir cru que Zadig serait borgne, ni Azora ne cessait de pleurer d'avoir voulu lui couper le nez. Il adoucit leurs douleurs par des présents. L'envieux mourut de rage et de honte. L'empire jouit de la paix, de
105 la gloire et de l'abondance ; ce fut le plus beau siècle de la terre : elle était gouvernée par la justice et par l'amour. On bénissait Zadig, et Zadig bénissait le ciel[314]. **(89) (90)**

---

313. Addition de 1748 ; 314. « C'est ici que finit le manuscrit qu'on a retrouvé de l'histoire de Zadig. On sait qu'il a essuyé bien d'autres aventures qui ont été fidèlement écrites. On prie messieurs les interprètes des langues orientales de les communiquer si elles parviennent jusqu'à eux » (Note de Voltaire).

■ QUESTIONS ■

88. Faites l'étude précise de l'humour contenu dans la phrase *Itobad accepta le défi avec la plus grande confiance* (ligne 64). — Appréciez l'art de Voltaire peintre de combat et rapprochez ce passage des lignes 79-108 du chapitre XVII. — Etudiez Itobad personnage de comédie. Le comportement des deux hommes au combat n'est-il pas le reflet de leurs caractères et même de leurs idéologies ? Quels défauts humains Voltaire blâme-t-il en Itobad ? Pourquoi choisit-il de le ridiculiser ?

89. Indiquez le sens de la récapitulation rapide par Zadig de son itinéraire spirituel ? Comment interprétez-vous le rappel en ce final des personnages du conte ? En quoi chacun d'entre eux est-il la preuve des affirmations de l'ange Jesrad et l'exemple du sens optimiste de la destinée humaine ?

90. SUR L'ENSEMBLE DU CHAPITRE XIX. — Expliquez de quelle façon la structure du roman conduit d'une manière progressive à cet ultime chapitre.

(Suite, v. p. 143.)

Les deux chapitres qui suivent furent vraisemblablement écrits par Voltaire à Berlin. Pour les raisons que nous ignorons, l'auteur ne les inséra jamais dans le conte. Ils furent publiés pour la première fois dans l'édition posthume de Kehl (1785), où ils étaient numérotés XIV et XV.

LA DANSE[315]

Sétoc devait aller, pour les affaires de son commerce, dans l'île de Serendib[316]; mais le premier mois de son mariage, qui est, comme on sait, la lune du miel, ne lui permettait ni de quitter sa femme, ni de croire qu'il pût jamais la quitter : il
5 pria son ami Zadig de faire pour lui le voyage. « Hélas! disait Zadig, faut-il que je mette encore un plus vaste espace entre la belle Astarté et moi? Mais il faut servir mes bienfaiteurs. » Il dit, il pleura, et il partit.

Il ne fut pas longtemps dans l'île de Serendib sans y être
10 regardé comme une homme extraordinaire. Il devint l'arbitre de tous les différends entre les négociants, l'ami des sages, le conseil du petit nombre de gens qui prennent conseil[317]. Le roi voulut le voir et l'entendre. Il connut bientôt tout ce que valait Zadig; il eut confiance en sa sagesse, et en fit son ami. La
15 familiarité et l'estime du roi fit[318] trembler Zadig. Il était nuit et jour pénétré du malheur que lui avaient attiré les bontés de Moabdar. « Je plais au roi, disait-il; ne serais-je pas perdu? » Cependant il ne pouvait se dérober aux caresses de Sa Majesté : car il faut avouer que Nabussan[319], roi de Serendib, fils de

315. Sur les problèmes divers que posent ces deux chapitres, on consultera G. Ascoli (édition critique, tome I, pages XIX-XXII); 316. On parle souvent de *Serendib* dans *les Mille et Une Nuits*. Il s'agit de « l'île la plus fameuse de la mer qu'on appelle océan Indique cu Oriental; cette île est la même que celle de Ceylan ou Zeilan » (d'Herbelot); 317. *Conseil :* cc nseiller; 318. Accord avec le sujet le plus rapproché. Cette possibilité, couramment utilisée par la langue classique, perd son usage au XVIIIe siècle. Elle est d'emploi plus fréquent chez Voltaire; 319. *Nabussan :* nom de fantaisie à touche orientale, peut-être suggéré par Nabuchodonosor, fils de Nabonassar.

──────── QUESTIONS ────────

— La conclusion du conte est-elle seulement religieuse? Déterminez-en l'aspect politique. Comment l'action des hommes relaie-t-elle celle de la Providence? Existe-t-il même une sorte de collaboration entre les hommes et la Providence? En songeant à la conception que se fait Voltaire du despote éclairé, demandez-vous quelle image du « bon roi » nous offre ce chapitre.

— Cette fin vous semble-t-elle refléter la pensée de Voltaire ou être l'expression de sa foi?

20 Nussanab, fils de Nabassun, fils de Sanbusna[320], était un des
meilleurs princes de l'Asie, et que, quand on lui parlait, il était
difficile de ne le pas aimer. **(91)**

Ce bon prince était toujours loué, trompé, et volé : c'était à
qui pillerait ses trésors. Le receveur général de l'île de Serendib
25 donnait toujours cet exemple, fidèlement suivi par les autres.
Le roi le savait : il avait changé de trésorier plusieurs fois ;
mais il n'avait pu changer la mode établie de partager les revenus
du roi en deux moitiés inégales, dont la plus petite revenait toujours à Sa Majesté, et la plus grosse aux administrateurs.

30 Le roi Nabussan confia sa peine au sage Zadig. « Vous qui
savez tant de belles choses, lui dit-il, ne sauriez-vous point le
moyen de me faire trouver un trésorier qui ne me vole point ?
— Assurément, répondit Zadig, je sais une façon infaillible de
vous donner un homme qui ait les mains nettes. » Le roi,
35 charmé, lui demanda en l'embrassant comment il fallait s'y
prendre. « Il n'y a, dit Zadig, qu'à faire danser[321] tous ceux qui
se présenteront pour la dignité de trésorier, et celui qui dansera
avec le plus de légèreté sera infailliblement le plus honnête
homme. — Vous vous moquez, dit le roi ; voilà une plaisante
40 façon de choisir un receveur de mes finances. Quoi ! vous pré-
tendez que celui qui fera le mieux un entrechat[322] sera le financier le plus intègre et le plus habile ? — Je ne vous réponds pas
qu'il sera le plus habile, repartit Zadig ; mais je vous assure
que ce sera indubitablement le plus honnête homme. » Zadig
45 parlait avec tant de confiance que le roi crut qu'il avait quelque
secret surnaturel pour connaître les financiers. « Je n'aime pas
le surnaturel, dit Zadig ; les gens et les livres à prodiges m'ont
toujours déplu : si Votre Majesté veut me laisser faire l'épreuve
que je lui propose, elle sera bien convaincue que mon secret
50 est la chose la plus simple et la plus aisée. » Nabussan, roi de

---

320. Dérivation anagrammatique d'effet comique. Souvenir des énumérations
généalogiques d'usage chez les peuples orientaux ; **321.** Voltaire se souvient ici
du *Voyage à Lilliput* (chap. III), où il est raconté que les plus hauts emplois
étaient réservés dans ce pays à ceux qui dansaient le mieux à la corde ;
322. *Entrechat* : terme de danse pour désigner un saut léger avec battement des
pieds.

■ **QUESTIONS** ───

91. Rendez compte de l'accélération du temps en ce début du chapitre.
Quelle en est la signification ? Ne montre-t-elle pas que le même caractère dans des situations différentes aboutit aux mêmes résultats ? N'est-ce
pas une affirmation d'une certaine liberté de l'homme ? — Le passé
cache-t-il le présent en l'esprit de Zadig ou le rend-il plus intense ?

« Les hommes, dit l'ange Jesrad, jugent de tout sans rien connaître.
Tu étais celui de tous les hommes qui méritait le plus d'être
éclairé. » (Page 137, lignes 158-160.)

Paris, Bibliothèque nationale.

Serendib, fut bien plus étonné d'entendre que ce secret était
simple que si on le lui avait donné pour un miracle. « Or bien,
dit-il, faites comme vous l'entendrez. — Laissez-moi faire, dit
Zadig, vous gagnerez à cette épreuve plus que vous ne pensez. »
55 Le jour même il fit publier, au nom du roi, que tous ceux qui
prétendaient à l'emploi de haut receveur des deniers de Sa Gra-
cieuse[323] Majesté Nabussan, fils de Nussanab, eussent à se
rendre, en habits de soie légère, le premier de la lune du crocodile[324], dans l'antichambre du roi. Ils s'y rendirent au nombre de
60 soixante et quatre. On avait fait venir des violons[325] dans un
salon voisin ; tout était préparé pour le bal ; mais la porte de ce
salon était fermée, et il fallait, pour y entrer, passer par une
petite galerie assez obscure. Un huissier vint chercher et introduire chaque candidat, l'un après l'autre, par ce passage dans
65 lequel on le laissait seul, quelques minutes. Le roi, qui avait le
mot, avait étalé tous ses trésors dans cette galerie. Lorsque tous
les prétendants furent arrivés dans le salon, Sa Majesté ordonna
qu'on les fît danser. Jamais on ne dansa plus pesamment et
avec moins de grâce ; ils avaient tous la tête baissée, les reins
70 courbés, les mains collées à leurs côtés. « Quels fripons ! »
disait tout bas Zadig. Un seul d'entre eux formait des pas avec
agilité, la tête haute, le regard assuré, les bras étendus, le corps
droit, le jarret ferme. « Ah ! l'honnête homme ! le brave
homme !» disait Zadig. Le roi embrassa ce bon danseur, le
75 déclara trésorier, et tous les autres furent punis et taxés[326] avec
la plus grande justice du monde : car chacun, dans le temps
qu'il avait été dans la galerie, avait rempli ses poches et pouvait
à peine marcher. Le roi fut fâché pour la nature humaine que
de ces soixante et quatre danseurs il y eût soixante et trois filous.
80 La galerie obscure fut appelée *le corridor de la tentation*. On
aurait, en Perse, empalé ces soixante et trois seigneurs ; en
d'autres pays, on eût fait une chambre de justice[327] qui eût
consommé en frais le triple de l'argent volé, et qui n'eût rien
remis dans les coffres du souverain ; dans un autre royaume,
85 ils se seraient pleinement justifiés, et auraient fait disgracier ce
danseur si léger : à Serendib, ils ne furent condamnés qu'à

---

323. *Gracieux* : « qui accorde des grâces ; le terme n'est plus usité en ce sens
que comme titre de certains souverains » (Littré) ; **324.** *La lune du crocodile*. Le
crocodile est un animal du zodiaque chinois ; **325.** Anachronisme plaisant ;
326. *Taxer* : frapper d'une amende ; **327.** *Chambre de justice* : institution
juridique chargée d'enquêtes. En 1626, en 1661 et en 1715, des chambres de
justice furent instituées pour enquêter sur l'origine des fortunes amassées par
certains financiers.

augmenter le trésor public, car Nabussan était fort indul-
gent. **(92)**

Il était aussi fort reconnaissant ; il donna à Zadig une somme
90 d'argent plus considérable qu'aucun trésorier n'en avait jamais
volé au roi son maître. Zadig s'en servit pour envoyer des
exprès à Babylone, qui devaient l'informer de la destinée d'Astarté. Sa voix trembla en donnant cet ordre, son sang refula
vers son cœur, ses yeux se couvrirent de ténèbres, son âme fut
95 prête à l'abandonner. Le courrier partit, Zadig le vit embarquer ; il rentra chez le roi, ne voyant personne, croyant être
dans sa chambre, et prononçant le nom d'amour. « Ah !
l'amour, dit le roi, c'est précisément ce dont il s'agit ; vous
avez deviné ce qui fait ma peine. Que vous êtes un grand
100 homme ! J'espère que vous m'apprendrez à connaître une
femme à toute épreuve, comme vous m'avez fait trouver un
trésorier désintéressé. » Zadig, ayant repris ses sens, lui promit
de le servir en amour comme en finance, quoique la chose
parût plus difficile encore. **(93) (94)**

LES YEUX BLEUS

« Le corps et le cœur, dit le roi à Zadig... » A ces mots, le Babylonien ne put s'empêcher d'interrompre Sa Majesté. « Que je

─────── **QUESTIONS** ───────

92. Dégagez la composition du passage. — Etudiez-y la place de la
couleur locale. Est-elle importante ? Pourquoi ? — En quoi consiste
l'art du récit dans l'entretien du roi et de Zadig ? — La satire plaisante
de la cour de Nabussan ne renvoie-t-elle pas à une certaine actualité
historique ? Relevez les traits satiriques à l'adresse de la justice et du
surnaturel ? Que leur oppose Zadig ? — Comment interprétez-vous
l'observation *le roi fut fâché pour la nature humaine ?* N'est-elle pas le
reflet du pessimisme voltairien ? Peut-on l'accorder avec la philosophie
du conte ?

93. Pourquoi ce retour final au thème de l'amour ? La parodie des
romans à la mode est-elle absente ? — Analysez sur le plan de l'esthétique et de la philosophie du conte le quiproquo qui détermine le chapitre.

94. Sur l'ensemble du chapitre « La Danse ». — Recherchez dans
l'épisode ce qui caractérise la manière de Voltaire.
— Appréciez le génie du conteur, en particulier son art de présenter
les données d'une situation, de piquer la curiosité, d'inquiéter le lecteur
et d'en faire son complice, ainsi que l'humour et l'ironie par lesquels il
domine et dirige la fiction.
— Ce chapitre n'a jamais été publié du vivant de Voltaire dans le
conte. En vous appuyant uniquement sur le texte, quelles hypothèses
émettriez-vous pour expliquer ce fait ?

vous sais bon gré, dit-il, de n'avoir point dit *l'esprit et le cœur*[328]! car on n'entend que ces mots dans les conversations de
5 Babylone; on ne voit que des livres où il est question du cœur et de l'esprit composés par des gens qui n'ont ni de l'un ni de l'autre; mais, de grâce, Sire, poursuivez. » Nabussan continua ainsi : « Le corps et le cœur sont chez moi destinés à aimer; la première de ces deux puissances a tout lieu d'être satisfaite.
10 J'ai ici cent femmes à mon service, toutes belles, complaisantes, prévenantes, voluptueuses même, ou feignant de l'être avec moi. Mon cœur n'est pas à beaucoup près si heureux. Je n'ai que trop éprouvé qu'on caresse beaucoup le roi de Serendib, et qu'on se soucie fort peu de Nabussan. Ce n'est pas que je
15 croie mes femmes infidèles; mais je voudrais trouver une âme qui fût à moi; je donnerais pour un pareil trésor les cent beautés dont je possède les charmes : voyez si, sur ces cent sultanes, vous pouvez m'en trouver une dont je sois sûr d'être aimé. » **(95)**

20 Zadig lui répondit comme il avait fait sur l'article des financiers : « Sire, laissez-moi faire; mais permettez d'abord que je dispose de ce que vous aviez étalé dans la galerie de la tentation; je vous en rendrai bon compte et vous n'y perdrez rien. » Le roi le laissa le maître absolu. Il choisit dans Serendib trente-
25 trois petits bossus des plus vilains qu'il put trouver, trente-trois pages des plus beaux, et trente-trois bonzes des plus éloquents et des plus robustes. Il leur laissa à tous la liberté d'entrer dans les cellules des sultanes; chaque petit bossu eut quatre mille pièces d'or à donner, et dès le premier jour tous
30 les bossus furent heureux. Les pages, qui n'avaient rien à donner qu'eux-mêmes, ne triomphèrent qu'au bout de deux ou trois jours. Les bonzes eurent un peu plus de peine; mais enfin trente-trois dévotes se rendirent à eux. Le roi, par des jalousies qui avaient vue sur toutes les cellules, vit toutes ces épreuves,

---

328. Cette expression était devenue un cliché; Voltaire l'a souvent raillée.

QUESTIONS

95. Quels rapports ce chapitre entretient-il avec le précédent? Cette fois, les problèmes posés par Nabussan sont personnels. Comment expliquez-vous cette progression? — Définissez le souci du roi. Celui-ci ne pose-t-il pas le problème de la double réalité individuelle et sociale de l'homme de pouvoir? En quoi ce thème a-t-il son importance dans l'économie du conte?

35 et fut émerveillé. De ses cent femmes, quatre-vingt-dix-neuf succombèrent à ses yeux. **(96)**

Il en restait une toute jeune, toute neuve, de qui Sa Majesté n'avait jamais approché. On lui détacha un, deux, trois bossus, qui lui offrirent jusqu'à vingt mille pièces; elle fut incorrup-
40 tible, et ne put s'empêcher de rire de l'idée qu'avaient ces bossus de croire que de l'argent les rendrait mieux faits. On lui présenta les deux plus beaux pages; elle dit qu'elle trouvait le roi encore plus beau. On lui lâcha le plus éloquent des bonzes, et ensuite le plus intrépide; elle trouva le premier un bavard, et
45 ne daigna pas même soupçonner le mérite du second. « Le cœur fait tout, disait-elle; je ne céderai jamais ni à l'or d'un bossu, ni aux grâces d'un jeune homme, ni aux séductions d'un bonze; j'aimerai uniquement Nabussan fils de Nussanab[329], et j'attendrai qu'il daigne m'aimer. » Le roi fut trans-
50 porté de joie, d'étonnement et de tendresse. Il reprit tout l'argent qui avait fait réussir les bossus, et en fit présent à la belle Falide[330]; c'était le nom de cette jeune personne. Il lui donna son cœur : elle le méritait bien. Jamais la fleur de la jeunesse ne fut si brillante; jamais les charmes de la beauté ne furent si
55 enchanteurs. La vérité de l'histoire ne permet pas de taire qu'elle faisait mal la révérence; mais elle dansait comme les fées, chantait comme les sirènes et parlait comme les Grâces[331] : elle était pleine de talents et de vertus. **(97)**

Nabussan, aimé, l'adora; mais elle avait les yeux bleus, et ce
60 fut la source des plus grands malheurs. Il y avait une ancienne loi qui défendait aux rois d'aimer une de ces femmes que les

---

329. Voir note 319; **330.** *Falide*. On a cru reconnaître dans ce personnage Mme de Pompadour. Rien n'est assuré. Quant au nom, G. Ascoli (édition critique, tome II, page 176) se demande si ce n'est pas une corruption du mot *Validé*, titre qu'on donne toujours à la mère du sultan régnant; **331.** Cette série de comparaisons est inattendue dans un récit oriental et forme un contraste plaisant.

─────── **QUESTIONS** ───────

96. Expliquez le sens des différents choix de Zadig. — Que révèlent les réactions des sultanes? Pour ces femmes, quelle semble être la hiérarchie des valeurs? Doit-on attribuer cette peinture à une certaine misogynie de Voltaire ou à un pessimisme plus fondamental sur la nature humaine?

97. Définissez les valeurs que Falide oppose à celles que goûtaient les quatre-vingt-dix-neuf autres sultanes? Montrez qu'elle est un être exceptionnel. Ce fait confirme-t-il la morale précédente, en réservant la pureté à une élite, ou bien la corrige-t-elle, en montrant que la vertu reste accessible aux humains?

Grecs ont appelées depuis *boopies*[332]. Le chef des bonzes avait établi cette loi il y avait plus de cinq mille ans ; c'était pour s'approprier la maîtresse du premier roi de l'île de Serendib que
65 ce premier bonze avait fait passer l'anathème[333] des yeux bleus en constitution fondamentale d'Etat[334]. Tous les ordres de l'empire vinrent faire à Nabussan des remontrances. On disait publiquement que les derniers jours du royaume étaient arrivés, que l'abomination était à son comble, que toute la nature était
70 menacée d'un événement sinistre ; qu'en un mot Nabussan fils de Nussanab aimait deux grands yeux bleus. Les bossus, les financiers, les bonzes et les brunes remplirent le royaume de leurs plaintes. **(98)**

Les peuples sauvages qui habitent le nord de Serendib profi-
75 tèrent de ce mécontentement général. Ils firent une irruption dans les Etats du bon Nabussan. Il demanda des subsides à ses sujets ; les bonzes, qui possédaient la moitié des revenus de l'Etat, se contentèrent de lever les mains au ciel, et refusèrent de les mettre dans leurs coffres pour aider le roi. Ils firent de belles
80 prières en musique, et laissèrent l'Etat en proie aux barbares[335].

« Ô mon cher Zadig, me tireras-tu encore de cet horrible embarras ? s'écria douloureusement Nabussan. — Très volontiers, répondit Zadig ; vous aurez de l'argent des bonzes tant
85 que vous en voudrez. Laissez à l'abandon les terres où sont situés leurs châteaux, et défendez seulement les vôtres. » Nabussan n'y manqua pas : les bonzes vinrent se jeter aux pieds du roi et implorer son assistance. Le roi répondit par une belle musique dont les paroles étaient des prières au ciel

---

332. *Boopies* : aux yeux de vache. Cette épithète homérique signifie plutôt « aux grands yeux » que « aux yeux bleus » (*glaucopies*) ; 333. *Anathème* : excommunication ; 334. L'origine donnée ici à la tradition religieuse était de celles que les auteurs libertins avaient coutume d'avancer ; 335. Voltaire utilisa plusieurs fois ce trait à l'encontre des moines (voir, par exemple, l'*Essai sur les mœurs*, chap. XII). Il se situe par là dans une longue tradition satirique (voir La Fontaine, « le Rat qui s'est retiré du monde »).

━━━ QUESTIONS ━━━

98. Voltaire fait l'étude satirique de la naissance d'une loi. A quoi en attribue-t-il l'origine ? Son but n'est-il pas de la désacraliser, de lui retirer le prestige du passé en en découvrant l'origine humblement humaine ? En somme, que reproche-t-il aux « bonzes » ? Ces prêtres babyloniens ne sont-ils pas à l'image d'autres « prêtres » ? — Etudiez le comique du passage en montrant qu'il repose sur l'opposition et la disproportion entre une cause et son effet.

90 pour la conservation de leurs terres. Les bonzes enfin donnèrent
de l'argent, et le roi finit heureusement la guerre. Ainsi Zadig,
par ses conseils sages et heureux, et par les plus grands services, s'était attiré l'irréconciliable inimitié des hommes les plus
puissants de l'Etat : les bonzes et les brunes jurèrent sa perte ;
95 les financiers et les bossus ne l'épargnèrent pas ; on le rendit
suspect au bon Nabussan. Les services rendus restent souvent
dans l'antichambre, et les soupçons entrent dans le cabinet,
selon la sentence de Zoroastre : c'était tous les jours de nouvelles accusations ; la première est repoussée, la seconde
100 effleure, la troisième blesse, la quatrième tue. **(99)**

Zadig intimidé, qui avait bien fait les affaires de son ami
Sétoc et qui lui avait fait tenir son argent, ne songea plus
qu'à partir de l'île, et résolut d'aller lui-même chercher des
nouvelles d'Astarté. « Car, disait-il, si je reste dans Serendib,
105 les bonzes me feront empaler ; mais où aller ? Je serai esclave
en Egypte, brûlé, selon toutes les apparences, en Arabie,
étranglé à Babylone. Cependant il faut savoir ce qu'Astarté
est devenue : partons, et voyons à quoi me réserve ma triste
destinée. » **(100) (101)**

*C'est ici que finit le manuscrit qu'on a retrouvé de l'histoire
de Zadig. Ces deux chapitres doivent être certainement placés
après le douzième, et avant l'arrivée de Zadig en Syrie. On sait
qu'il a essuyé bien d'autres aventures qui ont été fidèlement
écrites. On prie messieurs les interprètes des langues orientales
de les communiquer, si elles parviennent jusqu'à eux.*

───── **QUESTIONS** ─────

99. Relevez les traits satiriques à l'encontre des bonzes qui renvoient
à l'actualité historique. Interprétez la signification de l'attitude du roi,
qui répond aux sollicitations des bonzes par *une belle musique dont les
paroles étaient des prières au ciel pour la conservation de leurs terres*.
Que représente Zadig pour s'attirer ainsi l'inimitié non seulement des
hommes les plus puissants de l'État, mais aussi des bonzes, des brunes,
des financiers et des bossus ?

100. Quel sens donnez-vous à la fuite de Zadig ? Montrez que le champ
géographique où peut évoluer le héros se restreint. Le mal n'atteint-il
pas toute la terre ? Pourtant, la vie de Zadig est-elle absurde ? Qu'est-ce
qui lui donne son but et sa direction ?

101. SUR L'ENSEMBLE DU CHAPITRE « LES YEUX BLEUS ». — Appréciez
l'habileté avec laquelle le conteur enchaîne les deux épisodes fort dis-
semblables du chapitre.
— Zadig, toujours inchangé dans des situations changées, fait renaître
la même hostilité. En songeant à la morale du conte, quelle interpréta-
tion philosophique donnez-vous de cet éternel recommencement ?

DOCUMENTATION THÉMATIQUE

1. **Voltaire et l'Orient. Premiers thèmes :**
   1.1. Les mœurs ;
   1.2. La morale sociale : absence de préjugés nobiliaires ;
   1.3. La morale politique : tolérance, humanité et douceur pour les vaincus.

2. ***Babouc ou le Monde comme il va :***
   2.1. Les contradictions de la société contemporaine ;
   2.2. Une justification des passions.

3. ***Zadig :***
   3.1. Le problème de la liberté humaine ;
   3.2. *Zadig* et la tradition du conte oriental.

4. Une variante de *Zadig.*

1. VOLTAIRE ET L'ORIENT. PREMIERS THÈMES

Zaïre marquait le début, dans l'œuvre de Voltaire, de l'utilisation de l'Orient à des fins philosophiques — ce que poursuit *Zadig*. Cependant, dans l'*Histoire de Charles XII*, publiée en 1731, on peut déjà trouver un mode de description du monde oriental qui, en fait, met en cause la réalité française.

1.1. LES MŒURS

— L'hospitalité et la générosité musulmanes.

> Charles XII, roi de Suède, à la suite de la défaite de Pultava, vint chercher asile chez l'empereur des Turcs.
>
> Cependant on avait conduit le roi avec honneur à Bender, par le désert qui s'appelait autrefois la solitude des Gètes. Les Turcs eurent soin que rien ne manquât sur sa route de tout ce qui pouvait rendre son voyage plus agréable ; beaucoup de Polonais, de Suédois, de Cosaques, échappés les uns après les autres des mains des Moscovites, venaient par différents chemins grossir sa suite sur la route : il avait avec lui dix-huit cents hommes quand il se trouva à Bender ; tout ce monde était nourri, logé, eux et leurs chevaux, aux dépens du Grand-Seigneur [...]. [Charles XII] se trouvait à Bender dans une abondance de toutes choses, bien rare pour un prince vaincu et fugitif : car outre les provisions plus que suffisantes et les cinq cents écus par jour qu'il recevait de la magnificence ottomane, il tirait encore de l'argent de France, et il empruntait des marchands de Constantinople. (Livre V.)

— La religion et la vertu.

> On donna le bul, c'est-à-dire le sceau de l'empire, à Numan Couprougli, petit-fils du grand Couprougli qui prit Candie. Ce nouveau vizir était tel que les chrétiens mal instruits ont peine à se figurer un Turc : homme d'une vertu inflexible, scrupuleux observateur de la loi, il opposait souvent la justice aux volontés du sultan. Il ne voulut point entendre parler de la guerre contre le Moscovite, qu'il traitait d'injuste et d'inutile ; mais le même attachement à sa loi, qui l'empêchait de faire la guerre au czar malgré la foi des traités, lui fit respecter les devoirs de l'hospitalité envers le roi de Suède. Il disait à son maître : « La loi te défend d'attaquer le czar, qui ne t'a point offensé ; mais elle t'ordonne de secourir le roi de Suède, qui est malheureux chez toi. » (Livre V.)

— Une justice civilisée.

> La justice des Turcs ne punit jamais de mort les crimes qui n'ont pas été exécutés. (Livre V.)

1.2. LA MORALE SOCIALE : ABSENCE DE PRÉJUGÉS NOBILIAIRES

Le grand vizir s'appelait Chourlouli-Ali-Bacha : il était fils d'un paysan du village de Chourlou. Ce n'est point parmi les Turcs un reproche qu'une telle extraction ; on n'y connaît point la noblesse, soit celle à laquelle les emplois sont attachés, soit celle qui ne consiste que dans des titres ; les services seuls sont censés tout faire : c'est l'usage de presque tout l'Orient ; usage très naturel et très bon, si les dignités pouvaient n'être données qu'au mérite ; mais les vizirs ne sont d'ordinaire que des créatures d'un eunuque noir ou d'une esclave favorite.

Le vizir Couprougli fut écarté du pouvoir par Achmet III, à cause de sa trop grande vertu, et remplacé par Baltagi Mehemet, ancien esclave.

Le Grand-Seigneur fit alors revenir d'Alep Baltagi Mehemet, bacha de Syrie, qui avait déjà été grand vizir avant Chourlouli. Les baltagis du sérail, ainsi nommés de *balta* qui signifie « cognée », sont des esclaves qui coupent le bois pour l'usage des princes du sang ottoman et des sultanes. Ce vizir avait été baltagi dans sa jeunesse, et en avait toujours retenu le nom, selon la coutume des Turcs, qui prennent sans rougir le nom de leur première profession, ou de celle de leur père, ou du lieu de leur naissance. (Livre V.)

Enfin, le 1er octobre 1714, le roi de Suède se mit en route pour quitter la Turquie [...]. Il n'est pas indigne de l'histoire de dire qu'un écuyer arabe, qui avait soin de ces chevaux, donna au roi leur généalogie ; c'est un usage établi depuis longtemps chez ces peuples, qui semblent faire beaucoup plus d'attention à la noblesse des chevaux qu'à celle des hommes ; ce qui peut-être n'est pas si déraisonnable, puisque, chez les animaux, les races dont on a soin, et qui sont sans mélange, ne dégénèrent jamais. (Livre VII.)

1.3. LA MORALE POLITIQUE : TOLÉRANCE, HUMANITÉ ET DOUCEUR POUR LES VAINCUS

Dans sa lutte contre les Turcs, le czar pensait pouvoir compter sur les Moldaves et les Valaques, chrétiens.

Le czar, sûr du prince de Moldaire, ne s'attendait pas que les Moldaves dussent lui manquer ; mais souvent le prince et les sujets ont des intérêts très différents. Ceux-ci aimaient la domination turque, qui n'est jamais fatale qu'aux grands, et qui affecte de la douceur pour les peuples tributaires : ils redoutaient les chrétiens, et surtout les Moscovites, qui les avaient toujours traités avec inhumanité. Ils portèrent toutes leurs provisions à l'armée ottomane : les entrepreneurs, qui s'étaient engagés à fournir des vivres aux Moscovites, exécutèrent avec le grand vizir le marché même qu'ils avaient fait avec le czar. Les Valaques, voisins des Moldaves, montrèrent aux Turcs la même affection : tant l'ancienne idée de la barbarie moscovite avait aliéné tous les esprits ! (Livre V.)

2. *BABOUC OU LE MONDE COMME IL VA*

2.1. LES CONTRADICTIONS DE LA SOCIÉTÉ CONTEMPORAINE

Son retour à Paris en août 1739 donna l'occasion à Voltaire de s'interroger sur les contradictions de la société contemporaine.

> Plus on voit ce monde, et plus on le voit plein de contradictions et d'inconséquences [...]. Si je voulais continuer à examiner les contrariétés qu'on trouve dans l'empire des lettres, il faudrait écrire l'histoire de tous les savants et de tous les beaux esprits ; de même que si je voulais détailler les contrariétés de la société, il faudrait écrire l'histoire du genre humain. Un Asiatique qui voyagerait en Europe pourrait bien nous prendre pour des païens. S'il s'informait un peu plus exactement de nos mœurs, il verrait [...] qu'on achète le droit de juger les hommes, celui de commander à la guerre, celui d'entrer au conseil ; il ne pourrait comprendre pourquoi il est dit dans les patentes qui donnent ces places qu'elles ont été accordées gratis et sans brigue, tandis que la quittance de finance est attachée aux lettres de provision. Notre Asiatique ne serait-il pas surpris de voir les comédiens gagés par les souverains et excommuniés par les curés ? Il demanderait pourquoi un lieutenant général roturier, qui aura gagné des batailles, sera mis à la taille comme un paysan, et qu'un échevin sera noble comme les Montmorency ? Pourquoi, tandis qu'on interdit les spectacles réguliers dans une semaine consacrée à l'édification, on permet des bateleurs qui offensent les oreilles les moins délicates ? Il verrait presque toujours nos usages en contradiction avec nos lois, et si nous voyagions en Asie, nous y trouverions à peu près les mêmes incompatibilités.
> Les hommes sont partout également fous ; ils ont fait des lois à mesure, comme on répare des brèches de muraille. (*Discours sur les contradictions de ce monde*, 1742. Cité par M. J. Van den Heuvel, *op. cit.*, pages 129-130.)

❯ Indiquez comment se retrouve dans le conte l'essentiel de cette méditation.

2.2. UNE JUSTIFICATION DES PASSIONS : *LA FABLE DES ABEILLES* DE MANDEVILLE

Des penseurs comme Locke, Shaftesbury, Bolingbroke ou Pope justifiaient les passions en voyant en elles un élément moteur de l'activité humaine et de la vie sociale. Mandeville, dans sa *Fable des abeilles,* avait repris sous forme d'apologue l'essentiel de ces thèmes. Mᵐᵉ du Châtelet s'essaya à traduire l'œuvre entre 1735 et 1738. En sa compagnie, Voltaire se familiarisa avec ce courant d'idées pendant l'année 1739. Voici la moralité de la *Fable :*

> Quittez donc vos plaintes, mortels insensés ! En vain vous cherchez à associer la grandeur d'une nation avec la probité. Il n'y a que les fous qui puissent se flatter de jouir des agréments et des convenances de la terre, d'être renommés dans la guerre, de vivre bien à son aise, et d'être en même temps vertueux. Abandonnez ces vaines chimères. Il faut que la fraude, le luxe et la vanité subsistent, si nous voulons en retirer les doux fruits. La faim est sans doute une incommodité affreuse. Mais comment sans elle pourrait se faire la digestion d'où dépend notre nutrition et notre accroissement ? Ne devons-nous pas le vin, cette excellente liqueur, à une plante dont le bois est maigre, laid et tortueux ? Tandis que ses rejetons négligés sont laissés sur la plante, ils s'étouffent les uns les autres et deviennent des sarments inutiles. Mais si ces branches sont étayées et taillées, bientôt devenues fécondes, elles nous font part du plus excellent des fruits.
>
> C'est ainsi que l'on trouve le vice avantageux, lorsque la justice l'émonde, en ôte l'excès et le lie. Que dis-je ! Le vice est aussi nécessaire pour nous obliger à manger. Il est impossible que la vertu seule rende jamais une nation célèbre et glorieuse. Pour y faire revivre l'heureux Siècle d'or, il faut absolument, outre l'honnêteté, reprendre le gland qui servait de nourriture à nos premiers pères.

Voltaire tira profit de ces leçons dans son *Traité de métaphysique* (1734), dont voici le chapitre VIII :

DE L'HOMME CONSIDÉRÉ COMME UN ÊTRE SOCIABLE

Le grand dessein de l'auteur de la nature semble être de conserver chaque individu un certain temps, et de perpétuer son espèce. Tout animal est toujours entraîné par un instinct invincible à tout ce qui peut tendre à sa conservation ; il y a des moments où il est emporté par un instinct presque aussi fort à l'accouplement et à la propagation, sans que nous puissions jamais dire comment tout cela se fait.

Les animaux les plus sauvages et les plus solitaires sortent de leurs tanières quand l'amour les appelle, et se sentent liés pour quelques mois par des chaînes invisibles à des femelles et à des petits qui en naissent ; après quoi ils oublient cette famille passagère et retournent à la férocité de leur solitude, jusqu'à ce que l'aiguillon de l'amour les force de nouveau à en sortir. D'autres espèces sont formées par la nature pour vivre toujours ensemble, les unes dans une société réellement policée, comme les abeilles, les fourmis, les castors, et quelques espèces d'oiseaux ; les autres sont seulement rassemblées par un instinct plus aveugle qui les unit sans objet et sans dessein apparent, comme les troupeaux sur la terre et les harengs dans la mer.

L'homme n'est pas certainement poussé par son instinct à former une société policée telle que les fourmis et les abeilles ; mais à considérer ses besoins, ses passions, et sa raison, on voit bien qu'il n'a pas dû rester longtemps dans un état entièrement sauvage.

Il suffit pour que l'univers soit ce qu'il est aujourd'hui, qu'un homme ait été amoureux d'une femme. Le soin mutuel qu'ils auront eu l'un de l'autre, et leur amour naturel pour leurs enfants, aura bientôt éveillé leur industrie, et donné naissance au commencement grossier des arts. Deux familles auront eu besoin l'une de l'autre sitôt qu'elles auront été formées, et de ces besoins seront nées de nouvelles commodités.

L'homme n'est pas comme les autres animaux qui n'ont que l'instinct de l'amour-propre et celui de l'accouplement ; non seulement il a cet amour-propre nécessaire pour sa conservation, mais il a aussi pour son espèce une bienveillance naturelle qui ne se remarque point dans les bêtes.

Qu'une chienne voie en passant un chien de la même mère déchiré en mille pièces et tout sanglant, elle en prendra un morceau sans concevoir la moindre pitié, et continuera son chemin ; et cependant cette même chienne défendra son petit et mourra en combattant, plutôt que de souffrir qu'on le lui enlève.

Au contraire, que l'homme le plus sauvage voie un joli enfant près d'être dévoré par quelque animal, il sentira malgré lui une inquiétude, une anxiété que la pitié fait naître, et un désir d'aller à son secours. Il est vrai que ce sentiment de pitié et de bienveillance est souvent étouffé par la fureur de l'amour-propre : aussi la nature sage ne devrait pas nous donner plus d'amour pour les autres que pour nous-mêmes ; c'est déjà beaucoup que nous ayons cette bienveillance qui nous dispose à l'union avec les hommes.

Mais cette bienveillance serait encore un faible secours pour nous faire vivre en société : elle n'aurait jamais pu servir à fonder de grands empires et des villes florissantes, si nous n'avions pas eu de grandes passions.

Ces passions, dont l'abus fait à la vérité tant de mal, sont en effet la principale cause de l'ordre que nous voyons aujourd'hui sur la terre. L'orgueil est surtout le principal instrument avec lequel on a bâti ce bel édifice de la société. A peine les besoins eurent rassemblé quelques hommes que les plus adroits d'entre eux s'aperçurent que tous ces hommes étaient nés avec un orgueil indomptable aussi bien qu'avec un penchant invincible pour le bien-être.

Il ne fut pas difficile de leur persuader que, s'ils faisaient pour le bien commun de la société quelque chose qui leur coûtait un peu de leur bien-être, leur orgueil en serait amplement dédommagé.

On distingua donc de bonne heure les hommes en deux classes ; la première, des hommes divins qui sacrifient leur amour-propre au bien public ; la seconde, des misérables qui n'aiment qu'eux-mêmes. Tout le monde voulut et veut être encore de la première classe, quoique tout le monde soit dans le fond du cœur de la seconde ; et les hommes les plus lâches et les plus abandonnés à leurs propres désirs crièrent plus haut que les autres qu'il fallait tout immoler au bien public. L'envie de commander qui est une des branches de l'orgueil, et qui se remarque aussi visiblement dans un pédant de collège et dans un bailli de village que dans un pape et dans un empereur, excita encore puissamment l'industrie humaine pour amener les hommes à obéir à d'autres hommes ; il fallut leur faire connaître clairement qu'on en savait plus qu'eux, et qu'on leur serait utile.

Il fallut surtout se servir de leur avarice pour acheter leur obéissance. On ne pouvait leur donner beaucoup sans avoir beaucoup, et cette fureur d'acquérir les biens de la terre ajoutait tous les jours de nouveaux progrès à tous les arts.

Cette machine n'eût pas encore été loin sans le secours de l'envie, passion très naturelle que les hommes déguisent toujours sous le nom d'émulation. Cette envie réveilla la paresse et aiguisa le génie de quiconque vit son voisin puissant et heureux. Ainsi, de proche en proche, les passions seules réunirent les hommes et tirèrent du sein de la terre tous les arts et tous les plaisirs. C'est avec ce ressort que Dieu, appelé par Platon l'éternel géomètre, et que j'appelle ici l'éternel machiniste, a animé et embelli la nature : les passions sont les roues qui font aller toutes les machines.

Les raisonneurs de nos jours qui veulent établir la chimère que l'homme était né sans passions, et qu'il n'en a eu que pour avoir désobéi à Dieu, auraient aussi bien fait de dire que l'homme était d'abord une belle statue que Dieu avait formée, et que cette statue fut depuis animée par le diable.

L'amour-propre et toutes ses branches sont aussi nécessaires à l'homme que le sang qui coule dans ses veines ; et ceux qui veulent lui ôter ses passions parce qu'elles sont dangereuses ressemblent à celui qui voudrait ôter à un homme tout son sang, parce qu'il peut tomber en apoplexie.

Que dirions-nous de celui qui prétendrait que les vents sont une invention du diable, parce qu'ils submergent quelques vaisseaux, et qui ne songerait pas que c'est un bienfait de Dieu par lequel le commerce réunit tous les endroits de la terre que des mers immenses divisent ? Il est donc très clair que c'est à nos passions et à nos besoins que nous devons cet ordre et ces inventions utiles dont nous avons enrichi l'univers ; et il est très vraisemblable que Dieu ne nous a donné ces besoins, ces passions, qu'afin que notre industrie les tournât à notre avantage. Que si beaucoup d'hommes en ont abusé, ce n'est pas à nous à nous plaindre d'un bienfait dont on a fait un mauvais usage. Dieu a daigné mettre sur la terre mille nourritures délicieuses pour l'homme : la gourmandise de ceux qui ont tourné cette nourriture en poison mortel pour eux ne peut servir de reproche contre la Providence.

On analysera en quoi cette conception de l'homme s'oppose à celle des moralistes classiques et des penseurs chrétiens, en particulier de Pascal. Quelle aide pouvait-elle apporter à Voltaire dans le combat qu'il livra toute sa vie à Pascal à l'intérieur de lui-même ? On montrera qu'elle constitue le substrat philosophique de la morale du conte.

3. *ZADIG*

3.1. LE PROBLÈME DE LA LIBERTÉ HUMAINE

Le conte de *Zadig* pose le problème de la liberté humaine, qui fut toujours au centre de la pensée de Voltaire. Trois philosophes aident à comprendre ses idées : Clarke, Leibniz et Spinoza.

A. Clarke, Leibniz, Spinoza.

◆ Clarke et la liberté absolue des créatures de Dieu.

Ma première proposition est qu'il est faux que tout effet soit le produit de quelque cause externe : qu'au contraire il faut de toute nécessité reconnaître un commencement d'action, c'est-à-dire un pouvoir d'agir, indépendamment d'aucune action antécédente ; et que ce pouvoir peut être et est effectivement dans l'homme.
Ma seconde proposition est que la pensée et la volonté ne sont ni ne peuvent être des qualités ou des affections de la matière, et ne sont par conséquent point soumises à ses lois.
La troisième, enfin, que quand bien même l'âme ne serait pas une substance distincte du corps et qu'on supposerait que la pensée et la volonté ne sont que des qualités de la matière, cela même ne prouverait pas que la liberté de volonté fût une chose impossible [...].
Tout ce que les plus grands ennemis de la liberté de l'homme ont dit, ou peuvent dire sur ce sujet, revient à ceci : que la prescience emporte la certitude et la certitude la nécessité [...].

Je dis que la certitude de la prescience n'est pas la cause de la certitude des choses, mais qu'elle est fondée elle-même sur la réalité de leur existence [...]. La prescience toute seule n'a donc aucune influence sur les choses et ne les rend du tout point nécessaires [...]. Il peut arriver qu'un homme intelligent connaisse par avance ce qu'un autre homme, sur les actions duquel il n'a pourtant aucune influence, fera en certains cas. Un second qui a plus de pénétration et d'expérience peut prévoir plus probablement encore [...]. Or cela étant ainsi, il est très raisonnable de concevoir qu'à plus forte raison Dieu, dont la nature est infiniment plus parfaite, peut par sa prévision avoir une connaissance beaucoup plus certaine des événements libres, qui sont à venir. (*Traité de l'existence de Dieu, des devoirs de la religion naturelle et de la vérité de la religion chrétienne*, chapitre XI : « De l'existence de Dieu ». Traduit de l'anglais par M. Ricotier, Amsterdam, 1727-1728.)

◆ Leibniz et la liberté relative de l'homme.

Pour sa part, Leibniz considère que la liberté humaine est entière dans les limites de l'ordre providentiel. Les volontés particulières restent subordonnées à l'ordre général et ne prennent leur sens que par rapport à celui-ci. Dieu lui-même n'est pas libre absolument, mais demeure soumis au principe optimiste du meilleur.

Une ligne peut avoir des tours et des retours, des hauts et des bas, des points de remboursement et des points d'inflexion, des interruptions et d'autres variétés, de telle sorte qu'on n'y voie ni rime ni raison, surtout en ne considérant qu'une partie de la ligne ; et cependant il se peut qu'on en puisse donner l'équation et la construction dans laquelle un géomètre trouverait la raison et la convenance de toutes ces prétendues irrégularités ; et voilà comment il faut encore juger de celles des monstres et d'autres prétendus défauts de l'univers [...] selon ce beau mot de saint Bernard : *Ordinatissimum est minus interdum ordinate fieri aliquid* (il est dans le plus grand ordre qu'il y ait quelque petit désordre). [*Théodicée*, III, § 242, tome II, Amsterdam, 1710. Cité par J. Van den Heuvel, *op. cit.*, page 166.]

Leibniz fut mal compris en son temps. Ses positions étaient interprétées dans le sens de la nécessité absolue et de l'athéisme qu'il n'avait cessé de combattre :

Pour ce qui est de la fatalité que l'on m'impute, écrit-il à Clarke, c'est encore une équivoque : il y a Fatum mahometanum, Fatum stoïcum, Fatum christianum. Le destin à la turque veut que les effets arriveraient quand on éviterait la cause, comme s'il y avait une nécessité absolue. Le destin stoïcien veut qu'on soit tranquille, parce qu'il faut avoir patience par force, puisqu'on ne saurait se révolter contre l'enchaînement des choses. Mais on convient qu'il y a un Fatum christianum, une destinée certaine de toutes choses, réglées par la prescience de la providence d'un Dieu (*The Leibniz-Clarke Correspondance*, éd. R. G. Alexander, Manchester, 1956).

La position que Voltaire et Frédéric attribuaient à Leibniz dans leur échange de lettres de 1738 était en fait celle de Spinoza, contre qui, précisément, était dirigée la *Théodicée*.

◆ Spinoza et la nécessité.

Pour Spinoza, les actions des hommes, comme celle de Dieu, sont régies par le principe de la nécessité.

> La volonté ne se détermine pas elle-même en vertu d'une faculté qui lui soit inhérente, mais sa détermination lui vient de quelques causes externes : cette cause externe est déterminée à son tour par une autre, celle-ci par une troisième et ainsi de suite à l'infini. (Traduit de *Ethica*, I, 22, in *Opera posthuma*, Amsterdam, 1677.) Dieu agit de la même nécessité par laquelle il se comprend soi-même, c'est-à-dire que, de même qu'il suit de la nécessité de la nature divine (comme tous l'admettent d'une voix unanime) que Dieu se comprenne, de même il découle de la même nécessité que Dieu produise une infinité de choses en une infinité de modes. (Traduit de *Ethica*, II, 3, in *Opera posthuma*, Amsterdam, 1677.)

Au XVIIIe siècle, *l'Éthique* n'était accessible qu'au lecteur latiniste. Il est vraisemblable que Voltaire eut quelque connaissance de la pensée du philosophe hollandais à travers Clarke, qui le résume honnêtement et le cite avec abondance dans son *Traité de l'existence de Dieu* (chapitre XI).

B. Voltaire.

◆ 1737. Pendant la période heureuse de Cirey, sous l'influence de Clarke, Voltaire exprime sa foi en la liberté humaine dans le deuxième *Discours en vers sur l'homme* (1738) :

DE LA LIBERTÉ

On entend par ce mot Liberté le pouvoir de faire ce qu'on veut. Il n'y a et ne peut y avoir d'autre Liberté. C'est pourquoi Locke l'a si bien définie Puissance.

Dans le cours de nos ans, étroit et court passage,
Si le bonheur qu'on cherche est le prix du vrai sage,
Qui pourra me donner ce trésor précieux ?
Dépend-il de moi-même ? Est-ce un présent des cieux ?
Est-il comme l'esprit, la beauté, la naissance,
Partage indépendant de l'humaine prudence ?
Suis-je libre en effet ? ou mon âme et mon corps
Sont-ils d'un autre agent les aveugles ressorts ?

Enfin ma volonté, qui me meut, qui m'entraîne,
Dans le palais de l'âme est-elle esclave ou reine ?
   Obscurément plongé dans ce doute cruel,
Mes yeux, chargés de pleurs, se tournaient vers le ciel,
Lorsqu'un de ces esprits que le souverain Être
Plaça près de son trône, et fit pour le connaître,
Qui respirent dans lui, qui brûlent de ses feux,
Descendit jusqu'à moi de la voûte des cieux ;
Car on voit quelquefois de ces fils de lumière
Éclairer d'un mondain l'âme simple et grossière,
Et fuir obstinément tout docteur orgueilleux
Qui dans sa chaire assis pense être au-dessus d'eux,
Et, le cerveau troublé des vapeurs d'un système,
Prend ces brouillards épais pour le jour du ciel même.
   « Écoute, me dit-il, prompt à me consoler,
Ce que tu peux entendre et qu'on peut révéler.
J'ai pitié de ton trouble ; et ton âme sincère,
Puisqu'elle sait douter, mérite qu'on l'éclaire.
Oui, l'homme sur la terre est libre ainsi que moi :
C'est le plus beau présent de notre commun roi.
La liberté qu'il donne à tout être qui pense,
Fait des moindres esprits et la vie et l'essence.
Qui conçoit, veut, agit, est libre en agissant :
C'est l'attribut divin de l'Être tout-puissant ;
Il en fait un partage à ses enfants qu'il aime ;
Nous sommes ses enfants, des ombres de lui-même.
Il conçut, il voulut, et l'univers naquit :
Ainsi, lorsque tu veux, la matière obéit.
Souverain sur la terre, et roi par la pensée,
Tu veux, et sous tes mains la nature est forcée.
Tu commandes aux mers, au souffle des zéphyrs,
A ta propre pensée, et même à tes désirs.
Ah ! sans la liberté que seraient donc nos âmes ?
Mobiles agités par d'invisibles flammes,
Nos vœux, nos actions, nos plaisirs, nos dégoûts,
De notre être, en un mot, rien ne serait à nous :
D'un artisan suprême impuissantes machines,
Automates pensants, mus par des mains divines,
Nous serions à jamais de mensonge occupés,
Vils instruments d'un Dieu qui nous aurait trompés.
Comment, sans liberté, serions-nous ses images ?
Que lui reviendrait-il de ces brutes ouvrages ?
On ne peut donc lui plaire, on ne peut l'offenser ;
Il n'a rien à punir, rien à récompenser.
Dans les cieux, sur la terre il n'est plus de justice.
Pucelle est sans vertu, Desfontaines sans vice :
Le destin nous entraîne à nos affreux penchants,

Et ce chaos du monde est fait pour les méchants.
L'oppresseur insolent, l'usurpateur avare,
Cartouche, Miriwits, ou tel autre barbare,
Plus coupable enfin qu'eux, le calomniateur
Dira : « Je n'ai rien fait, Dieu seul en est l'auteur ;
« Ce n'est pas moi, c'est lui qui manque à ma parole,
« Qui frappe par mes mains, pille, brûle, viole. »
C'est ainsi que le Dieu de justice et de paix
Serait l'auteur du trouble et le dieu des forfaits.
Les tristes partisans de ce dogme effroyable
Diraient-ils rien de plus s'ils adoraient le diable ? »
    J'étais à ce discours tel qu'un homme enivré
Qui s'éveille en sursaut, d'un grand jour éclairé,
Et dont la clignotante et débile paupière
Lui laisse encore à peine entrevoir la lumière.
J'osai répondre enfin d'une timide voix :
« Interprète sacré des éternelles lois,
Pourquoi, si l'homme est libre, a-t-il tant de faiblesse ?
Que lui sert le flambeau de sa vaine sagesse ?
Il le suit, il s'égare ; et, toujours combattu,
Il embrasse le crime en aimant la vertu.
Pourquoi ce roi du monde, et si libre, et si sage,
Subit-il si souvent un si dur esclavage ? »
    L'esprit consolateur à ces mots répondit :
« Quelle douleur injuste accable ton esprit ?
La liberté, dis-tu, t'est quelquefois ravie :
Dieu te la devait-il immuable, infinie,
Égale en tout état, en tout temps, en tout lieu ?
Tes destins sont d'un homme, et tes vœux sont d'un Dieu.
Quoi ! dans cet océan cet atome qui nage
Dira : « L'immensité doit être mon partage » ?
Non ; tout est faible en toi, changeant et limité,
Ta force, ton esprit, tes talents, ta beauté.
La nature en tout sens a des bornes prescrites :
Et le pouvoir humain serait seul sans limites !
Mais, dis-moi, quand ton cœur, formé de passions,
Se rend malgré lui-même à leurs impressions,
Qu'il sent dans ses combats sa liberté vaincue,
Tu l'avais donc en toi, puisque tu l'as perdue.
Une fièvre brûlante, attaquant tes ressorts,
Vient à pas inégaux miner ton faible corps :
Mais quoi ! par ce danger répandu sur ta vie
Ta santé pour jamais n'est point anéantie ;
On te voit revenir des portes de la mort
Plus ferme, plus content, plus tempérant, plus fort.
Connais mieux l'heureux don que ton chagrin réclame :
La liberté dans l'homme est la santé de l'âme.

On la perd quelquefois ; la soif de la grandeur,
La colère, l'orgueil, un amour suborneur,
D'un désir curieux les trompeuses saillies,
Hélas ! combien le cœur a-t-il de maladies !
Mais contre leurs assauts tu seras raffermi :
Prends ce livre sensé, consulte cet ami
(Un ami, don du ciel, est le vrai bien du sage) ;
Voilà l'Helvétius, le Silva, le Vernage,
Que le Dieu des humains, prompt à les secourir,
Daigne leur envoyer sur le point de périr.
Est-il un seul mortel de qui l'âme insensée,
Quand il est en péril, ait une autre pensée ?
Vois de la liberté cet ennemi mutin,
Aveugle partisan d'un aveugle destin :
Entends comme il consulte, approuve, délibère ;
Entends de quel reproche il couvre un adversaire ;
Vois comment d'un rival il cherche à se venger,
Comme il punit son fils, et le veut corriger.
Il le croyait donc libre ? Oui, sans doute, et lui-même
Dément à chaque pas son funeste système ;
Il mentait à son cœur en voulant expliquer
Ce dogme absurde à croire, absurde à pratiquer :
Il reconnaît en lui le sentiment qu'il brave ;
Il agit comme libre, et parle comme esclave.
Sûr de ta liberté, rapporte à son auteur
Ce don que sa bonté te fit pour ton bonheur.
Commande à ta raison d'éviter ces querelles,
Des tyrans de l'esprit disputes immortelles ;
Ferme en tes sentiments et simple dans ton cœur,
Aime la vérité, mais pardonne à l'erreur ;
Fuis les emportements d'un zèle atrabilaire ;
Ce mortel qui s'égare est un homme, est ton frère :
Sois sage pour toi seul, compatissant pour lui ;
Fais ton bonheur enfin par le bonheur d'autrui. »
    Ainsi parlait la voix de ce sage suprême.
Ses discours m'élevaient au-dessus de moi-même.
J'allais lui demander, indiscret dans mes vœux,
Des secrets réservés pour les peuples des cieux ;
Ce que c'est que l'esprit, l'espace, la matière,
L'éternité, le temps, le ressort, la lumière :
Étranges questions, qui confondent souvent
Le profond S'Gravesande et le subtil Mairan,
Et qu'expliquait en vain dans ses doctes chimères
L'auteur des tourbillons que l'on ne croit plus guères.
Mais déjà, s'échappant à mon œil enchanté,
Il volait au séjour où luit la vérité.
Il n'était pas vers moi descendu pour m'apprendre

> Les secrets du Très-Haut que je ne puis comprendre.
> Mes yeux d'un plus grand jour auraient été blessés :
> Il m'a dit : « Sois heureux ! » Il m'en a dit assez.

◆ **1738.** Au cours de l'année 1738, Voltaire conteste les interprétations de Leibniz, qu'il assimile en fait à celles de Spinoza. La longue lettre à Frédéric du 23 janvier 1738 est, sur ce point, instructive :

> Je reçois de Berlin une lettre du 26 décembre. Elle contient deux grands articles. Un plein de bonté, de tendresse, et d'attention à m'accabler des bienfaits les plus flatteurs. Le second article est un ouvrage bien fort de métaphysique. On croirait que cette lettre est de m. Leibnitz ou de m. Wolf à quelqu'un de ses amis, mais elle est signée *Fédéric*. C'est un des prodiges de votre âme, monseigneur ; votre altesse royale remplit avec moi tout son caractère. Elle me lave d'une calomnie ; elle daigne protéger mon honneur contre l'envie, et elle donne des lumières à mon âme.
>
> Je vais donc me jeter dans la nuit de la métaphysique, pour oser combattre contre les Leibnitz, les Wolf, les Frédéric. Me voilà, comme Ajax, ferraillant dans l'obscurité et je vous crie : Grand dieu, rends nous le jour, et combats contre nous !
>
> Mais avant d'oser entrer en lice, je vais faire transcrire, pour mettre dans un paquet, deux épîtres qui sont le commencement d'une espèce de système de morale que j'avais commencé, il y a un an. Il y a quatre épîtres de faites. Voici les deux premières. L'une roule sur l'égalité des conditions, l'autre sur la liberté. Cela est peut-être fort impertinent à moi, atome de Cirey, de dire à une tête presque couronnée que les hommes sont égaux, et d'envoyer des injures rimées, contre les partisans du *fatum*, à un philosophe qui prête un appui si puissant à ce système de la nécessité absolue.
>
> Mais ces deux témérités de ma part prouvent combien votre altesse royale est bonne. Elle ne gêne point les consciences. Elle permet qu'on dispute contre elle ; c'est l'ange qui daigne lutter contre Israël. J'en resterai boiteux, mais n'importe ; je veux avoir l'honneur de me battre.
>
> Pour l'égalité des conditions, je la crois aussi fermement, que je crois qu'une âme comme la vôtre serait également bien partout. Votre devise est :
>
> > *Nave ferar magnâ, et parvâ ferar unus et idem.*
>
> Pour la liberté, il y a un peu de chaos dans cette affaire. Voyons si les Clarke, les Locke, les Newton me doivent éclairer ; ou si les Leibnitz, princes ou non, doivent être ma lumière. On ne peut, certainement, rien de plus fort, que tout ce que dit votre altesse royale pour prouver la nécessité absolue. Je vois d'abord que votre altesse royale est dans l'opinion de la raison suffisante de mm. Leibnitz et Wolf. C'est une idée très

belle, c'est à dire, très vraie ; car enfin, il n'y a rien qui n'ait sa cause, rien qui n'ait une raison de son existence. Cette idée exclut elle la liberté de l'homme ?

1° Qu'entends-je par liberté ? Le pouvoir de penser, et d'opérer des mouvements en conséquence, pouvoir très borné, comme toutes mes facultés.

2° Est-ce moi qui pense et qui opère des mouvements ? Est-ce un autre qui fait tout cela pour moi ? Si c'est moi, je suis libre ; car être libre, c'est agir. Ce qui est passif n'est point libre. Est-ce un autre qui agit pour moi ? je suis trompé par cet autre, quand je crois être agent.

3° Quel est cet autre qui me tromperait ? Ou il y a un dieu, ou non. S'il est un dieu, c'est lui qui me trompe continuellement. C'est l'être infiniment sage, infiniment conséquent, qui, sans raison suffisante, s'occupe éternellement d'erreurs opposées directement à son essence, qui est la vérité.

S'il n'y a point de dieu, qui est ce qui me trompe ? Est-ce la matière, qui d'elle même n'a pas d'intelligence ?

4° Pour nous prouver, malgré ce sentiment intérieur, malgré ce témoignage que nous nous rendons de notre liberté ; pour nous prouver, dis je, que cette liberté n'existe pas, il faut nécessairement prouver qu'elle est impossible. Cela me paraît incontestable. Voyons comme elle serait impossible.

5° Cette liberté ne peut être impossible que de deux façons : ou parce qu'il n'y a aucun être qui puisse la donner, ou parce qu'elle est en elle même une contradiction dans les termes, comme un carré plus long que large est une contradiction. Or, l'idée de la liberté de l'homme ne portant rien en soi de contradictoire, reste à voir si l'être infini et créateur est libre ; et si étant libre, il peut donner une partie de son attribut à l'homme, comme il lui a donné une petite portion d'intelligence.

6° Si dieu n'est pas libre, il n'est pas un agent : donc il n'est pas dieu. Or, s'il est libre et tout puissant, il suit qu'il peut donner à l'homme la liberté. Reste donc à savoir quelle raison on aurait de croire qu'il ne nous a pas fait ce présent.

7° On prétend que dieu ne nous a pas donné la liberté, parce que si nous étions des agents, nous serions en cela indépendants de lui ; et que ferait dieu, dit on, pendant que nous agirions nous mêmes ? Je réponds à cela deux choses : 1° ce que dieu fait lorsque les hommes agissent ; ce qu'il faisait avant qu'ils fussent, et ce qu'il fera quand ils ne seront plus ; 2° que son pouvoir n'en est pas moins nécessaire à la conservation de ses ouvrages, et que cette communication qu'il nous a faite d'un peu de liberté ne nuit en rien à sa puissance infinie, puisqu'elle même est un effet de sa puissance infinie.

8° On objecte que nous sommes emportés quelquefois malgré nous; et je réponds : Donc nous sommes quelquefois maîtres de nous. La maladie prouve la santé, et la liberté est la santé de l'âme.

9° On ajoute que l'assentiment de notre esprit est nécessaire, que la volonté suit cet assentiment; donc, dit-on, on veut et on agit nécessairement. Je réponds qu'en effet on désire nécessairement; mais désir et volonté sont deux choses très différentes, et si différentes, qu'un homme sage veut et fait souvent ce qu'il ne désire pas. Combattre ses désirs est le plus bel effet de la liberté; et je crois qu'une des grandes sources du malentendu qui est entre les hommes sur cet article, vient de ce que l'on confond souvent la volonté et le désir.

10° On objecte que, si nous étions libres, il n'y aurait point de dieu; je crois, au contraire, que c'est parce qu'il y a un dieu que nous sommes libres. Car si tout était nécessaire, si ce monde existait par lui-même, d'une nécessité absolue (ce qui fourmille de contradictions), il est certain qu'en ce cas tout s'opérerait par des mouvements liés nécessairement ensemble : donc il n'y aurait alors aucune liberté; donc sans dieu point de liberté. Je suis bien surpris des raisonnements échappés, sur cette matière, à l'illustre m. Leibnitz.

11° Le plus terrible argument qu'on ait jamais apporté contre notre liberté, est l'impossibilité d'accorder avec elle la prescience de dieu. Et quand on me dit : dieu sait ce que vous ferez dans vingt ans; donc ce que vous ferez dans vingt ans est d'une nécessité absolue, j'avoue que je suis à bout, que je n'ai rien à répondre, et que tous les philosophes qui ont voulu concilier les futurs contingents avec la prescience de dieu ont été de bien mauvais négociateurs. Il y en a d'assez déterminés pour dire que dieu peut fort bien ignorer des futurs contingents, à peu près, s'il m'est permis de parler ainsi, comme un roi peut ignorer ce que fera un général à qui il aura donné carte blanche.

Ces gens là vont encore plus loin. Ils soutiennent que non seulement ce ne serait point une imperfection dans un être suprême d'ignorer ce que doivent faire librement des créatures qu'il a faites libres; et qu'au contraire, il semble plus digne de l'être suprême de créer des êtres semblables à lui, semblables, dis-je, en ce qu'ils pensent, qu'ils veulent et qu'ils agissent, que de créer simplement des machines.

Ils ajouteront que dieu ne peut faire des contradictions, et que peut-être il y aurait de la contradiction à prévoir ce que doivent faire ses créatures, et à leur communiquer cependant le pouvoir de faire le pour et le contre. Car, diront-ils, la liberté consiste à pouvoir agir ou ne pas agir : donc, si dieu sait précisément que l'un des deux arrivera, l'autre dès lors devient impossible; donc plus de liberté. Or ces gens là

admettent une liberté : donc, selon eux, en admettant la prescience, ce serait une contradiction dans les termes.

Enfin ils soutiendront que dieu doit ignorer ce qu'il est de sa
nature d'ignorer, et ils oseront dire qu'il est de sa nature
d'ignorer tout futur contingent, et qu'il ne doit point savoir
ce qui n'est pas.

Ne se peut-il pas très bien faire, disent-ils, que du même fonds
de sagesse dont dieu prévoit à jamais les choses nécessaires,
il ignore aussi les choses libres ? en serait-il moins le créateur
de toutes choses, et des agents libres, et des êtres purement
passifs ?

Qui nous a dit, continueront-ils, que ce ne serait pas une assez
grande satisfaction pour dieu de voir comment tant
d'êtres libres, qu'il a créés dans tant de globes, agissent librement ? Ce plaisir, toujours nouveau, de voir comment ses créatures se servent à tous moments des instruments qu'il leur
a donnés, ne vaut-il pas bien cette éternelle et oisive contemplation de soi-même, assez incompatible avec les occupations
extérieures qu'on lui donne ?

On objecte à ces raisonneurs là que dieu voit en un instant
l'avenir, le passé et le présent ; que l'éternité est instantanée
pour lui ; mais ils répondront qu'ils n'entendent pas ce langage, et qu'une éternité qui est un instant leur paraît aussi
absurde qu'une immensité qui n'est qu'un point.

Ne pourrait-on pas, sans être aussi hardi qu'eux, dire que
dieu prévoit nos actions libres, à peu près comme un homme
d'esprit prévoit le parti que prendra, dans une telle occasion,
un homme dont il connaît le caractère ? La différence sera
qu'un homme prévoit à tort et à travers, et que dieu prévoit
avec une sagacité infinie. C'est le sentiment de Clarke.

J'avoue que tout cela me paraît très hasardé, et que c'est un
aveu, plutôt qu'une solution, de la difficulté. J'avoue enfin,
monseigneur, qu'on fait contre la liberté d'excellentes objections, mais on en fait d'aussi bonnes contre l'existence de
dieu ; et comme, malgré les difficultés extrêmes contre la création et la providence, je crois néanmoins la création et la providence, aussi je me crois libre (jusqu'à un certain point s'entend) malgré les puissantes objections que vous me faites.

Je crois donc écrire à votre altesse royale, non pas comme à
un automate créé pour être à la tête de quelques milliers de
marionnettes humaines, mais comme à un être des plus libres
et des plus sages que dieu ait jamais daigner créer.

Permettez-moi ici une réflexion, monseigneur. Sur vingt
hommes, il y en a dix-neuf qui ne se gouvernent point par
leurs principes ; mais votre âme paraît être de ce petit nombre,
plein de fermeté et de grandeur, qui agit comme il pense.

Daignez, au nom de l'humanité, penser que nous avons

quelque liberté ; car si vous croyez que nous sommes de pures machines, que deviendra l'amitié dont vous faites vos délices ? de quel prix seront les grandes actions que vous ferez ? quelle reconnaissance vous devra-t-on des soins que votre altesse royale prendra de rendre les hommes plus heureux et meilleurs ? comment enfin regarderez-vous l'attachement qu'on a pour vous, les services qu'on vous rendra, le sang qu'on versera pour vous ? Quoi ! le plus généreux, le plus tendre, le plus sage des hommes, verrait ce qu'on ferait pour lui plaire, du même œil dont on voit des roues de moulin tourner sur le courant de l'eau, et se briser à force de servir ! Non, monseigneur, votre âme est trop noble pour se priver ainsi de son plus beau partage.

Pardonnez à mes arguments, à ma morale, à ma bavarderie. Je ne dirai point que je n'ai pas été libre en disant tout cela. Non, je crois l'avoir écrit très librement, et c'est pour cette liberté que je demande pardon. Madame la marquise du Châtelet joint toujours ses respects pleins d'admiration aux miens. Ma dernière lettre était d'un pédant grammairien, celle-ci est d'un mauvais métaphysicien ; mais toutes seront d'un homme éternellement attaché à votre personne. Je suis, etc.

◆ **1738-1740.** Au début de 1738, on voit la position de Voltaire commencer à évoluer et se situer progressivement entre celles de Clarke et d'un Leibniz de fantaisie. La Providence, bonne par principe, concilie la liberté individuelle et l'harmonie universelle.
Au cours de l'année 1739, à l'époque qui précède la rédaction de *Zadig,* sous l'influence de Mme du Châtelet, Voltaire fait une meilleure connaissance avec la *Théodicée.* Les ajouts à la métaphysique de Newton abondent dans le sens du philosophe allemand : la Providence, qui a le souci de l'harmonie globale de la création, ne peut rendre raison de chaque cas particulier.

Je suppose que plusieurs êtres pensants et très raisonnables vivent quinze jours seulement, et cela dans une des îles du Nord, où il y ait (ce qui arrive quelquefois) huit jours de glace et de brume vers la fin du mois de mai ; qu'à cette gelée succèdent trois ou quatre jours d'un soleil ardent et d'un chaud excessif ; qu'un vent survienne qui abatte tous les arbres et amène les insectes qui ravagent les moissons et les fruits ; qu'il y ait pendant ces quinze jours un quartier de lune très brillante, ensuite une éclipse de soleil ; qu'après on perde de vue longtemps ces astres ; qu'un tremblement de terre survienne ; qu'une partie de ses habitants en soit engloutie dans la terre ; qu'une autre meurt de faim et de maladie ; qu'une autre soit dévorée par des bêtes féroces ; alors, ces êtres raisonnables, ne trouvant dans ce chaos d'horreurs que confusion et malfaisance, croiront-ils volontiers des arguments métaphysiques qui prouvent un être souverainement sage et bienfaisant ?

Placez-les au contraire dans nos climats, et donnez-leur une vie assez longue pour suivre et admirer le cours régulier des astres, pour entrer dans le détail immense des biens prodigués autour de nous et dans nous, pour voir partout des principes et des conséquences et des bienfaits infinis, y aura-t-il alors quelque argument métaphysique plus fort que ce qu'ils auront vu? (*Métaphysique de Newton ou Parallèle des sentiments de Newton et de Leibniz*, 1740. Cité par R. Pomeau dans *la Religion de Voltaire*, page 197, 1963.)

◆ Bilan.

Vers la fin de sa vie, le problème de la liberté humaine préoccupait encore Voltaire. Voici le bilan qu'il fait de ses recherches dans un ouvrage au titre révélateur : *le Philosophe ignorant* (1766) :

Je me souviens qu'un jour, avant que j'eusse fait toutes les questions précédentes, un raisonneur voulut me faire raisonner. Il me demanda si j'étais libre; je lui répondis que je n'étais point en prison, que j'avais la clef de ma chambre, que j'étais parfaitement libre. Ce n'est pas cela que je vous demande, me répond-il; croyez-vous que votre volonté ait la liberté de vouloir ou de ne vouloir pas vous jeter par la fenêtre? Pensez-vous, avec l'ange de l'école, que le libre arbitre soit une puissance appétitive et que le libre arbitre se perde par le péché? Je regardais mon homme finement pour tâcher de lire dans ses yeux s'il n'avait pas l'esprit égaré et je lui répondis que je n'entendais rien à son galimatias.

Cependant cette question sur la liberté de l'homme m'intéresse vivement; je lus les scolastiques, je fus comme eux dans les ténèbres; je lus Locke et j'aperçus des traits de lumière; je lus le traité de Collins, qui me parut Locke perfectionné; et je n'ai jamais rien lu depuis qui m'ait donné un nouveau degré de connaissance. Voici ce que ma faible raison a conçu, aidée de ces deux grands hommes, les seuls, à mon avis, qui se soient entendus eux-mêmes en écrivant sur cette matière, et les seuls qui se soient fait entendre aux autres.

Il n'y a rien sans cause. Un effet sans cause n'est qu'une parole absurde. Toutes les fois que je veux, ce ne peut être qu'en vertu de mon jugement bon ou mauvais; ce jugement est nécessaire, donc ma volonté l'est aussi. En effet, il serait bien singulier que toute la nature, tous les astres obéissent à des lois éternelles et qu'il y eût un petit animal haut de cinq pieds, qui, au mépris de ces lois, pût agir toujours comme il lui plairait, au seul gré de son caprice. Il agirait au hasard, et on sait que le hasard n'est rien. Nous avons inventé ce mot pour exprimer l'effet connu de toute cause inconnue.

Mes idées entrent nécessairement dans mon cerveau; comment ma volonté qui en dépend serait-elle à la fois nécessité et absolument libre? Je sens en mille occasions que cette volonté ne peut rien; ainsi quand la maladie m'accable, quand la passion me transporte, quand mon jugement ne peut atteindre aux objets qu'on me présente, etc., je dois donc penser que, les lois de la nature étant toujours les mêmes, ma volonté n'est pas plus libre dans les choses qui me paraissent les plus indifférentes que dans celles où je me sens soumis à une force invincible.

Être véritablement libre, c'est pouvoir. Quand je peux faire ce que je veux, voilà ma liberté; mais je veux nécessairement ce que je veux, autrement, je voudrais sans raison, sans cause, ce qui est impossible. Ma liberté consiste à marcher quand je veux marcher et que je n'ai point la goutte.

Ma liberté consiste à ne point faire une mauvaise action quand mon esprit se la représente nécessairement mauvaise; à subjuguer une passion quand mon esprit m'en fait sentir le danger et que l'horreur de cette action combat puissamment mon désir. Nous pouvons réprimer nos passions, comme je l'ai déjà annoncé, mais alors nous ne sommes pas plus libres en réprimant nos désirs qu'en nous laissant entraîner à nos penchants; car dans l'un et l'autre cas, nous suivons irrésistiblement notre dernière idée; et cette dernière idée est nécessaire; donc je fais nécessairement ce qu'elle me dicte [...].

Non, je ne puis pardonner au docteur Clarke d'avoir combattu avec mauvaise foi ces vérités dont il sentait la force et qui semblaient s'accommoder mal avec ses systèmes. Non, il n'est pas permis à un philosophe tel que lui d'avoir attaqué Collins en sophiste et d'avoir détourné l'état de la question en reprochant à Collins d'appeler l'homme un agent nécessaire. Agent ou patient qu'importe? Agent quand il se meut volontairement, patient quand il reçoit des idées. Qu'est-ce que le nom fait à la chose? L'homme est en tout un être dépendant comme la nature entière est dépendante, et il ne peut être excepté des autres êtres.

> Essayez de retrouver dans *Zadig* les éléments du grand débat théorique sur la liberté qui agita Voltaire dans les années précédant immédiatement la composition du conte.

3.2. *ZADIG* ET LA TRADITION DU CONTE ORIENTAL
A. Le conte oriental. Les préventions d'un philosophe.

Voltaire éprouvait la plus grande méfiance pour tout ce qui touchait au merveilleux. Le roman oriental, qui portait ce merveilleux à son comble, éveillait ses sarcasmes; il y voyait les manifestations de l'enfance du monde et un danger pour la raison.

Les Orientaux ont toujours prodigué la métaphore sans mesure et sans art. On ne voit dans leurs écrits que des collines qui sautent, des fleurs qui sèchent de crainte, des étoiles qui tressaillent de joie; leur imagination trop vive ne leur a jamais permis d'écrire avec méthode et sagesse ; de là vient qu'ils n'ont rien approfondi, et qu'il n'y a pas en Orient un seul bon livre d'histoire et de science. Il semble que dans ces pays on ait jamais parlé que pour ne pas être entendu. Il n'y a que leurs fables qui aient réussi chez les autres nations. Mais quand on n'excelle que dans les fables, c'est une preuve qu'on n'a que de l'imagination. (*Connaissance des beautés et des défauts de la poésie et de l'éloquence*, article « Métaphore », 1749.)

B. Le conte oriental. Structure et thèmes.

Malgré ses préventions et pour des raisons philosophiques (voir Notice, page 17), Voltaire utilisera dans *Zadig* la structure et les thèmes traditionnels du conte oriental.

◆ Structure du conte : le récit d'une vie.

Le récit de la vie d'un homme est la base narrative de chacun des contes des *Mille et Une Nuits*. On n'y verra nulle facilité, mais, au contraire, une affirmation de l'importance accordée à la vie humaine, la plus pure des merveilles. Dans l'*Histoire du second vieillard* et des deux chiens noirs, c'est au prix du récit de leur vie que trois vieillards obtiennent la grâce d'un marchand prisonnier d'un génie.

Grand prince des génies, vous saurez que nous sommes trois frères, ces deux chiens noirs que vous voyez, et moi qui suis le troisième. Notre père nous avait laissé en mourant à chacun mille sequins. Avec cette somme, nous embrassâmes tous trois la même profession : nous nous fîmes marchands. Peu de temps après que nous eûmes ouvert boutique, mon frère aîné, l'un de ces deux chiens, résolut de voyager et d'aller négocier dans les pays étrangers. Dans ce dessein, il vendit tout son fonds, et en acheta des marchandises propres au négoce qu'il voulait faire.

« Il partit, et fut absent une année entière. Au bout de ce temps-là, un pauvre qui me parut demander l'aumône se présenta à ma boutique. Je lui dis : « Dieu vous assiste ! — Dieu vous assiste aussi ! me répondit-il ; est-il possible que vous ne me reconnaissiez pas ? » Alors l'envisageant avec attention, je le reconnus : « Ah ! mon frère, m'écriai-je en l'embrassant, comment vous aurais-je pu reconnaître en cet état ? » Je le fis entrer dans ma maison, je lui demandai des nouvelles de sa santé et du succès de son voyage. « Ne me faites pas cette question, me dit-il ; en me voyant, vous voyez tout. Ce serait renouveler mon affliction, que de vous faire le détail de tous les malheurs qui me sont arrivés depuis un an, et qui m'ont réduit à l'état où je suis. »

« Je fis aussitôt fermer ma boutique ; et abandonnant tout autre soin, je le menai au bain, et lui donnai les plus beaux habits de ma garde-robe. J'examinai mes registres de vente et d'achat ; et trouvant que j'avais doublé mon fonds, c'est-à-dire, que j'étais riche de deux mille sequins, je lui en donnai la moitié : « Avec cela, mon frère, lui dis-je, vous pourrez oublier la perte que vous avez faite. » Il accepta les mille sequins avec joie, rétablit ses affaires, et nous vécûmes ensemble comme nous avions vécu auparavant.

« Quelque temps après, mon second frère, qui est l'autre de ces deux chiens, voulut aussi vendre son fonds. Nous fîmes, son aîné et moi, tout ce que nous pûmes pour l'en détourner ; mais il n'y eut pas moyen. Il le vendit, et de l'argent qu'il en fit, il acheta des marchandises propres au négoce étranger qu'il voulait entreprendre. Il se joignit à une caravane, et partit. Il revint au bout de l'an dans le même état que son frère aîné ; je le fis habiller ; et comme j'avais encore mille sequins par-dessus mon fonds, je les lui donnai. Il releva boutique, et continua d'exercer sa profession.

« Un jour mes deux frères vinrent me trouver pour me proposer de faire un voyage, et d'aller trafiquer avec eux. Je rejetai d'abord leur proposition : « Vous avez voyagé, leur dis-je, qu'y avez-vous gagné ? Qui m'assurera que je serai plus heureux que vous ? » En vain ils me représentèrent là-dessus tout ce qui leur sembla devoir m'éblouir et m'encourager à tenter la fortune ; je refusai d'entrer dans leur dessein. Mais ils revinrent tant de fois à la charge, qu'après avoir, pendant cinq ans, résisté constamment à leurs sollicitations, je m'y rendis enfin. Mais quand il fallut faire les préparatifs du voyage, et qu'il fut question d'acheter les marchandises dont nous avions besoin, il se trouva qu'ils avaient tout mangé, et qu'il ne leur restait rien des mille sequins que je leur avais donnés à chacun. Je ne leur en fis pas le moindre reproche ; au contraire, comme mon fonds était de six mille sequins, j'en partageai la moitié avec eux, en leur disant : « Mes frères, il faut risquer ces trois mille sequins, et cacher les autres en quelque endroit sûr, afin que, si notre voyage n'est pas plus heureux que ceux que vous avez déjà faits, nous ayons de quoi nous en consoler, et reprendre notre ancienne profession. » Je donnai donc mille sequins à chacun, j'en gardai autant pour moi, et j'enterrai les trois mille autres dans un coin de ma maison. Nous achetâmes des marchandises ; et après les avoir embarquées sur un vaisseau que nous frétâmes entre nous trois, nous fîmes mettre à la voile avec un vent favorable. Après un mois de navigation...

Mais je vois le jour, poursuivit Scheherazade, il faut que j'en demeure là : « Ma sœur, dit Dinarzade, voilà un conte qui promet beaucoup ; je m'imagine que la suite en est fort extraordinaire. — Vous ne vous trompez pas, répondit la sultane ; et si le sultan me permet de vous la conter, je suis persuadée qu'elle vous divertira fort. » Schahriar se leva comme le jour précédent, sans s'expliquer là-dessus, et ne donna point ordre au grand vizir de faire mourir sa fille.

★ **VIIe NUIT** ★ Sur la fin de la septième nuit, Dinarzade supplia la sultane de conter la suite de ce beau conte qu'elle n'avait pu achever la veille. Je le veux bien, répondit Scheherazade ; et pour en reprendre le fil, je vous dirai que le vieillard qui menait les deux chiens noirs, continuant de raconter son histoire au génie, aux deux autres vieillards et au marchand : « Enfin, leur dit-il, après deux mois de navigation, nous arrivâmes heureusement à un port de mer, où nous débarquâmes, et fîmes un très-grand débit de nos marchandises. Moi surtout, je vendis si bien les miennes, que je gagnai dix pour un. Nous achetâmes des marchandises du pays, pour les transporter et les négocier au nôtre.

« Dans le temps que nous étions prêts à nous rembarquer pour notre retour, je rencontrai sur le bord de la mer une dame assez bien faite, mais fort pauvrement habillée. Elle m'aborda, me baisa la main, et me pria, avec les dernières instances, de la prendre pour femme, et de l'embarquer avec moi. Je fis difficulté de lui accorder ce qu'elle demandait ; mais elle me dit tant de choses pour me persuader que je ne devais pas prendre garde à sa pauvreté, et que j'aurais lieu d'être content de sa conduite, que je me laissai vaincre. Je lui fis faire des habits propres ; et après l'avoir épousée par un contrat de mariage en bonne forme, je l'embarquai avec moi, et nous mîmes à la voile.

« Pendant notre navigation, je trouvai de si belles qualités dans la femme que je venais de prendre, que je l'aimais tous les jours de plus en plus. Cependant mes deux frères, qui n'avaient pas si bien fait leurs affaires que moi, et qui étaient jaloux de ma prospérité, me portaient envie : leur fureur alla même jusqu'à conspirer contre ma vie. Une nuit, dans le temps que ma femme et moi nous dormions, ils nous jetèrent à la mer.

« Ma femme était fée, et par conséquent génie ; vous jugez bien qu'elle ne se noya pas. Pour moi, il est certain que je serais mort sans son secours ; mais je fus à peine tombé dans l'eau, qu'elle m'enleva et me transporta dans une île. Quand il fut jour, la fée me dit : « Vous voyez, mon mari, qu'en vous sauvant la vie, je ne vous ai pas mal récompensé du bien que vous m'avez fait. Vous saurez que je suis fée, et que me trouvant sur le bord de la mer, lorsque vous alliez vous embarquer, je me sentis une forte inclination pour vous. Je voulus éprouver la bonté de votre cœur ; je me présentai devant vous déguisée comme vous m'avez vue. Vous en avez usé avec moi généreusement. Je suis ravie d'avoir trouvé l'occasion de vous

en marquer ma reconnaissance. Mais je suis irritée contre vos frères, et je ne serai pas satisfaite que je ne leur aie ôté la vie. »
« J'écoutai avec admiration le discours de la fée ; je la remerciai le mieux qu'il me fut possible de la grande obligation que je lui avais : « Mais, Madame, lui dis-je, pour ce qui est de mes frères, je vous supplie de leur pardonner. Quelque sujet que j'aie de me plaindre d'eux, je ne suis pas assez cruel pour vouloir leur perte. » Je lui racontai ce que j'avais fait pour l'un et pour l'autre ; et mon récit augmentant son indignation contre eux : « Il faut, s'écria-t-elle, que je vole tout à l'heure après ces traîtres et ces ingrats, et que j'en tire une prompte vengeance. Je vais submerger leur vaisseau, et les précipiter dans le fond de la mer. — Non, ma belle dame, repris-je, au nom de Dieu, n'en faites rien, modérez votre courroux, songez que ce sont mes frères, et qu'il faut faire le bien pour le mal. »
« J'apaisai la fée par ces paroles ; et lorsque je les eus prononcées, elle me transporta en un instant de l'île où nous étions sur le toit de mon logis, qui était en terrasse, et elle disparut un moment après. Je descendis, j'ouvris les portes, et je déterrai les trois mille sequins que j'avais cachés. J'allai ensuite à la place où était ma boutique ; je l'ouvris, et je reçus des marchands mes voisins des compliments sur mon retour. Quand je rentrai chez moi, j'aperçus ces deux chiens noirs, qui vinrent m'aborder d'un air soumis. Je ne savais ce que cela signifiait, et j'en étais fort étonné ; mais la fée, qui parut bientôt, me l'expliqua : « Mon mari, me dit-elle, ne soyez pas surpris de voir ces deux chiens chez vous : ce sont vos deux frères. » Je frémis à ces mots, et je lui demandai par quelle puissance ils se trouvaient en cet état : « C'est moi qui les y ai mis, me répondit-elle ; au moins c'est une de mes sœurs, à qui j'en ai donné la commission, et qui en même temps a coulé à fond leur vaisseau. Vous y perdez les marchandises que vous y aviez ; mais je vous récompenserai d'ailleurs. À l'égard de vos frères, je les ai condamnés à demeurer dix ans sous cette forme ; leur perfidie ne les rend que trop dignes de cette pénitence. » Enfin, après m'avoir enseigné où je pourrais avoir de ses nouvelles, elle disparut.
« Présentement que les dix années sont accomplies, je suis en chemin pour l'aller chercher ; et comme en passant par ici j'ai rencontré ce marchand et le bon vieillard qui mène sa biche, je me suis arrêté avec eux : voilà quelle est mon histoire, ô prince des génies ; ne vous paraît-elle pas des plus extraordinaires ? — J'en conviens, répondit le génie, et je remets aussi en sa faveur le second tiers du crime dont ce marchand est coupable envers moi. »
Aussitôt que le second vieillard eut achevé son histoire, le troi-

sième prit la parole, et fit au génie la même demande que les
deux premiers, c'est-à-dire, de remettre au marchand le troisième tiers de son crime, supposé que l'histoire qu'il avait à
lui raconter surpassât, en événements singuliers, les deux qu'il
venait d'entendre. Le génie lui fit la même promesse qu'aux
autres. « Ecoutez donc, lui dit alors le vieillard... »
Mais le jour paraît, dit Scheherazade en se reprenant; il faut
que je m'arrête en cet endroit. « Je ne puis assez admirer, ma
sœur, dit alors Dinarzade, les aventures que vous venez de
raconter. — J'en sais une infinité d'autres, répondit la sultane, qui sont encore plus belles. » Schahriar, voulant savoir
si le conte du troisième vieillard serait aussi agréable que
celui du second, différa jusqu'au lendemain la mort de
Scheherazade.

★ **VIIIᵉ NUIT** ★ Dès que Dinarzade s'aperçut qu'il était
temps d'appeler la sultane, elle supplia sa sœur, en attendant
le jour, de lui faire le récit de quelque beau conte : « Racontez-nous celui du troisième vieillard, dit le sultan à Scheherazade ; j'ai bien de la peine à croire qu'il soit plus merveilleux
que celui du vieillard et des deux chiens noirs. — Sire, répondit la sultane, le troisième vieillard raconta son histoire au
génie ; je ne vous la dirai point, car elle n'est point venue à
ma connaissance ; mais je sais qu'elle se trouva si fort au-dessus
des deux précédentes, par la diversité des aventures merveil-
leuses qu'elle contenait, que le génie en fut étonné. Il n'en eut
pas plus tôt ouï la fin, qu'il dit au troisième vieillard : « Je
t'accorde le dernier tiers de la grâce du marchand ; il doit bien
vous remercier tous trois de l'avoir tiré d'embarras par vos
histoires : sans vous il ne serait plus au monde. » En achevant
ces mots, il disparut, au grand contentement de la compagnie.
Le marchand ne tarda pas de rendre à ses trois libérateurs
toutes les grâces qu'il leur devait. Ils se réjouirent avec lui de
le voir hors de péril ; après quoi ils se dirent adieu, et chacun
reprit son chemin. Le marchand s'en retourna auprès de sa
femme et de ses enfants, et passa tranquillement avec eux le
reste de ses jours. Mais, sire, ajouta Scheherazade, quelque
beaux que soient les contes que j'ai racontés jusqu'ici à votre
majesté, ils n'approchent pas de celui du pêcheur. Dinarzade,
voyant que la sultane s'arrêtait, lui dit : « Ma sœur, puisqu'il
nous reste encore du temps, de grâce racontez-nous l'histoire
de ce pêcheur ; le sultan le voudra bien. »

◆ Thèmes.
— La précarité de la condition humaine.
La condition humaine apparaît dans *les Mille et Une Nuits* comme
essentiellement précaire. Elle est à la merci du destin, du hasard,
des hommes eux-mêmes. Un rien la bouleverse, la magnifie ou
la ruine.

Que la fortune est inconstante! s'écrie un des personnages de l'Histoire du vizir puni. Elle se plaît à abaisser les hommes qu'elle a élevés. Où sont ceux qui jouissent tranquillement d'un bonheur qu'ils tiennent d'elle, et dont les jours sont toujours purs et sereins?

— Les hasards de la destinée. Les hommes apparaissent souvent dans les contes orientaux comme des êtres soumis à des forces obscures et incompréhensibles.

Sire, il y avait autrefois un pêcheur fort âgé, et si pauvre, qu'à peine pouvait-il gagner de quoi faire subsister sa femme et trois enfants, dont sa famille était composée. Il allait tous les jours à la pêche de grand matin; et chaque jour il s'était fait une loi de ne jeter ses filets que quatre fois seulement.

Il partit un matin au clair de la lune, et se rendit au bord de la mer; il se déshabilla et jeta ses filets. Comme il les tirait vers le rivage, il sentit d'abord de la résistance; il crut avoir fait une bonne pêche, et s'en réjouissait déjà en lui-même. Mais un moment après, s'apercevant qu'au lieu de poisson il n'y avait dans ses filets que la carcasse d'un âne, il en eut beaucoup de chagrin...

Scheherazade, en cet endroit, cessa de parler, parce qu'elle vit paraître le jour: « Ma sœur, lui dit Dinarzade, je vous avoue que ce commencement me charme, et je prévois que la suite sera fort agréable. — Rien n'est plus surprenant que l'histoire du pêcheur, répondit la sultane; et vous en conviendrez la nuit prochaine, si le sultan me fait la grâce de me laisser vivre. » Schahriar, curieux d'apprendre le succès de la pêche du pêcheur, ne voulut pas faire mourir ce jour-là Scheherazade. C'est pourquoi il se leva, et ne donna point encore ce cruel ordre.

★ IXᵉ NUIT ★ « Ma chère sœur, s'écria Dinarzade, le lendemain à l'heure ordinaire, je vous supplie de nous finir le conte du pêcheur, je meurs d'envie de l'entendre. — Je vais vous donner cette satisfaction », répondit la sultane. En même temps elle demanda la permission au sultan, et lorsqu'elle l'eut obtenue, elle reprit en ces termes le conte du pêcheur:

Sire, quand le pêcheur, affligé d'avoir fait une si mauvaise pêche, eut raccommodé ses filets, que la carcasse de l'âne avait rompus en plusieurs endroits, il les jeta une seconde fois. En les tirant, il sentit encore beaucoup de résistance, ce qui lui fit croire qu'ils étaient remplis de poisson; mais il n'y trouva qu'un grand panier plein de gravier et de fange. Il en fut dans une extrême affliction: « Ô fortune, s'écria-t-il d'une voix pitoyable, cesse d'être en colère contre moi, et ne persécute point un malheureux qui te prie de l'épargner! Je suis parti de ma maison pour venir ici chercher ma vie, et tu m'annonces ma mort. Je n'ai pas d'autre métier que celui-ci pour subsister ; et malgré tous les soins que j'y apporte, je puis à peine fournir aux plus pressants besoins de ma famille. Mais j'ai tort de me plaindre de toi ; tu prends plaisir à maltraiter les honnêtes gens, et à laisser de grands hommes dans l'obscurité, tandis que tu favorises les méchants, et que tu élèves ceux qui n'ont aucune vertu qui les rende recommandables. » En achevant ces plaintes, il jeta brusquement le panier ; et après avoir bien lavé ses filets que la fange avait gâtés, il les jeta pour la troisième fois. Mais il n'amena que des pierres, des coquilles et de l'ordure. On ne saurait expliquer quel fut son désespoir : peu s'en fallut qu'il ne perdît l'esprit. Cependant, comme le jour commençait à paraître, il n'oublia pas de faire sa prière en bon musulman ; ensuite il ajouta celle-ci : « Seigneur, vous savez que je ne jette mes filets que quatre « fois chaque jour. Je les ai déjà jetés trois fois sans avoir tiré « le moindre fruit de mon travail. Il ne m'en reste plus qu'une ; « je vous supplie de me rendre la mer favorable, comme vous « l'avez rendue à Moïse. »

Le pêcheur, ayant fini cette prière, jeta ses filets pour la quatrième fois. Quand il jugea qu'il devait y avoir du poisson, il les tira comme auparavant avec assez de peine. Il n'y en avait pas pourtant ; mais il y trouva un vase de cuivre jaune, qui, à sa pesanteur, lui parut plein de quelque chose ; et il remarqua qu'il était fermé et scellé de plomb, avec l'empreinte d'un sceau. Cela le réjouit : « Je le vendrai au fondeur, disait-il, et de l'argent que j'en ferai, j'en achèterai une mesure de blé. » Il examina le vase de tous côtés, il le secoua, pour voir si ce qui était dedans ne ferait point de bruit. Il n'entendit rien ; et cette circonstance, avec l'empreinte du sceau sur le couvercle de plomb, lui fit penser qu'il devait être rempli de quelque chose de précieux. Pour s'en éclaircir, il prit son couteau, et avec un peu de peine, il l'ouvrit. Il en pencha aussitôt l'ouverture contre terre ; mais il n'en sortit rien, ce qui le surprit extrêmement. Il le posa devant lui ; et pendant qu'il le considérait attentivement, il en sortit une fumée fort épaisse qui l'obligea de reculer deux ou trois pas en arrière. Cette fumée s'éleva jusqu'aux nues, et, s'étendant sur la mer et sur le rivage, forma un gros brouillard : spectacle qui causa, comme on peut se l'imaginer, un étonnement extraordinaire au pêcheur. Lorsque la fumée fut toute hors du vase, elle se réunit et devint un corps solide, dont il se forma un génie deux fois aussi haut que le plus grand de tous les géants. A l'aspect d'un monstre d'une grandeur si démesurée, le pêcheur voulut prendre la fuite ; mais il se trouva si troublé et si effrayé, qu'il ne put marcher.

« Salomon, s'écria d'abord le génie, Salomon, grand prophète de Dieu, pardon, pardon ! jamais je ne m'opposerai à vos volontés. J'obéirai à tous vos commandements... »

Scheherazade, apercevant le jour, interrompit là son conte. Dinarzade prit alors la parole : « Ma sœur, dit-elle, on ne peut mieux tenir sa promesse que vous tenez la vôtre : ce conte est assurément plus surprenant que les autres. — Ma sœur, répondit la sultane, vous entendrez des choses qui vous causeront encore plus d'admiration, si le sultan, mon seigneur, me permet de vous les raconter. » Schahriar avait trop d'envie d'entendre le reste de l'histoire du pêcheur, pour vouloir se priver de ce plaisir. Il remit donc encore au lendemain la mort de la sultane.

★ **Xᵉ NUIT** ★ Dinarzade, la nuit suivante, appelant sa sœur quand il en fut temps, la pria de continuer le conte du pêcheur. Le sultan, de son côté, témoigna de l'impatience d'apprendre quel démêlé le génie avait eu avec Salomon. C'est pourquoi Scheherazade poursuivit ainsi le conte du pêcheur.

Sire, le pêcheur n'eut pas sitôt entendu les paroles que le génie avait prononcées, qu'il se rassura et lui dit : « Esprit superbe, que dites-vous ? Il y a plus de dix-huit cents ans que Salomon, le prophète de Dieu, est mort, et nous sommes présentement à la fin des siècles. Apprenez-moi votre histoire, et pour quel sujet vous étiez renfermé dans ce vase. »

A ce discours, le génie, regardant le pêcheur d'un air fier, lui répondit : « Parle-moi plus civilement : tu es bien hardi de m'appeler esprit superbe. — Hé bien ! repartit le pêcheur, vous parlerai-je avec plus de civilité, en vous appelant hibou du bonheur ? — Je te dis, repartit le génie, de me parler plus civilement avant que je te tue. — Hé ! pourquoi me tueriez-vous ? répliqua le pêcheur. Je viens de vous mettre en liberté ; l'avez-vous déjà oublié ? — Non, je m'en souviens, repartit le génie, mais cela ne m'empêchera pas de te faire mourir ; et je n'ai qu'une seule grâce à t'accorder. — Et quelle est cette grâce ? dit le pêcheur. — C'est, répondit le génie, de te laisser choisir de quelle manière tu veux que je te tue. — Mais en quoi vous ai-je offensé ? reprit le pêcheur. Est-ce ainsi que vous voulez me récompenser du bien que je vous ai fait ? — Je ne puis te traiter autrement, dit le génie ; et afin que tu en sois persuadé, écoute mon histoire :

« Je suis un de ces esprits rebelles qui se sont opposés à la volonté de Dieu. Tous les autres génies reconnurent le grand Salomon, prophète de Dieu, et se soumirent à lui. Nous fûmes les seuls, Sacar et moi, qui ne voulûmes pas faire cette bassesse. Pour s'en venger, ce puissant monarque chargea Assaf, fils de Barakhia, son premier ministre, de me venir prendre. Cela fut exécuté. Assaf vint se saisir de ma personne, et me mena malgré moi devant le trône du roi son maître. Salomon, fils de David, me commanda de quitter mon genre de vie, de reconnaître son pouvoir, et de me soumettre à ses commandements. Je refusai hautement de lui obéir; et j'aimai mieux m'exposer à tout son ressentiment, que de lui prêter le serment de fidélité et de soumission qu'il exigeait de moi. Pour me punir, il m'enferma dans ce vase de cuivre; et afin de s'assurer de moi, et que je ne pusse pas forcer ma prison, il imprima lui-même sur le couvercle de plomb son sceau, où le grand nom de Dieu était gravé. Cela fait, il mit le vase entre les mains d'un des génies qui lui obéissaient, avec ordre de me jeter à la mer; ce qui fut exécuté à mon grand regret. Durant le premier siècle de ma prison, je jurai que si quelqu'un m'en délivrait avant les cent ans achevés, je le rendrais riche, même après sa mort. Mais le siècle s'écoula, et personne ne me rendit ce bon office. Pendant le second siècle, je fis serment d'ouvrir tous les trésors de la terre à quiconque me mettrait en liberté; mais je ne fus pas plus heureux. Dans le troisième, je promis de faire puissant monarque mon libérateur, d'être toujours près de lui en esprit, et de lui accorder chaque jour trois demandes, de quelque nature qu'elles pussent être; mais ce siècle se passa comme les deux autres, et je demeurai toujours dans le même état. Enfin, désolé, ou plutôt enragé de me voir prisonnier si long-temps, je jurai que si quelqu'un me délivrait dans la suite, je le tuerais impitoyablement et ne lui accorderais point d'autre grâce que de lui laisser le choix du genre de mort dont il voudrait que je le fisse mourir : c'est pourquoi, puisque tu es venu ici aujourd'hui, et que tu m'as délivré, choisis comment tu veux que je te tue. »

Ce discours affligea fort le pêcheur : « Je suis bien malheureux, s'écria-t-il, d'être venu en cet endroit rendre un si grand service à un ingrat. Considérez de grâce votre injustice, et révoquez un serment si peu raisonnable. Pardonnez-moi, Dieu vous pardonnera de même : si vous me donnez généreusement la vie, il vous mettra à couvert de tous les complots qui se formeront contre vos jours. — Non, ta mort est certaine, dit le génie; choisis seulement de quelle sorte tu veux que je te fasse mourir. » Le pêcheur, le voyant dans la résolution de le tuer, en eut une douleur extrême, non pas tant pour l'amour de lui, qu'à cause de ses trois enfants dont il plaignait la misère où ils allaient être réduits par sa mort. Il tâcha encore d'apaiser le génie : « Hélas! reprit-il, daignez avoir pitié de moi, en considération de ce que j'ai fait pour vous. — Je te l'ai déjà dit, repartit le génie, c'est justement pour cette raison que je suis obligé de t'ôter la vie. — Cela est étrange, répliqua le pêcheur, que vous vouliez absolument rendre le mal pour le bien. Le proverbe dit, que qui fait du bien à celui qui ne le mérite pas en est toujours mal payé. Je croyais, je l'avoue, que cela était faux : en effet, rien ne choque davantage la raison et les droits de la société ; néanmoins j'éprouve cruellement que cela n'est que trop véritable.

— Ne perdons pas le temps, interrompit le génie, tous tes raisonnements ne sauraient me détourner de mon dessein. Hâte-toi de dire comment tu souhaites que je te tue. »

La nécessité donne de l'esprit. Le pêcheur s'avisa d'un stratagème : « Puisque je ne saurais éviter la mort, dit-il au génie, je me soumets donc à la volonté de Dieu. Mais avant que je choisisse un genre de mort, je vous conjure, par le grand nom de Dieu, qui était gravé sur le sceau du prophète Salomon, fils de David, de me dire la vérité sur une question que j'ai à vous faire. »

Quand le génie vit qu'on lui faisait une adjuration qui le contraignait de répondre positivement, il trembla en lui-même, et dit au pêcheur : « Demande-moi ce que tu voudras, et hâte-toi... »

★ **XIᵉ NUIT** ★ Le pêcheur lui dit : « Je voudrais savoir si effectivement vous étiez dans ce vase ; oseriez-vous en jurer par le grand nom de Dieu ? — Oui, répondit le génie, je jure par ce grand nom que j'y étais ; et cela est très-véritable. — En bonne foi, répliqua le pêcheur, je ne puis vous croire. Ce vase ne pourrait pas seulement contenir un de vos pieds ; comment se peut-il que votre corps y ait été renfermé tout entier ? — Je te jure pourtant, repartit le génie, que j'y étais tel que tu me vois. Est-ce que tu ne me crois pas, après le grand serment que je t'ai fait ? — Non vraiment, dit le pêcheur ; et je ne vous croirai point, à moins que vous ne me fassiez voir la chose. »

Alors il se fit une dissolution du corps du génie, qui, se changeant en fumée, s'étendit comme auparavant sur la mer et sur le rivage, et qui, se rassemblant ensuite, commença de rentrer dans le vase, et continua de même par une succession lente et égale, jusqu'à ce qu'il n'en restât plus rien au dehors. Aussitôt il en sortit une voix qui dit au pêcheur : « Hé bien ! incrédule pêcheur, me voici dans le vase : me crois-tu présentement ? »

Le pêcheur, au lieu de répondre au génie, prit le couvercle de plomb ; et ayant fermé promptement le vase : « Génie, lui cria-t-il, demande-moi grâce à ton tour, et choisis de quelle mort tu veux que je te fasse mourir. Mais non, il vaut mieux que je te rejette à la mer, dans le même endroit d'où je t'ai tiré ; puis je ferai bâtir une maison sur ce rivage, où je demeurerai, pour avertir tous les pêcheurs qui viendront y jeter leurs filets de bien prendre garde de repêcher un méchant génie comme toi, qui as fait serment de tuer celui qui te mettra en liberté. »

À ces paroles offensantes, le génie, irrité, fit tous ses efforts

pour sortir du vase ; mais c'est ce qui ne lui fut pas possible :
car l'empreinte du sceau du prophète Salomon, fils de David,
l'en empêchait. Ainsi, voyant que le pêcheur avait alors l'avantage sur lui, il prit le parti de dissimuler sa colère : « Pêcheur,
lui dit-il, d'un ton radouci, garde-toi bien de faire ce que tu
dis. Ce que j'en ai fait n'a été que par plaisanterie, et tu ne
dois pas prendre la chose sérieusement. — Ô génie, répondit
le pêcheur, toi qui étais, il n'y a qu'un moment, le plus grand,
et qui es à cette heure le plus petit de tous les génies, apprends
que tes artificieux discours ne te serviront de rien. Tu retour-
neras à la mer. Si tu y as demeuré tout le temps que tu m'as
dit, tu pourras bien y demeurer jusqu'au jour du jugement.
Je t'ai prié, au nom de Dieu, de ne me pas ôter la vie, tu as
rejeté mes prières ; je dois te rendre la pareille. »
Le génie n'épargna rien pour tâcher de toucher le pêcheur :
« Ouvre le vase, lui dit-il, donne-moi la liberté, je t'en supplie ; je te promets que tu seras content de moi. — Tu n'es
qu'un traître, repartit le pêcheur. Je mériterais de perdre la
vie, si j'avais l'imprudence de me fier à toi. Tu ne manquerais
pas de me traiter de la même façon qu'un certain roi grec
traita le médecin Douban. C'est une histoire que je te veux
raconter ; écoute. (*Les Mille et Une Nuits*, « Histoire du
pêcheur ». Traduit par A. Galland, Paris, 1704-1717.)

— La perfection des héros. Aux hasards de la destinée, le héros
des contes orientaux oppose sa bienfaisance, sa miséricorde, sa
libéralité, sa sagacité, son habileté et son intelligence.
Voici, par exemple, Aboulhassan Ebn Thaher.

Sous le règne du calife Haroun-al-Raschid, il y avait à Bagdad
un droguiste qui se nommait Aboulhassan Ebn Thaher,
homme puissamment riche, bien fait et très agréable de sa
personne. Il avait plus d'esprit et de politesse que n'en ont
ordinairement les gens de sa profession ; et sa droiture, sa
sincérité et l'enjouement de son humeur le faisaient aimer et
rechercher de tout le monde. (*Les Mille et Une Nuits*, « Histoire d'Aboulhassan Ali Ebn Becar et de Schemselnihar, favorite du calife Haroun-al-Raschid ». Traduit par A. Galland,
Paris, 1704-1717.)

Étudiez dans *Zadig* la structure et les thèmes traditionnels du
conte oriental.
Montrez l'utilisation « philosophique » qu'en fait Voltaire.

4. UNE VARIANTE DE ZADIG

Le texte du chapitre VI, « le Ministre », a subi plusieurs transfor-
mations avant de trouver sa forme définitive.

◆ En 1747, on trouvait — au lieu du paragraphe à propos duquel
une note renvoie à la Documentation thématique et du chapitre
suivant — ce texte :

Quelque temps après, on lui amena un homme juridiquement convaincu d'avoir commis un meurtre six ans auparavant. Deux témoins déposaient l'avoir vu ; ils indiquaient le lieu, le jour et l'heure ; ils ne s'étaient point coupés dans leurs interrogatoires. L'accusé avait été l'ennemi déclaré du mort. Plusieurs personnes l'avaient vu passer armé dans le chemin où l'assassinat avait été commis : jamais preuves n'avaient été plus fortes ; et cependant cet homme protestait de son innocence avec cet air de vérité qui peut balancer les preuves, même aux yeux d'un juge éclairé ; mais il pouvait exciter la pitié et non éviter la condamnation ; il ne se plaignait point de ses juges ; il accusait seulement sa destinée, et il était résigné à la mort. Memnon s'attendrit sur lui, et entreprit de découvrir la vérité ; il se fit amener les deux dénonciateurs l'un après l'autre. Il dit au premier : « Je sais, mon ami, que vous êtes un homme de bien et un témoin irréprochable. Vous avez rendu un grand service à la patrie en découvrant l'auteur du meurtre qui fut commis il y a six ans, en hiver, au temps du solstice, à sept heures du soir, aux yeux mêmes du soleil. — Monseigneur, lui répondit l'accusateur, je ne sais pas ce que c'est que le solstice, mais c'était le troisième jour de la semaine, et il faisait un très beau soleil. — Allez en paix, lui dit Memnon, et soyez toujours homme de bien. »

Ensuite il fit venir l'autre témoin et lui dit : « Que la vertu vous accompagne dans toutes vos voies ; vous avez rendu gloire à la vérité, et vous méritez des récompenses pour avoir convaincu un citoyen d'un meurtre abominable qui fut commis il y a six ans aux rayons sacrés de la pleine lune, dans le temps qu'elle était dans le même signe et dans le même degré que le soleil. — Monseigneur, répondit l'accusateur, je ne connais ni les signes ni les degrés, mais il faisait alors la plus belle pleine lune du monde. » Alors Memnon fit revenir le premier témoin et leur dit à tous deux : « Vous êtes des scélérats qui avez porté faux témoignage contre un innocent : l'un assure que le meurtre a été fait à sept heures, avant que le soleil fût sous l'horizon, et ce jour-là, il s'était couché avant six heures ; l'autre affirme que le coup a été fait à la clarté de la pleine lune, et ce jour-là il n'y avait point de lune ; vous serez tous deux pendus pour avoir été faux témoins et mauvais astronomes. »

Memnon rendait tous les jours de pareils arrêts qui montraient la subtilité de son génie et la bonté de son âme. Il était adoré des peuples et chéri du roi. Les premières traverses de sa vie donnaient encore un nouveau prix à sa félicité présente ; mais toutes les nuits il avait un songe qui lui faisait quelque peine. Il lui semblait qu'il était couché [...].

◆ Dans le texte de 1748, l'anecdote des faux témoins est remplacée par le texte suivant :

> Il venait tous les jours des plaintes à la cour contre l'itima-doulet de Médie, nommé Irax. C'était un grand seigneur dont le fond n'était pas mauvais, mais qui était corrompu par la vanité et par la volupté. Il souffrait rarement qu'on lui parlât, et jamais qu'on l'osât contredire. Les paons ne sont pas plus vains, les colombes ne sont pas plus voluptueuses, les tortues ont moins de paresse ; il ne respirait que la fausse gloire et les faux plaisirs ; Zadig entreprit de le corriger.
>
> Il lui envoya de la part du roi un maître de musique avec douze voix et vingt-quatre violons, un maître d'hôtel avec six cuisiniers et quatre chambellans, qui ne devaient pas le quitter. L'ordre du roi portait que l'étiquette suivante serait invariablement observée ; et voici comme les choses se passèrent.
>
> Le premier jour, dès que le voluptueux Irax fut éveillé, le maître de musique entra, suivi des voix et des violons : on chanta une cantate qui dura deux heures, et de trois minutes en trois minutes le refrain était :
>
> > Que son mérite est extrême !
> > Que de grâces, que de grandeur !
> > Ah ! combien Monseigneur
> > Doit être content de lui-même !
>
> Après l'exécution de la cantate, un chambellan lui fit une harangue de trois quarts d'heure, dans laquelle on le louait expressément de toutes les bonnes qualités qui lui manquaient. La harangue finie, on le conduisit à table au son des instruments. Le dîner dura trois heures ; dès qu'il ouvrit la bouche pour parler, le premier chambellan dit : « Il aura raison. » A peine eut-il prononcé quatre paroles que le second chambellan s'écria : « Il a raison. » Les deux autres chambellans firent de grands éclats de rire des bons mots qu'Irax avait dits ou qu'il avait dû dire. Après dîner on lui répéta la cantate. Cette première journée lui parut délicieuse, il crut que le roi des rois l'honorait selon ses mérites ; la seconde lui parut moins agréable ; la troisième fut gênante ; la quatrième fut insupportable ; la cinquième fut un supplice. Enfin, outré d'entendre toujours chanter : « *Ah ! combien Monseigneur doit être content de lui-même !* », d'entendre toujours dire qu'il avait raison, et d'être harangué chaque jour à la même heure, il écrivit en cour pour supplier le roi qu'il daignât rappeler ses chambellans, ses musiciens, son maître d'hôtel ; il promit d'être désormais moins vain et plus appliqué ; il se fit moins encenser, eut moins de fêtes, et fut plus heureux : car, comme dit Sadder, « toujours du plaisir n'est pas du plaisir ».
>
> Zadig montrait tous les jours la subtilité de son génie [...].

JUGEMENTS SUR « LE MONDE COMME IL VA » ET SUR « ZADIG »

« LE MONDE COMME IL VA ». LE SENS DU CONTE

Babouc ou le Monde comme il va n'a guère attiré l'attention de la critique avant ces dernières années. Ce conte a été remis récemment à sa juste place par M. J. Van den Heuvel, qui a vu en lui un « moment » important de la vie intellectuelle de Voltaire (voir Voltaire dans ses contes, Colin, Paris, 1967, pages 123-139).

Les premières inquiétudes de Voltaire.

Le Monde comme il va se présente comme le conte des premières inquiétudes de Voltaire sur l'homme ; inquiétudes tant bien que mal conjurées dans une vision finale qui se veut rassurante, mais qui n'est que médiocre et ressemble presque à une abdication. Dans la statue de Nabuchodonosor, l'homme cherche encore à se reconnaître et à retrouver sa figure : mais l'essentiel demeure que le sens de sa vie ait pu être mis en question. Persépolis a bel et bien failli être détruite. Au contact de la société parisienne, la sérénité des années de Cirey s'est quelque peu troublée. Lorsque après bien des oscillations le jugement de Babouc trouve son précaire équilibre, il s'en faut de beaucoup que l'homme soit rendu à sa limpidité originelle : l'absurdité essentielle de la condition humaine et l'existence irrémédiable du mal se profilent derrière les séductions un peu périmées du Mondain.

J. Van den Heuvel,
Voltaire dans ses contes (1967).

Le conte de la réconciliation.

Le Monde comme il va, c'est presque le monde comme il devrait aller. Certes la statue que Babouc remet à Ituriel n'est pas *toute* en or, mais il est évident que l'or largement y prédomine, et que, telle quelle, elle constitue une assez belle œuvre d'art.

J. Spica,
Introduction à une édition du *Monde comme il va* (1968).

Babouc et Zadig.

On pourrait même avancer qu'avec Zadig l'« optimisme » de Voltaire apparaît d'une manière beaucoup plus affirmée qu'en ces beaux jours de Cirey qui avaient vu naître les premiers contes, comme si, par réaction contre un désarroi passager, il avait dépassé sa position initiale. La Vision de Babouc ne nous offrait avec la statue de Nabuchodonosor, symbole de la condition humaine, qu'un mélange impur d'or et de fange. Dans Zadig, selon l'image si expressive du brigand Arbogad, et qui éclaire le sens de tout le conte, « le grain de sable est devenu diamant ».

J. Van den Heuvel,
Voltaire dans ses contes (1967).

« ZADIG ». BILAN CRITIQUE

XVIIIe SIÈCLE.

Les critiques du XVIIIe siècle louent surtout Zadig pour ses qualités d'esprit et d'élégance. Mais l'appartenance du conte au genre badin les empêche de prêter à l'œuvre l'attention qu'elle méritait. Le parti religieux, représenté par les Mémoires de Trévoux, ne manquera pourtant pas de regretter les libertés prises à l'endroit de la « vraie » religion.

Il y a dans ce petit roman une infinité de pensées vives, lumineuses, qui caractérisent son auteur, et qui sont autant d'étincelles de ce feu divin qui anime la plupart de ses ouvrages [...]. Ce n'est cependant qu'un jeu, qu'un badinage presque continuel, ou plutôt c'est un mélange de sérieux et de comique, qui rend cet ouvrage plus amusant qu'instructif, plus propre à égayer l'esprit qu'à former le cœur, plus capable de faire rire que d'attendrir.

Abbé de La Porte,
Observations sur la littérature moderne, tome I (1747).

Cet ouvrage est singulier partout, même dans l'approbation [...]. L'auteur, qui nous est inconnu, doit avoir bien de l'esprit, un grand usage d'écrire, et beaucoup de connaissances. Il raconte avec légèreté et peint avec grâce [...]. L'on trouvera à y condamner quelques principes, par exemple les jugements que Zadig porte de tous les cultes de la divinité. Il les estime presque également tous ; il ne les croit différents les uns des autres que par des contrariétés apparentes ou accidentelles. Il n'est pas bon non plus que l'esprit céleste envoyé à Zadig pour l'instruire lui peigne les passions comme quelque chose d'essentiel à l'homme ; ni qu'il prononce cette sentence : *tout est dangereux ici-bas et tout est nécessaire* ; ni qu'il assure que l'Être suprême a créé un million de mondes ; ni qu'il insinue que tout ce qui est devait être tel absolument : ce qui autoriserait cette idée très fausse que, dans la production et l'arrangement de cet univers, Dieu n'aurait pas été parfaitement libre.

Mémoires de Trévoux
(novembre 1748).

XIXe ET XXe SIÈCLES

Ce n'est guère qu'à la fin du XIXe siècle (mais déjà dans De la littérature [1810], Madame de Staël avait fait preuve d'une grande perspicacité) qu'on a vu toute l'importance des contes dans l'œuvre de Voltaire et l'histoire des idées.

L'importance des contes.

Tandis que, partout ailleurs, Voltaire est contenu, limité par les exigences de son sujet, comme en histoire, ou par les exigences d'un genre, comme dans la tragédie, ici au contraire il est maître, entièrement maître de lui, il y lâche la bride à son imagination, dont nous ne pouvons guère ailleurs apprécier tout l'éclat et toute la brillante souplesse. Il y met bas le grand habit du classique, il s'y montre au naturel, il s'y peint lui-même, et sa nature propre d'esprit ou de génie. Enfin, la valeur philosophique de quelques-uns d'entre eux n'est pas moindre que leur valeur littéraire ou historique, tant au point de vue de Voltaire qu'au point de vue de l'histoire des idées de son temps.

Ferdinand Brunetière,
Histoire de la littérature française classique, tome III (1912).

Zadig ou l'absurdité du monde et la vanité des projets humains.

L'une des principales fonctions du conte voltairien est de mettre en scène sinon le tragique de la condition de l'homme, du moins l'absurdité du monde et la vanité des projets humains. *Zadig* est l'histoire d'un homme qui possède tout pour être heureux : prestiges de la jeunesse, de la beauté et de la richesse, qualités de l'esprit et de l'âme. S'il manque, malgré tout, le bonheur, c'est que tous ses mérites et ses avantages ne le dispensent pas d'être la victime des autres. C'est de ceux-ci, presque toujours, que viennent les obstacles tant il est vrai que la vertu isolée demeure inutile, sans la complicité de la vertu d'appui.

R. Mauzi,
l'Idée de bonheur dans la pensée
et la littérature française au XVIIIe *siècle* (1960).

Zadig ou l'image de la destinée.

Le roman illustre cette idée que, dans la vie, le destin semble se jouer de la raison et de la justice : courage, science, vertu provoquent sans répit les malheurs de Zadig ; et au contraire l'infidélité, la lâcheté, la sottise, le caprice, le crime assurent à d'autres succès et bonheur. Une fatalité sournoise déçoit sans cesse les légitimes espoirs des gens de bien. Comment accorder cela avec les promesses que prodiguent religions et philosophies ?

G. Ascoli,
in Introduction à son édition de *Zadig* (réimpression de 1962).

Zadig, un conte de fées moral.

Le vice de la morale du conte n'est pas dans une contradiction. Il est dans l'exaspérante médiocrité de ces deux chapitres épais, l'*Hermite* et le *Pêcheur*, qui couronnent si malheureusement l'ouvrage. *Le Pêcheur* : le plus malheureux, ici-bas, trouve plus malheureux que lui. L'*Hermite* : épisode lourd de toute la pesanteur d'un symbolisme qui sent l'huile de lampe. On avait, dans toute la partie narrative du conte, un allègre, alerte récit, piquant, spirituel, pessimiste avec ironie : son ironie même suffisait à conjurer l'excès, un peu apprêté, de son pessimisme. Et voilà qu'aux chapitres moraux, on quitte son Voltaire pour trouver une sorte d'Homais, confiant dans le «Dieu de Socrate et de Béranger » [...]. On regarde maintenant à travers les lunettes des allégoristes médiévaux qui trouvaient le Christ dans Virgile. Cet homme voit sa maison brûler : mais c'est que, sous les ruines, il trouvera un trésor ; cet enfant nous le tuons : c'est pour qu'il ne soit pas, un jour, assassin ou tué lui-même. Il y a bien de l'enfantillage (si toutefois, mais il semble, Voltaire parle ici sérieusement) : non pas dans l'idée, mais dans la formule. Ces historiettes sentent le conte de Noël, le livre pour enfants, le conte de fées moral. Heureux qui s'en contente. On voudrait bien en être encore. Ce sera, malheureusement, de moins en moins possible, au fur et à mesure que s'entassent des siècles lourds.

V. L. Saulnier,
in Introduction à son édition de *Zadig* (Droz, 1946).

SUJETS DE DEVOIRS ET D'EXPOSÉS

EXPOSÉS

1. Voltaire à travers Babouc ou le Monde comme il va et Zadig.

- L'imagination de Voltaire dans Babouc et Zadig.
- La sensibilité de Voltaire d'après Babouc et Zadig.
- Les idées morales et philosophiques de Voltaire d'après Babouc et Zadig.

2. Structures et thèmes.

- La structure de Babouc.
- La structure de Zadig.
- Structures comparées de Babouc et de Zadig.
- La peinture de Persépolis dans Babouc.
- Images de la civilisation dans Babouc.
- L'organisation de la société dans Babouc.
- Morale et société dans Babouc.
- La place de la religion dans Zadig.
- La critique de la société du temps dans Zadig.
- La liberté humaine dans Zadig.
- Le sens de la destinée humaine dans Zadig.
- La quête du bonheur dans Zadig.
- L'optimisme et le pessimisme dans les deux contes.
- La morale des deux contes. Évolution.

3. Les personnages.

- Le personnage de Babouc.
- Le personnage de Zadig.
- Les personnages de Babouc et de Zadig. Quels sont leurs points de ressemblance et leurs points de différence?
- L'ange Ituriel.
- Le ministre (Babouc, pages 47-48).
- Téone.
- Cador.
- Arimaze (Zadig, chapitre IV).
- Le pêcheur (Zadig, chapitre XV).
- L'ange Jesrad.

4. Influences et tradition.

- L'inspiration biblique dans *Babouc*.
- L'influence orientale dans *Babouc*.
- *Zadig* et le conte oriental. Tradition et utilisation philosophique.

5. La langue.

- Les images. Étude thématique.
- Le vocabulaire.
- Le style de la raison.
- Figures de mots et figures de pensée. Leur rôle philosophique.

6. Études littéraires. Faites l'étude littéraire :

- des lignes 19-92 de *Babouc*;
- des lignes 288-432 de *Babouc*;
- du chapitre IV (lignes 7-37) de *Zadig*;
- du chapitre IX (lignes 17-93) de *Zadig*;
- du chapitre XIV (lignes 67-110) de *Zadig*;
- du chapitre XVII (lignes 1-67) de *Zadig*.

DISSERTATIONS

- Partagez-vous l'opinion de M. J. Van den Heuvel, pour qui l'homme apparaît dans *le Monde comme il va* comme « un phénomène essentiellement opaque, devant lequel tout essai d'explication — les attaques comme les justifications des libertins, renvoyés ici dos à dos — s'avère radicalement impuissant » (*Voltaire dans ses contes*, 1967)?

- « Les passions sont les roues qui font marcher toutes les machines. » Quel écho cette affirmation du *Traité de métaphysique* (rédigé en 1734) rencontre-t-elle dans le conte?

- Peut-on appliquer à la morale de *Babouc ou le Monde comme il va* cette affirmation de Voltaire dans le *Discours sur les contradictions de ce monde* écrit vers la même époque : « Le monde subsiste toujours comme s'il était bien ordonné; l'irrégularité tient à notre nature [...]. Il y aurait de la folie à vouloir que les montagnes, les mers, les rivières fussent tracées en belles figures régulières; il y aurait encore plus de folie de demander aux hommes une sagesse parfaite; ce serait vouloir donner des ailes à des chiens, ou des cornes à des aigles »?

- Comment interprétez-vous l'apologue de la statue dans *Babouc ou le Monde comme il va*?

- « Il est bien certain, écrit Voltaire dans le *Traité de métaphysique* (1734), qu'il y a des hommes plus libres les uns que les autres, par la même raison que nous ne sommes pas tous également éclairés, également robustes, etc. La liberté est la santé de l'âme; peu de gens ont cette santé entière et inaltérable. » Cette définition de la liberté peut-elle s'appliquer au personnage de Zadig?

● « Le déisme de Voltaire n'est pas purement critique ; il est inspiré par le sentiment cosmique du divin. C'est au nom de l'Être céleste suprême qu'il raille la superstition — en fait, toutes les formes positives de la religion. » En vous aidant de cette opinion de M. R. Pomeau (*la Religion de Voltaire*, 1956), essayez de définir le déisme de Voltaire tel qu'il se manifeste dans *Zadig*.

● Trouvez-vous, avec M. V.-L. Saulnier, que la solution au problème de la destinée humaine proposée par *Zadig* « sente le conte de fées moral » (*in* Introduction à son édition de *Zadig*, 1946) ?

● Quel sens donnez-vous à la fuite de l'ange Jesrad à la fin du chapitre XVIII de *Zadig* ?

● On qualifie *Babouc* et *Zadig* de *contes* ou de *romans*. Quel est celui des deux mots qui vous semble le plus adéquat ? En proposeriez-vous un autre ?

● Étudiez la façon dont Voltaire introduit une distance philosophique entre le lecteur et la matière romanesque en vous appuyant sur ces propos d'Alain : « Cette langue trouve occasion d'exprimer la rêverie la plus folle, la plus tranquillement déraisonnable, la plus ignorante de la nécessité extérieure, la moins libre aussi par cela même, et où les passions elles-mêmes n'ont point de forme parce que le destin n'y a point de règle. L'humanité esclave, insouciante, qui croit à tout et se résigne à tout, est reflétée en ce miroir de raison. Un contraste si violent entre la forme et le contenu devrait faire paraître, en même temps qu'un genre d'ironie, un genre de trait et une moqueuse cadence » (*Propos de littérature*, 1953).

● Que pensez-vous de ce jugement de G. Lanson : « Les romans de Voltaire sont des démonstrations du progrès par l'absurde » (*Voltaire*, 1906).

● L'art de Voltaire dans ses contes philosophiques vous semble-t-il exactement défini par Mᵐᵉ de Staël dans *De la littérature* (1800), lorsqu'elle écrit : « Il se trouve un résultat philosophique à la fin des contes de Voltaire, mais l'agrément et la tournure du récit sont tels, que vous ne vous apercevez du but que lorsqu'il est atteint » ?

TABLE DES MATIÈRES

Imprimerie LAROUSSE, 1 à 9, rue d'Arcueil, Montrouge (Hauts-de-Seine).
Décembre 1972. — Dépôt légal 1972-4e. — No 5791. — No de série Editeur 6283.
IMPRIMÉ EN FRANCE (*Printed in France*). — 34 975 N-5-73.